10|18
12, avenue d'Italie — Paris XIIIe

Sur l'auteur

Né à Washington D.C. en 1944, Armistead Maupin passe ses premières années en Caroline du Nord. Après avoir servi dans la marine au Viêt-nam, il s'installe à San Francisco en 1971. C'est en 1976, dans les colonnes du quotidien le *San Francisco Chronicle* – renouant ainsi avec une vieille tradition littéraire du XIXe siècle –, qu'il commence à publier ses *Chroniques de San Francisco* : elles connaissent un succès immédiat. Depuis, avec leur publication sous la forme d'une série de six romans, traduits dans toutes les langues et adaptés à la télévision, un événement local s'est transformé en véritable phénomène international. Armistead Maupin a depuis écrit deux autres romans, *Maybe the Moon* et *Une voix dans la nuit*. Il vit et travaille toujours à San Francisco.

Pour plus d'informations, vous pouvez visiter le site Internet « 28 Barbary Lane Online » : www.talesofthecity.com

BYE-BYE
BARBARY LANE

PAR

ARMISTEAD MAUPIN

Traduit de l'américain
par François Rosso

10|**18**

« Domaine étranger »
dirigé par Jean-Claude Zylberstein

LES ÉDITIONS PASSAGE DU MARAIS

Titre original :
Sure of You

© Armistead Maupin, 1990
© Passage du Marais, 1998, pour la traduction française.
ISBN 2-264-02994-3

Note de l'éditeur

Ce roman contient, naturellement, une multiplicité de références — pour la plupart intraduisibles — propres à la culture américaine et à l'époque des années 80. Nous en avons volontairement gardé beaucoup — en anglais — dans l'espoir qu'une telle démarche favorise le dépaysement du lecteur et son immersion dans l'univers de San Francisco. Notre souci constant a néanmoins été de bien veiller à ce qu'elles ne constituent en aucun cas un obstacle au plaisir de la lecture.

Dans le même esprit, nous avons tenu à garder sous sa forme originale l'épigraphe choisie par l'auteur, laquelle se révèle par ailleurs difficilement traduisible de façon satisfaisante.

Enfin, et comme toujours, nous remercions Colette Carrière et Tristan Duverne pour leur contribution à l'édition de cet ouvrage. En outre, nous nous permettons, à l'occasion de la parution de ce dernier volet des *Chroniques,* d'exprimer notre gratitude envers quelques amis qui nous ont apporté une aide précieuse : Debra Burke, Peter Day, Jean-Pierre Meyer-Genton, Peter Probert et Jean-Michel Wagner, ainsi que la famille Wilson.

POUR IAN McKELLEN

Piglet sidled up to Pooh from behind.
"Pooh!" he whispered.
"Yes, Piglet?"
"Nothing," said Piglet, taking Pooh's paw.
"I just wanted to be sure of you."

A. A. MILNE
THE HOUSE AT POOH CORNER

Si belle

Brian Hawkins en était maintenant certain : quelque chose avait changé dans le visage de sa femme. Sa bouche, peut-être. C'était là, aux commissures des lèvres, que se montrait toujours son humeur véritable — même dans un moment comme celui-ci, où elle essayait de toute évidence de la dissimuler. Il inclina la tête, jusqu'à ce que ses yeux fussent au même niveau que les siens, puis recula un peu comme s'il estimait la qualité d'un tableau.

Bon sang, ce qu'elle était belle ! Et à cette beauté elle donnait de la profondeur, tant elle la pénétrait de sérieux et de concentration. Pourtant, quelque chose la minait de l'intérieur, la travaillait et rongeait cette contenance, cependant qu'elle était assise, sourire aux lèvres, et parlait doucement de la mort des animaux de compagnie.

— Et Peluche était ?...

— Un loulou de Poméranie, répondit son invitée du matin, une imposante matrone tout droit sortie d'un film de Laurel et Hardy.

— Quand est-elle... *partie* ?

Cette hésitation est magistrale, pensa Brian. La prévenance avec laquelle Mary Ann avait un instant réfléchi à cet euphémisme était en effet soit admirable de bienveillance, soit férocement comique : tout dépendait en fait du degré de subtilité du spectateur.

— Et donc, vous avez décidé de la faire ?...

— ... lyophiliser, dit la femme.

— Lyophiliser, répéta Mary Ann.

Il y eut dans le public du studio quelques gloussements nerveux. Nerveux, parce que Mary Ann ne s'était nullement départie de son expression respectueuse, funèbre. Soyons gentils avec cette femme, semblait-elle penser. C'est un être humain comme chacun d'entre nous. Et ainsi qu'à l'ordinaire, c'était parfaitement efficace : Mary Ann ne se laissait jamais surprendre avec du sang sur les mains.

Michael, l'associé de Brian, entra dans le bureau de la jardinerie, laissa tomber ses gants de travail et passa son bras autour des épaules de son vieil ami.

— Elle a invité qui, aujourd'hui ?

— Regarde toi-même, suggéra Brian en augmentant le volume du son.

La femme était en train d'ouvrir une boîte en bois, laquelle avait la forme d'une niche.

— C'est mon enfant, disait-elle, mon petit bébé adoré. Pour moi, elle a toujours été beaucoup plus qu'une chienne.

Michael fixait l'écran en fronçant les sourcils.

— Qu'est-ce que...

La caméra avança pour prendre un gros plan, tandis que Mary Ann faisait taire les ricaneurs d'un regard glacial. La femme plongea ses mains grassouillettes dans la boîte et en sortit sa Peluche bien-aimée, aussi pelucheuse que de son vivant.

— Mais il ne bouge pas, ce chien ! s'exclama Michael.

— Il est mort, expliqua Brian. Lyophilisé.

Tandis que Michael s'esclaffait bruyamment, la femme posa la bête raidie sur ses genoux et lissa doucement sa fourrure. Aux yeux de Michael, elle paraissait atrocement vulnérable : elle jetait des regards furtifs tantôt vers le public, tantôt vers son inquisitrice, et on voyait sa lèvre trembler.

— Certaines personnes, reprit Mary Ann, avec encore plus de douceur qu'auparavant, sont en droit de trouver cela... inhabituel.

— Je sais.

La femme hocha la tête.

— Mais elle me tient compagnie... Comme ça, je peux continuer à la cajoler.

Elle en apporta la démonstration en se forçant quelque peu, puis posa sur Mary Ann un regard effroyablement innocent.

— Vous voulez essayer ?

D'un regard vif comme l'éclair, Mary Ann jaugea le public. La caméra, comme toujours, était prête à lui obéir. Alors que le studio retentissait d'éclats de rire, Brian tendit le bras et éteignit le téléviseur.

— Eh bien ! conclut Michael. C'était quelque chose, hein ?

— Cette bonne femme s'est fait piéger, dit Brian.

— Allons ! On ne fait pas une émission de télé avec un chien lyophilisé sans s'attendre à se faire charrier un peu.

— Tu n'as pas vu sa tête ? Elle ne s'attendait pas à ça.

— Houhou ! Jeunes gens ! roucoula une cliente dans l'encadrement de la porte.

— Oh ! fit Michael. Vous avez trouvé votre bonheur ?

— Oui. Si quelqu'un pouvait m'aider à charger tout ça...

Brian se leva d'un bond :

— On s'occupe de vous tout de suite.

La cliente déambula — non : se déhancha lascivement — entre les allées de plantations pour indiquer son choix. Brian la suivit, tandis que sous sa salopette son érection s'amplifiait ; puis il trimbala les bacs jusqu'au bureau, où il prépara la facture et attacha les plantes.

— Ce sera tout ?

Elle lui tendit sa carte Visa.

— Oui, c'est parfait.

Elle avait les cheveux d'un rouge brique, aussi luisants que la peau d'un phoque. À la manière dont ses yeux brûlants le fixaient, il soupçonna très vite que si elle se trouvait là, ce n'était pas seulement pour les plantes de jardin.

À tâtons, il introduisit sa carte dans la machine.

— Il y a longtemps que vous êtes ici ? demanda-t-elle.

— Euh... la jardinerie ou moi ?

Ses lèvres frémirent.

— Vous, bien sûr !

— Depuis trois ans, à peu près.

De ses longs doigts, elle pianota sur le dessus de la table.

— Je suis déjà venue ici, mais à l'époque ça s'appelait autrement.

— *Les Verts Pâturages.*

— Oui, c'est ça.

Elle sourit.

— Je préfère *Les Plantes adoptives.*

— Moi aussi.

Il prit le reçu et le lui tendit avec un stylo. Elle y apposa un paraphe théâtral, puis déchira les carbones en petits carrés bien nets, sans cesser de lui adresser un sourire appuyé.

— N'allez surtout pas croire que votre visage ne m'inspire pas confiance, minauda-t-elle.

Il se sentit rougir.

— Je peux mettre vos muscles à l'épreuve ?

— Pardon ? Euh... naturellement !

— Ma voiture est garée un peu plus bas.

Il désigna ses achats.

— Ce sera tout ?

Bien sûr que ce sera tout, idiot ! Elle vient de régler, non ?

— Ce sera tout.

Elle s'humecta les lèvres avec la précision d'une chatte, touchant seulement les coins de sa bouche de la pointe de sa langue.

Il venait de saisir deux des bacs quand Polly entra en trombe dans le bureau.

— Besoin d'un coup de main ?

— Ça ira, lui lança-t-il.

— Tu es sûr ?

— Oui, oui.

Son employée fit lentement le tour des trois arbustes, comme pour se faire par elle-même une idée de la situation.

— Tu ne peux pas en porter trois.

— C'est toi qui le dis !

Polly lui fit un sourire de côté, avec un petit geste de la main, l'air de lui dire : « Je te la laisse, va, espèce de satyre ! » Polly était assez jeune pour être sa fille, mais elle savait se montrer sacrément intuitive dès qu'il s'agissait de sexe.

La femme regarda Brian, puis Polly, puis de nouveau Brian.

— D'accord, concéda-t-il. Donne-moi un coup de main.

Le visage de Polly, couvert de taches de son, s'éclaira d'un sourire moqueur ; elle souleva deux des bacs et les emporta hors du bureau.

— Il faut les porter où ?

— Là-bas, désigna la femme. Jusqu'à la Land Rover.

Polly ouvrit la marche, son débardeur tout humide dans le creux de sa poitrine, ses biceps à la peau veloutée durcis par le poids de son chargement. Derrière elle avançait la belle rousse, pâle et froide comme le marbre, faisant onduler sous un long chandail blanc un fessier impressionnant. Brian fermait la marche, trimbalant un seul arbuste dans son bac — ce qui lui donnait la sensation d'être un rien dévirilisé.

— Je vous remercie. C'est gentil à vous, dit finalement la femme.

— Pas de quoi, répondit Polly.

— Normal... ajouta stupidement Brian. Ça fait partie du service.

Ils chargèrent les plantes à l'arrière du break, Polly réfléchissant beaucoup plus longtemps qu'elle n'en avait coutume en pareil cas à la manière de les disposer...

— Voilà, ça devrait tenir, déclara-t-elle enfin, en donnant une tape sur l'un des bacs.

— Merci.

La cliente gratifia Polly d'un sourire, puis se mit au volant et claqua la portière.

— Surtout, n'oubliez pas ! dit Brian, baissant la voix comme un conspirateur. Gardez-les toujours bien humides. Je sais que l'eau est rationnée à cause de la sécheresse, mais elles mourront, si vous ne les arrosez pas assez.

— Je m'en occuperai à la tombée de la nuit, chuchota-t-elle en les fixant tous les deux. Quand les voisins ne regardent pas.

Brian éclata de rire.

— Excellente idée.

— Merci encore.

Elle mit le contact.

— Beau châssis, apprécia Polly.

La rousse acquiesça.

— Elle n'est pas mal.

Elle s'éloigna du trottoir, levant la main pour une sorte d'au revoir. Brian et Polly regardèrent la voiture jusqu'à ce qu'elle eût disparu au coin de la rue.

— Cette nana est déjà venue, commenta Polly alors qu'ils reprenaient le chemin de la jardinerie.

— Ah oui ?

Elle hocha vigoureusement la tête, en se frottant la joue pour en faire partir une tache terreuse.

— Et j'aurais vite fait de lui faire enlever ses collants, moi...

Brian lui adressa un sourire en coin.

— Toi aussi, d'ailleurs, ajouta-t-elle.

— Mais non...

— À d'autres !

— Eh bien... peut-être, oui, à la rigueur.

Polly se mit à rire.

— Tu crois qu'elle aime les filles ? demanda-t-il.

Elle haussa les épaules.

— Peut-être bien que oui. Peut-être bien que non.

— Je pensais qu'elle pourrait être de ton bord.

— Pourquoi ?

Il réfléchit quelques instants.

— Eh bien, d'abord, tu lui as parlé de son « beau châssis » et elle l'a appelé « elle ».

— Mmm ?...

Polly fronça les sourcils.

— Son gros break, expliqua Brian. Quand elle en a parlé, elle a dit « elle ».

— Et tu t'imagines que c'est... Quoi ? Une espèce de code entre goudous ? demanda Polly.

Il haussa les épaules.

— Remarque, moi, justement, j'appelle ma voiture Dwayne !

Il sourit, se représentant Polly au volant de sa Mustang millésimée.

— Toi, alors ! poursuivit-elle. On peut dire que tu les flaires, hein ?

— Tu peux parler ! Mais je croyais que t'avais trouvé la femme de ta vie, le mois dernier.

— Qui ça ?

— Sais pas. Celle que tu avais rencontrée au *Rawhide II*.

Polly leva les yeux au ciel.

— Tu l'as déjà larguée, c'est ça ?

Pas de réponse. De nouveau, Brian se mit à rire.

— Dis-moi, ça a duré combien de temps ?

Avec ses cheveux en bataille et son petit sourire coupable, Polly avait l'air d'un personnage sorti tout droit du crayon de Norman Rockwell : un sale garnement faisant l'école buissonnière et venant de se faire prendre en flagrant délit de braconnage.

— Tu sais, plaisanta-t-il, tu es pire que n'importe quel mec de ma connaissance.

— C'est parce que... énonça-t-elle en se rapprochant de lui et en cognant contre sa hanche son petit cul tout mince, *je sais mieux y faire* que n'importe quel mec de ta connaissance !

En dépit des taquineries de Polly, Brian devait admettre qu'il n'était plus le tombeur qu'il avait été jadis, loin de là. Il avait renoncé aux vagabondages extraconjugaux depuis plus de trois ans — en fait, depuis le moment où Geordie Davis était tombée malade. Le diagnostic avait été établi plusieurs semaines avant les révélations fracassantes de Rock Hudson, et Geordie avait survécu presque deux ans de plus que le célèbre acteur, pour finalement succomber en coulisses, chez sa sœur, quelque part en Oklahoma.

Il s'était proposé pour s'occuper d'elle lui-même — avec l'accord de Mary Ann —, mais elle avait repoussé cette offre en riant : ils avaient été copains, lui avait-elle répondu, pas amants.

« Ne fais pas de nos petits jeux une grande histoire. Nous nous sommes bien amusés, vieux frère, mais à présent on n'a plus besoin de tes services », avait-elle conclu.

Quand il avait reçu les résultats de son test et lu le

mot « négatif », son soulagement avait été si intense qu'il avait adopté un régime de vie furieusement casanier. Maintenant, il louait des vidéos, faisait de la pâtisserie et passait ses soirées à la maison avec sa fille, même quand Mary Ann devait sortir pour des réceptions « importantes ». Il était de plus totalement dégoûté des flagorneurs et autres mondains qui tourbillonnaient autour de sa célèbre épouse.

Si quelque chose avait changé dans ses rapports avec Mary Ann, ça n'avait rien de dramatique ; rien, même, qu'il pût identifier avec certitude. Leur vie sexuelle était toujours florissante (même si elle connaissait de très fortes baisses de régime lors des calculs d'Audimat), et d'année en année ils étaient devenus experts dans l'art et la manière d'éviter toute dispute.

Quelquefois, pourtant, il se demandait s'ils n'étaient pas justement *trop* prudents lorsqu'ils se retrouvaient tous les deux, trop formalistes, prévenants et artificiellement enjoués. Comme si leur entente conjugale n'était rien de plus que cela : une entente, oui, qui exigeait beaucoup de courtoisie parce qu'il n'y avait derrière aucune authenticité.

Ou peut-être, comme elle le lui faisait souvent observer, n'était-ce que son penchant à toujours trop analyser.

Il était de retour dans le bureau, mettant à jour son planning sur l'ordinateur, quand le bipeur qui équipait la boîte à pilules de Michael retentit. Il découvrit l'objet au son strident dans la poche de la veste de son associé, l'éteignit et l'apporta jusqu'à la serre, où il trouva Michael à genoux, rempotant des plantes grasses.

— Oh, merci, dit celui-ci, fourrant la boîte dans sa poche. Désolé que tu te sois dérangé.

— Tu parles...

Brian haussa les épaules, gêné par ces excuses.

Depuis longtemps, il avait accepté que la sonnerie du bipeur rythmât leurs journées, mais c'était pour Michael qu'elle résonnait, comme l'écho d'un glas toutes les quatre heures.

— Tu veux un verre d'eau?

Michael, déjà, était retourné à ses plantes grasses.

— Je vais les prendre dans une minute.

En règle générale, Brian s'en était aperçu, Michael refusait d'obtempérer sur-le-champ aux ordres du bipeur. C'était sa façon de tenir en respect sa drogue obligatoire.

— Alors, lequel de vous deux a fini par l'avoir?

Brian fit mine de ne pas comprendre.

— Allons, tu sais très bien de quoi je parle, insista Michael en faisant un geste du menton vers la porte. La « Jessica Rabbit » de tout à l'heure!

— Parce qu'il y avait une compétition?

— C'est drôle. J'aurais juré qu'il y avait une odeur de testostérone dans l'air...

— Ça doit être Polly, lâcha Brian.

Michael éclata de rire et enfonça le déplantoir dans le sol.

— Ça, je le lui répéterai!

— Prends donc tes comprimés, lança Brian en se dirigeant vers la porte.

— Oui, maman!

Un tournant à l'horizon

De retour dans sa loge, Mary Ann Singleton s'étendit sur le sofa avec un gros soupir, une veine battant cruellement à sa tempe, et envoya promener ses chaussures. Deux secondes ne s'étaient pas écoulées qu'un toc-toc timide se fit entendre à la porte.

— Oui ? répondit-elle d'une voix atone.

Elle était de toute façon certaine que ce ne pouvait être que Raymond : Raymond, son nouvel assistant, aussi craintif qu'un écureuil, qu'on lui avait fourgué quand sa fidèle Bonnie était partie avec son petit ami explorer le delta du Mississippi en péniche aménagée.

Il ne manquait plus que lui ! pensa-t-elle avec ironie. Encore un de ces blancs-becs qui s'y connaissaient en télévision à peu près autant qu'un bûcheron canadien en tapisserie au petit point !

— Mary Ann ?

— Mmm... Entrez, Raymond.

La porte s'ouvrit tout doucement et Raymond la franchit, vêtu d'une chemise Yamamoto qu'il portait dans l'espoir d'avoir l'air branché mais qui, malheureusement, lui donnait l'air plus empoté que nature.

— Si je vous dérange...

— Non, pas du tout, dit-elle en imposant à ses zygomatiques un faible sourire. Asseyez-vous donc.

Il posa ses fesses sur le tabouret de la table de maquillage et farfouilla dans les notes accrochées à son clip-board.

— Bonne interview... commença-t-il.

Mary Ann grommela quelque chose d'inintelligible.

— Où sont-ils allés la chercher, cette bonne femme ?

— Vous plaisantez, Raymond ! Ce sont ces gens qui viennent *nous* dénicher ! Vous n'avez pas vu la queue, cette semaine ? Ça devait être la même chose quand la Warner a recruté les figurants pour *Freaks* !

Raymond hocha gravement la tête... La tête d'un type qui peine à piger.

— *Freaks* est un vieux film, expliqua-t-elle. Sur un cirque où tous les artistes sont des monstres.

— Ah oui ?

— Mmm. Vous n'êtes pas d'une région où on va beaucoup au cinéma, n'est-ce pas ?

— Euh... Maintenant, je suis peut-être un vrai Californien, mais je dois avouer que je viens du Middle West.

Après un instant de réflexion, Mary Ann décida de ne pas confier à son nouvel assistant qu'elle-même venait de Cleveland. Après tout, leurs rapports étaient strictement professionnels et elle n'avait aucune envie qu'ils finissent cul et chemise. Pourquoi lui fournir des renseignements qu'il pourrait un jour utiliser contre elle ?

— Alors, embraya-t-elle plutôt, qu'est-ce que vous venez m'annoncer ?

Toujours aussi solennel, Raymond parcourut ses notes d'un œil précautionneux, à se demander si n'y figurait pas la liste des morts et des blessés après un accident d'avion.

— Pour commencer, on vous demande de participer au prochain téléthon de Jerry Lewis.

— Ce qui veut dire ?... Qu'il faut que j'aille à Oakland pour ça ?

Il haussa les épaules.

— Je suppose.

— Bon. Répondez-leur que c'est d'accord, mais à condition qu'on ne m'inflige pas cet imbécile de coprésentateur de l'année dernière. Ni personne d'autre, d'ailleurs. Et que je passe à une heure convenable, pas au milieu de la nuit.

— Compris.

Il gribouillait frénétiquement sur son papier.

— Figurez-vous qu'en France, il y a un tas de gens qui l'adorent... Je suis sérieuse !... Vous saviez ça ?

— Mais... Qui ?

— Jerry Lewis !

— Ah... Oui, je l'ai entendu dire.

— Franchement, c'est hallucinant. Vous ne trouvez pas ?

Pour toute réponse, Raymond la regarda en ouvrant de grands yeux.

— Ne me dites pas que vous l'aimez ? demanda-t-elle.

— Eh bien... Je sais qu'il y a longtemps qu'on le considère un peu comme un ringard... N'empêche que de plus en plus de cinéastes américains trouvent ses premiers films... euh, au moins comparables à ceux d'un Tati, par exemple.

Tati ? Qu'est-ce que c'était que ça ? Mary Ann ne releva pas : de toute façon, elle se moquait pas mal de tout cela.

— Allons, Raymond ! Il ferait un bide dans une maison de retraite ! Ne dites pas d'âneries, je vous en prie.

Ses petits yeux retournèrent à ses notes. Apparemment, il estimait qu'elle n'était pas très *in* si elle ignorait que Jerry Lewis redevenait une référence... en tout cas, pour les amateurs de cinéma européens. Si elle lui avait avoué qu'elle était de Cleveland, il n'aurait pas manqué d'y voir la confirmation de son philistinisme. Et de le faire savoir. Décidément, on n'était jamais trop prudent.

— Quoi d'autre ? demanda-t-elle.

Il ne leva pas les yeux, mais poursuivit :

— Il y a ce prof de l'université qui voudrait que vous interveniez dans son cours de sciences des médias.

— Désolé, je ne peux pas.

— OK.

— Ce serait pour quand ?... Non, peu importe : je ne peux pas. Ensuite ?

— Euh... Un habitué de l'émission vous demande une photo dédicacée.

— Pour ça, allez voir Julie. Nous en avons tout un stock, signées d'avance.

— Je sais, mais il voudrait quelque chose de personnalisé.

Il détacha du clip-board une photo sur papier glacé et la lui tendit.

— Je vous en ai apporté une sans signature. Il dit que n'importe quoi lui ferait plaisir, du moment qu'il y a son nom.

— Non, mais je rêve : qu'est-ce que c'est que ces gens ! soupira-t-elle en prenant un crayon feutre. Il s'appelle comment ?

— Cliff. Il dit qu'il vous regarde depuis des années.

Elle griffonna après un instant de réflexion : *Pour Cliff. Merci de votre fidélité. Mary Ann.*

— Si ça ne lui suffit pas, marmonna-t-elle en lui rendant la photo, qu'il aille se faire foutre. C'est tout ?

— C'est tout.

— Génial. Parfait. Fichez-moi le camp, maintenant.

Pour lui faire comprendre qu'elle plaisantait, elle le gratifia d'un sourire en coin.

— Que voulez-vous, mon vieux : l'émission sur les syndromes prémenstruels est avancée d'une semaine.

— Oh...

Il lui fallut tout de même un petit moment pour saisir l'allusion.

— Je peux aller vous chercher un comprimé de Nuprin, un truc comme ça ?

— Non, merci, Raymond. Ça ira.

Il s'éloigna vers la porte d'un pas discret, puis s'immobilisa brusquement.

— Excusez-moi, j'y pense seulement maintenant : quelqu'un a téléphoné, pendant l'émission. Un nommé Andrews, de New York.

— Andrews ?

Il tira une petite fiche rose de la poche de sa chemise Yamamoto.

— Burke Andrews, lut-il.

— Oh, *Andrew*. Burke Andrew.

— Oui. Ça doit être ça. Désolé.

Il posa la fiche sur la table de maquillage.

— Je vous laisse ça là.

Un millier de suppositions tourbillonnèrent dans sa tête comme un essaim de moustiques.

— C'est un numéro de New York ?

Raymond secoua la tête.

— Non, d'ici, précisa-t-il en ouvrant la porte. Un hôtel, je crois.

Est-ce que ça faisait *vraiment* onze ans ?

Burke était parti s'installer à New York en 1977, après l'affaire des rites cannibales dans la Grace Cathedral, et depuis, elle n'avait plus eu de nouvelles de lui, sauf en 1983, à Noël, lorsqu'il lui avait envoyé ses vœux sur une carte-photo le représentant avec sa femme (en robe du dimanche et sourire Colgate) et ses deux chiards, d'un blond cendré comme leur papa, posant devant le sapin quelque part dans le Connecticut. Ça lui avait fait un petit pincement au cœur, cette carte, en dépit (ou peut-être *en raison*) du fait qu'à l'époque elle était déjà mariée à Brian.

Elle avait rencontré Burke sur un paquebot pompeusement baptisé *Pacific Princess* et dont la spécialité — ironie du sort — était la croisière de lune de miel ; et elle s'était aussitôt éprise de sa belle et bonne tête de colley, de ses cuisses incroyables, et de sa galanterie. Michael Tolliver, témoin de la scène, avait soutenu par la suite que c'était l'amnésie de Burke qu'elle avait trouvée irrésistible, ou la trop voyante, infiniment tentatrice virginité de son esprit. La mémoire était rapidement revenue au brave garçon, cependant : après quelques mois, il avait pris ses cliques et ses claques, direction New York. Bien sûr, il lui avait demandé de l'accompagner, mais elle était en ce temps-là beaucoup trop entichée de sa nouvelle vie à San Francisco pour envisager sérieusement de s'en aller.

Par la suite, si elle avait suivi le parcours de Burke, c'était avec un intérêt exclusivement professionnel. Elle avait vu sa signature se parer d'un prestige toujours croissant au sein des équipes rédactionnelles d'une succession de magazines de plus en plus chics : le *New York,* puis *Esquire,* ensuite une chronique des médias dans *Manhattan...* Sans compter la télévision, où depuis quelque temps on parlait beaucoup de lui comme de l'un des producteurs en vogue.

Mary Ann s'était souvent demandé pourquoi il ne s'était jamais donné la peine de la contacter. Exception faite de leur brève idylle, ils avaient au moins en commun une certaine notoriété médiatique. Bien sûr, elle n'était pas au plan national une vraie vedette, mais tout de même, elle avait eu les honneurs d'un portrait assez flatteur dans *Entertainment Tonight,* et quiconque faisait ne fût-ce qu'un bref séjour à San Francisco ne pouvait manquer de voir son visage à la télévision, ou sur les panneaux publicitaires que la chaîne faisait placarder sur les autobus.

Enfin... Elle avait le curieux pressentiment qu'il n'allait pas tarder à se rattraper.

Il était descendu au *Stanford Court,* découvrit-elle. Un instant plus tard, la standardiste lui passait sa chambre.

— Oui ? fit-il d'un ton un peu impatient.

Il avait décroché en moins d'une seconde.

— Burke ?

— Qui est-ce ?

— C'est Mary Ann. Mary Ann Singleton.

— Oh, salut ! Excuse-moi, je croyais que c'était le service d'étage. Ils n'arrêtent pas d'oublier ce que je leur demande et de me rappeler. Comment ça va ? Dis donc, ça me fait vachement plaisir de t'entendre.

— Ah oui ? répliqua-t-elle maladroitement. Ça me fait plaisir, à moi aussi.

— Ça fait un bail, pas vrai ?

— Oui, plutôt.

Après un silence, il se lança :

— J'ai... euh... J'ai un petit problème, tu sais : je voulais savoir si tu pouvais m'aider, Mary Ann.

Sa première pensée, qu'elle écarta aussitôt, fut qu'il était de nouveau victime d'amnésie.

— Volontiers, répondit-elle avec empressement. Raconte-moi tout : je ferai ce que je pourrai.

Ça lui était agréable, d'apprendre qu'elle pouvait encore lui être utile à quelque chose.

— Eh bien, voilà. C'est au sujet de ma guenon.

— Pardon ?

— Oui : de ma guenon. À vrai dire, c'était beaucoup plus qu'une guenon, pour moi : une vraie amie, en fait. Mais elle est morte ce matin, et je me demandais si tu pourrais m'aider à la faire lyophiliser.

Comprenant enfin, elle se maîtrisa et siffla entre ses dents :

— Espèce de salaud !

Il ricana comme un écolier qui aurait laissé tomber un lézard dans son décolleté.

— Je t'imaginais déjà en train de bercer une guenon morte, avoua-t-il.

Il rit de nouveau.

— J'ai fait pire ! s'exclama-t-il.

— Je sais, fit-elle avec nostalgie. Je me souviens.

Elle se sentait gênée, à présent, et pour des raisons plus troublantes que sa blague idiote. De toutes les émissions qu'il aurait pu regarder, pourquoi fallait-il qu'il fût tombé sur celle d'aujourd'hui ? S'il était arrivé une semaine plus tôt, il l'aurait vue interviewer Nancy Reagan. Ou animer ce débat sur la mort subite des nourrissons qui lui avait valu tant d'éloges. Qu'est-ce qui le faisait rire, au juste ? Les chiens lyophilisés, ou la façon dont elle s'était fait un nom à la télévision ?

— Alors, reprit-il, comment va la vie ?

— Très bien. Qu'est-ce qui t'amène ici ?

— C'est...

Il semblait hésiter.

— Le boulot, principalement.

— Un reportage ?

Elle faisait des vœux pour que ce ne fût pas le sida. Elle en avait par-dessus la tête, de parler de cette saloperie aux journalistes en visite : tous débarquaient à San Francisco en s'attendant à contempler les ruines fumantes de Sodome.

— C'est un peu compliqué, finit-il par dire.

— OK.

Ce qui signifiait : « Fais comme si je n'avais rien demandé. »

— Mais j'aimerais bien t'en parler. Est-ce qu'on pourrait déjeuner ensemble demain ? Tu es libre ?

— Euh... Attends une seconde, tu veux bien ?

Elle le mit en attente et laissa passer trente bonnes secondes avant de reprendre la communication.

— Ça marche, Burke, rien de prévu demain.

— Génial.

— Où est-ce qu'on se retrouve ?

— Choisis, Mary Ann. Ce qu'il y a de mieux, bien entendu !

— ... Seulement si ça peut passer en note de frais.

— Bien sûr.

Elle réfléchit un instant, puis :

— Il y a un endroit qui vient d'ouvrir, dans le centre. Une espèce de snack transformé en restaurant haut de gamme.

— D'accord.

Son ton était sceptique.

— On s'y bouscule, ces temps-ci. Plein de gens des médias, surtout.

— Alors, courons-y. J'imagine que je peux te faire confiance.

Ne sachant pas trop comment elle devait prendre cette remarque, elle jugea prudent de ne pas relever.

— Ça s'appelle *Chez D'orothea,* précisa-t-elle. À l'angle de Jones et de Sutter.

— C'est noté. À quelle heure ?

— Une heure, ça te va ?

— Parfait. Je me réjouis d'avance.

— Moi aussi. À demain.

30

Elle raccrocha, puis s'étendit à nouveau sur le sofa, s'apercevant avec un peu de stupeur que son mal de tête s'était tout bonnement dissipé.

Son après-midi fut occupé par diverses réunions suivies par un pot d'anniversaire classique, c'est-à-dire plutôt nunuche, en l'honneur d'un des cadreurs de la chaîne. Vers trois heures — un peu plus tard que d'habitude, donc —, elle quitta les studios en hâte et prit en voiture la direction de l'école que fréquentait sa fille, à Pacific Heights.

Presidio Hill était un établissement « alternatif » pratiquant des tarifs invraisemblablement élevés, où l'accent était mis sur le développement créatif et l'attention prodiguée à chaque enfant de façon individuelle. À cinq ans, Shawna était la plus jeune élève de la Classe d'Annie (c'était ainsi qu'on l'appelait, jamais la « classe maternelle »), et ses petits camarades comprenaient — entre autres — la fille d'une rock-star adulée et le fils d'un journaliste de *Playboy* spécialisé dans les interviews de célébrités.

Les adultes étaient « fortement incités » à participer au fonctionnement de l'école, en sorte que, par exemple, la compagne du rocker venait à Presidio Hill un mercredi sur deux pour préparer des feuilletés à la saucisse à l'intention des chérubins. Mary Ann elle-même s'était en quelques occasions laissé convaincre de s'adonner à ces réjouissances, bien que les méthodes d'intimidation utilisées pour y parvenir l'irritassent au plus haut point. Pour cinq mille dollars par an, estimait-elle, ces experts en pédagogie haut de gamme auraient pu faire rôtir leurs hot dogs par des professionnels.

Quand elle arriva devant le bâtiment rustique en bois de séquoia, l'habituelle pagaille de fin de classe avait commencé. Les BMW, les Audi et autres breaks de luxe étaient garés dans Washington Street en double, voire en triple file, cependant que des grappes de parents papotaient entre eux et s'extasiaient sur les derniers chefs-d'œuvre de leur progéniture.

Ses yeux errèrent un moment dans la foule à la recherche de Shawna. La repérer n'était jamais tâche facile depuis que Brian se chargeait de l'habiller et de l'amener en voiture tous les matins, car elle ne savait pas quels vêtements elle porterait. Ces derniers temps, les encouragements à l'habillement « créatif » prodigués par l'école avaient donné à Shawna des lubies de performances vestimentaires plus effroyables les unes que les autres — comme la veille, quand elle était rentrée à la maison avec des Reebok à semelles compensées, un tutu et des bas violets.

— Maman ! appela heureusement une petite voix aiguë parmi quelques dizaines d'autres.

C'était Shawna, sautillant vers la voiture dans sa robe à volants à pois multicolores, façon Minnie Mouse. Contre celle-ci, Mary Ann n'avait rien à redire ; aussi fut-elle quelque peu soulagée, du moins jusqu'au moment où elle aperçut le reste : les perles, le rouge à lèvres et l'ombre à paupières bleu turquoise.

— Bonsoir, Puppy ! lança-t-elle, se demandant si c'était Brian, l'une des institutrices ou Shawna elle-même qu'il fallait tenir responsable de cette nouvelle atrocité.

Elle ouvrit toute grande la portière et regarda nerveusement sa fille bondir sur la chaussée. Tout près de là, elle remarqua qu'un taxi jaune était garé contre le trottoir, chauffeur au volant. Une fillette grimpa sur le siège du passager, scène révélant une criante indifférence parentale que Mary Ann observa avec un sentiment avoisinant l'indignation.

— C'est son père, dit Shawna, se hissant à côté de sa mère.

— Qui ?

— Pfff ! Ce mec, là ! Le chauffeur de taxi.

Cette gamine, jugea Mary Ann, devenait plus chipie de jour en jour, et elle darda sur sa fille un regard menaçant. Quand elle se tourna vers le chauffeur, celui-ci lui lança un coup d'œil ravi et complice, de papa modèle à maman modèle, et elle ne put s'empêcher d'être admirative : combien de courses du centre-ville à l'aéroport devait-il accumuler pour payer les frais de ce baby-sitting doré ?

— Il s'appelle George, l'informa Shawna.

— Comment le sais-tu ?

— C'est Solange qui me l'a dit.

— Solange l'appelle George ? Au lieu de « papa », tu veux dire ?

Shawna leva les yeux au ciel.

— Il y a des tas d'enfants qui font ça !

— Eh bien, pas toi, en tout cas. Attache ta ceinture, Puppy.

Sa fille obéit, faisant de l'opération un exercice de virtuosité à couper le souffle, puis elle déclara :

— Quand je parle de toi, je dis « Mary Ann ».

C'était là à l'évidence une provocation, que Mary Ann prit cependant le parti d'ignorer.

— Ah bon, fit-elle en démarrant.

— C'est vrai !

— Mmm.

— C'est comme ça que j'ai dit aujourd'hui, au club.

Mary Ann lui décocha une œillade suspicieuse.

— Tu as parlé de moi au club ?

Pourquoi cette idée la mettait-elle si mal à l'aise ? Craignait-elle vraiment que Shawna la dénigrât devant les autres enfants ?

— Nous parlions de télévision, expliqua la fillette.

— Vraiment ?

À présent, Mary Ann se sentait idiote. Évidemment, Shawna avait dû parler à ses petits camarades de sa célèbre maman.

— Nicholas dit que la télévision, c'est une très mauvaise habitude.

— Trop de télévision certainement, mon chou ! Tu as donc parlé de maman au ?...

— Mets une cassette, la coupa Shawna.

— Shawna...

— Quoi ? J'ai envie d'écouter quelque chose !

— Dans une minute. Ne sois pas si impatiente.

La fillette pencha la tête de côté et fit son imitation de Peewee Herman.

— C'est ç'ui qui l'dit qui l'est !

— Très drôle... Très bête, surtout.

Shawna exécuta une nouvelle mimique et répéta :

— C'est ç'ui qui l'dit qui l'est !

Mary Ann lui lança un regard courroucé.

— J'avais entendu la première fois, l'avertit-elle. Compris ?

La gamine plongea dans un silence boudeur, puis reprit :

— Tu sais quoi ?

— Quoi ?

— On a mangé des quesadillas, aujourd'hui.

— Ah oui ? J'adore ça. Pas toi ?

— Si. C'est le père de Nicholas qui les a préparées. Oh, et puis il y avait aussi des litchis con carne !

« Des litchis con carne » ! Celle-là, il ne faudrait pas oublier de la resservir à Brian. Il était aux anges, quand Shawna disait par exemple « aminal » pour « animal », s'embrouillant dans les lettres et les syllabes avec une candeur qui le faisait fondre d'attendrissement.

— Ce devait être fameux, commenta-t-elle en ouvrant la boîte à gants. Cherche une cassette qui te plaît. Je crois qu'il y en a une de Phil Collins, là-dedans.

— Beurk !

— Bon, d'accord. Toi, c'est plutôt le genre Queen, je sais...

Shawna la fixa d'un air indigné.

— J'ai pas le genre *gouine* ! s'étrangla-t-elle.

34

Mary Ann faillit faire une embardée.

— J'ai dit *Queen,* petite bécasse, fit-elle après s'être ressaisie. Vas-y, fouille. Choisis ce que tu veux.

Après avoir fourgonné quelques instants, Shawna opta pour Billy Joel. C'était un goût qu'elles partageaient, aussi se mirent-elles à chanter à tue-tête par-dessus la musique :

> *All your life is* Time Magazine
> *I read it too, what does it mean ?*

— J'aime bien ce passage, affirma Shawna, hurlant pour se faire entendre.

— Moi aussi.

But here you are with your faith and your Peter Pan
[advice
You have no scars on your face
And you cannot handle pressure
Pressure... pressure... one, two, three, four...
Pressure

Mary Ann observait du coin de l'œil le visage réjoui de sa petite fille et ses mains minuscules qui frappaient le tableau de bord en rythme. Habituellement, ces petits duos la ravissaient, car ils renforçaient les liens qui l'unissaient à Shawna ; mais aujourd'hui, à cause de ce satané maquillage, ce qu'elle ressentait était tout à fait différent : elle n'arrivait pas à chasser de son esprit le visage de Connie Bradshaw.

Ce n'était pas la première fois qu'elle remarquait cette ressemblance, mais cette fois, c'était aveuglant, perturbant même, comme le spectacle d'une drag queen qui aurait un peu trop bien imité Marilyn. Elle baissa le volume et demanda, le plus calmement possible :

— Dis-moi, mon chou, est-ce que vous vous êtes tous déguisés, au club, aujourd'hui ?

Shawna sembla hésiter un peu, puis répondit fermement :

— Non.

— Alors, pourquoi est-ce que ?...

— Remonte le son ! C'est la fin que je préfère.

— Dans une minute.

I'm sure you'll have some cosmic RAAAATIONAL...

— Puppy !

— Je sais que c'est mon surnom. Si tu le cries trop fort, tu vas finir par l'user.

Mary Ann éteignit la radiocassette.

— Un peu de calme, jeune fille !

Le moment était venu de jouer les mères — c'est-à-dire d'essayer de ressembler à sa propre mère trente ans plus tôt.

— Je veux que tu m'écoutes quand je te parle. Compris ?

Shawna croisa les bras et attendit. Mary Ann se lança :

— Est-ce que c'est mon maquillage que tu as mis ?

— Non.

— Où l'as-tu trouvé, alors ?

— C'est à moi, riposta sèchement Shawna. Papa me l'a acheté.

— Mais c'est pour les enfants ! lui expliqua tranquillement Brian ce soir-là, après le dîner.

Leur fille était dans sa chambre, hors de portée de voix, regardant la télévision.

Mary Ann ne fut pas convaincue.

— Tu plaisantes, j'espère ?

Brian secoua la tête, souriant bêtement.

— C'est une véritable horreur ! renchérit-elle.

— Je sais, seulement Puppy est complètement fascinée par Jem. J'ai pensé que pour une fois, ça ne serait pas bien grave.

— Jim ?

— Pas Jim, voyons. Jem ! Cette star du rock, dans je ne sais plus quel dessin animé. C'est le samedi matin.

— Ah...

— Et j'ai découvert comme ça qu'il existe toute une gamme de cosmétiques pour enfants.

Cela ne le troublait pas le moins du monde, Mary Ann en était pleinement consciente.

— Tu sais, insista-t-il, c'est seulement pour se déguiser.

— Oui, mais si elle en prend l'habitude...

— Oh, on ne la laissera pas en prendre l'habitude.

— Ça fait tellement... tellement pouffiasse !

Brian éclata de rire.

— D'accord, concéda-t-il. Plus de maquillage.

Son ton détaché exaspérait Mary Ann.

— Je ne veux pas qu'elle se promène en ayant l'air d'une actrice de films porno en herbe, martela-t-elle.

Laissant divaguer son imagination avec morbidité, elle se représenta Shawna kidnappée en plein jour, puis eut une vision de sa photo — avec rouge à lèvres, ombre à paupières et le reste — imprimée avec un avis de recherche sur des cartons de lait de tout le pays.

Brian se leva de table et emporta les assiettes.

— Pour ne rien te cacher, reprit-il, j'ai trouvé qu'elle ressemblait un peu à Connie, comme ça.

Mary Ann jugea plus sage de ne pas faire de commentaires.

— Pas toi ? insista-t-il. Avec ce visage complètement maquillé...

— Ce n'est pas très délicat de ta part, remarqua-t-elle.

— Pourquoi ?

Brian avait l'air sincèrement surpris.

— C'était sa mère, après tout.

Pour Dieu sait quelle raison, il avait l'air décidé à la faire sortir de ses gonds ; aussi mit-elle un point d'honneur à rester sereine.

— Peut-être, répondit-elle. Mais ce n'est pas une raison pour en faire son portrait craché.

— Mais tu l'avais remarqué aussi ?

— Peut-être. Un petit peu.

— À mon avis, un gros peu, insista Brian encore plus lourdement.

Elle le suivit dans la cuisine et lui parla des « litchis con carne » de Shawna. Quand ils eurent fini de s'esclaffer, elle changea de sujet.

— Devine de quel revenant j'ai eu des nouvelles, aujourd'hui.

Elle avait décidé d'aborder le sujet le plus légèrement possible : seule la désinvolture éviterait que l'événement prît trop d'importance.

— Qui ça ?

— Burke Andrew.

Il ouvrit le lave-vaisselle.

— Pas possible ?

— Mais si. Il m'a téléphoné ce matin, après l'émission.

— Eh bien ! Mieux vaut tard que jamais.

Elle s'efforça de déchiffrer l'expression de son visage, mais il se détourna et s'affaira à ranger les assiettes.

— Apparemment, il est à San Francisco, continua-t-elle.

— Apparemment ?

— Oui... C'est une façon de parler. Nous déjeunons ensemble demain. *Chez D'orothea.*

Elle ne comprenait pas pourquoi cela lui faisait un effet si bizarre de prononcer ces quelques mots. Pourtant, il n'y avait aucune raison de proposer à Brian de se joindre à eux pour ce déjeuner. Après tout, Burke et lui n'avaient jamais été amis, même s'ils avaient temporairement vécu sous le même toit. Brian, à l'époque, était bien trop occupé à poursuivre les hôtesses de l'air de ses assiduités pour consacrer du temps et de l'énergie aux camaraderies viriles.

— Excellente idée. Souhaite-lui bonjour de ma part.

Elle essaya de déceler de l'ironie dans cette réponse, mais n'en trouva aucune trace. Peut-être qu'après tout cela lui était complètement égal qu'elle revît Burke ou non — même si avec Brian il n'y avait jamais moyen d'être complètement sûre. Il avait une manière bien à lui, et parfaitement crispante, de passer en l'espace d'un moment de la plus totale décontraction à la plus belliqueuse jalousie.

— Il est ici pour son boulot, je crois. Sans doute à la recherche de ragots médiatiques bien nauséabonds...

— Ah oui ?

Il referma le lave-vaisselle.

— Ça devrait être marrant.

— On verra.

Elle ne voulait pas avoir l'air trop enthousiaste.

— Est-ce qu'il sait que tu es célèbre ? s'enquit Brian en mettant la machine en route.

Était-il sarcastique ou non ? Impossible à dire, aussi choisit-elle de répondre à la question tout simplement :

— Il a vu l'émission, oui...

Brian sembla réfléchir un instant.

— Celle d'aujourd'hui ?

Mary Ann n'avait aucune intention d'exhumer à nouveau les petits cadavres à fourrure auxquels il faisait allusion.

— Je ne sais pas, mentit-elle. Il ne l'a pas dit.

Brian se contenta de hocher la tête.

— Pourquoi ? insista-t-elle.

Il lui opposa un haussement d'épaules :

— Oh ! pour rien.

Elle commença à se demander si lui-même l'avait regardée, mais un mécanisme d'autodéfense bien huilé l'incita à abandonner ce sujet. Il l'avait certainement vue, et elle ne lui avait pas plu. Alors, pourquoi lui donner l'occasion de le lui signifier ?

Un troisième, nommé Harry

Quand Charlie Rubin était mort début 1987, Michael Tolliver et Thack Sweeney avaient hérité de son chien. Naturellement, à l'époque, cela faisait déjà longtemps qu'ils connaissaient Harry : ils s'étaient de temps à autre occupés du toutou au moment où Charlie avait subi sa troisième attaque de pneumocystose, et, plus tard, l'avaient même recueilli lorsqu'il était devenu clair que Charlie ne quitterait plus jamais l'hôpital. Du vivant de celui-ci, le nom de Harry était K-Y ; mais Michael avait vite trouvé gênant de se promener dans Castro en appelant son chien de façon aussi lourdement évocatrice.

Le rebaptiser, toutefois, n'avait pas été d'une efficacité absolue, car Michael ne pouvait pas se rendre à la banque ou à la poste sans tomber sur quelqu'un qui avait connu Harry dans sa vie antérieure ; le chien, alors, bondissait avec entrain, sans crier gare, d'un air extasié vers un parfait inconnu — en tout cas inconnu de Michael —, qui immanquablement s'exclamait : « Salut, K-Y ! » d'une voix qu'on entendait à cent mètres à la ronde.

Michael et Thack étaient tellement fous de ce chien que c'en était presque embarrassant. Ni l'un ni l'autre n'aurait jamais eu l'idée d'adopter un caniche — un labrador, estimaient-ils, aurait été plus adapté à leur genre —, mais Harry avait réduit à néant leurs préjugés (leur « canichophobie », comme disait Thack) du jour où il était entré chez eux. De surcroît, Charlie s'était toujours refusé à infliger à son chien les ridicules opérations de toilettage de rigueur pour presque tous ses congénères, préférant lui laisser son pelage ébouriffé d'origine. Avec sa bouille ronde et son petit museau, Harry ressemblait en fait davantage à un ours en peluche vivant qu'au classique chien-chien à sa mémère.

Du moins, c'est ce qu'ils aimaient à penser.

Cela faisait maintenant un peu plus de deux ans qu'ils habitaient sur la colline surplombant Castro. Michael avait mis un terme à dix ans de fidélité au 28 Barbary Lane lorsque Thack et lui avaient officialisé leur vie de couple et décidé d'acheter une maison ensemble. Thack, qui s'était occupé des bâtiments historiques à Charleston, avait tout de suite été très intéressé par la bizarre construction qui allait devenir leur domicile — à la différence de Michael, qui, lui, en regardant l'édifice où était apposé le panneau À VENDRE, n'avait vu tout d'abord qu'une espèce d'horreur totalement irrécupérable.

Revêtue de plaques d'amiante vertes, et entourée d'un mur en béton, la maison avait l'air d'un hideux assemblage de boîtes cubiques, un peu comme trois minuscules bicoques absurdement imbriquées les unes dans les autres. Thack, toutefois, avait deviné que tout cela cachait autre chose, et, poussé par une curiosité frénétique, avait aussitôt sauté par-dessus le mur pour aller voir ce que dissimulaient ces plaques disjointes.

Quelques instants plus tard, rouge d'excitation, il faisait part à Michael de sa découverte : sous ces atrocités des années 50 étaient dissimulés trois authentiques « refuges sismiques », des maisonnettes de fortune construites en 1906 pour les victimes du grand tremblement de terre. Il s'en était construit des centaines et des centaines dans les bois environnants, expliqua-t-il, tous alignés comme des baraquements militaires ; et par la suite, les gens les avaient transportés sur des fardiers pour en faire des habitations particulières.

Lorsqu'ils avaient négocié le prix avec l'agent immobilier, de même que celui-ci ne leur soufflait mot ni des trous dans la tuyauterie ni des armées de fourmis qui bivouaquaient sous le plancher, ils s'étaient bien

41

sûr gardés de la moindre allusion à la valeur historico-architecturale de l'édifice. Et ils avaient pendu la crémaillère le soir du Memorial Day de 1986, avec, au menu, dîner chinois, feu de bois (électrique), et partie de plaisir (en caleçon).

Au cours des deux années suivantes, ils s'étaient seulement efforcés de gommer les détails qui offensaient le plus leur regard. Pour l'essentiel, cette opération avait été menée à bien grâce à beaucoup de peinture blanche et aux talents de jardinier-paysagiste de Michael. De son côté, Thack avait tenu sa promesse de décrépir le bois des cloisons de la chambre et de la cuisine. Quand, après une ou deux saisons de pluies, les parois de cèdre dénudées avaient acquis l'obligatoire patine cuivrée, les deux propriétaires avaient contemplé le résultat avec une fierté parentale.

Il restait encore à installer une nouvelle salle de bains et des fenêtres à encadrement de bois pour remplacer l'aluminium, mais, pour le moment, Michael et Thack manquaient d'argent et avaient décidé d'attendre. Cela n'empêchait pas quelques folies dans les brocantes et les marchés aux puces, d'où ils revenaient de temps à autre avec une couverture indienne, une cruche en terre cuite ou un lampadaire à abat-jour micacé, car, sans jamais le formuler, ils étaient conscients de la même chose : s'ils devaient se construire un nid, il était prudent de le faire tout de suite.

La chaleur exceptionnelle était enfin retombée. De la terrasse (qui donnait vers l'ouest et le soleil couchant), le brouillard tant attendu envahissait la vallée comme une coulée de lave blanche. Michael, appuyé à la rambarde, le regarda engloutir la grêle tour rouge de la télévision, jusqu'à ce qu'il n'en restât de visible que les trois grandes antennes à son sommet qui se dressaient au-dessus des Twin Peaks, pareilles aux mâts du

42

vaisseau du Hollandais volant. Il se remplit les poumons de l'air rafraîchi, attendit un moment avant d'expirer, puis recommença.

Ses plantes grasses avaient l'air desséchées. Il déroula le tuyau d'arrosage et les aspergea profusément, ressentant, comme toujours, une sorte de jouissance par procuration en devinant leur soulagement. Quand il eut terminé, il dirigea le jet d'eau vers le jardin du voisin, où le feuillage recuit et racorni d'une fougère géante montrait combien elle était assoiffée. Cette fougère, du reste, était dans ce jardinet en contrebas la dernière trace de verdure. Même les abondantes herbes folles qui le submergeaient encore au printemps dernier s'étaient transformées en paille sous l'effet de la sécheresse.

— Hé! lança Thack en arrivant sur la terrasse. L'eau est rationnée, tu ne savais pas?

— Si, je le sais.

Pour en chasser la poussière, Michael gratifia la fougère d'une dernière aspersion coupable.

— Si on te voit, nous sommes bons pour une amende, insista Thack.

Michael coupa l'eau et enroula le tuyau.

— Je n'ai pas pris de douche ce matin, dit-il.

— Et alors?

— Alors, la fougère a droit à mon eau. Ceci compense cela.

Thack fit volte-face et se dirigea en grommelant vers la porte de la cuisine.

— En plus, elle n'est même pas à nous, cette fougère.

— Je sais, je sais. OK.

Il le suivit par la porte coulissante. Thack ouvrit le four et s'agenouilla pour examiner le plat qui frémissait à l'intérieur. La sauce dégageait une odeur forte de fruits de mer et d'herbes aromatiques.

— Mme Bandoni prétend que les nouveaux propriétaires, en face, vont tout abattre, annonça-t-il.

— Il faudra bien.

Michael s'assit devant la table. De là, il pouvait voir la fougère géante, et aussi la maison vide d'en face avec ses fenêtres sales, par lesquelles on distinguait un tas de cartons jonchant le sol et même la vieille photo d'un beau culturiste qui se décolorait sur la porte du réfrigérateur. Il ne regardait jamais tout cela sans un certain malaise, comme la cage désertée d'un hamster encore garnie de sa paille.

— Les fondations sont pourries, remarqua Thack. Avant de faire quoi que ce soit, ils devront commencer par tout raser.

L'ancien occupant était architecte, ou dessinateur, enfin quelque chose comme ça. Un petit gars râblé aux cheveux argentés, coupés en brosse, toujours en jeans et en sweat-shirt. Dans les mois qui avaient précédé sa mort, Michael l'avait souvent vu à sa table, penché sur ses plans, s'interrompant de temps en temps pour essuyer ses lunettes ou frotter ses petits yeux de lapin. Comme l'entrée de sa maison donnait sur une autre rue, ils ne s'étaient presque jamais parlé, sinon pour se crier d'une terrasse à l'autre les banalités habituelles entre voisins, sur le temps ou l'état de leurs jardins respectifs.

Michael savait que ce type était célibataire, mais il semblait s'accommoder sans peine de sa solitude. En fait, il n'avait été clair qu'il était malade que lorsque des visiteurs avaient commencé à faire leur apparition chez lui. Des gens plus âgés, pour la plupart; des parents, peut-être, qui arrivaient avec du linge propre et des plats recouverts de papier d'aluminium, quelquefois par groupes de trois ou quatre. Une fois, alors que ses primevères étaient encore en pleine floraison, Michael, en se penchant, avait aperçu une infirmière qui fumait en douce une cigarette dans le jardin.

— J'espère qu'ils ne vont pas nous infliger un de ces trucs horribles genre stuc sur contreplaqué, marmonna Thack.

Michael, dont la pensée avait vagabondé, le regarda un moment sans comprendre.

— Je parle de la nouvelle baraque, précisa Thack.

— Ah... Qui sait ? Si, probablement.

Thack referma la porte du four.

— Allons, retourne arroser cette fougère, si ça te désole tant de la voir sécher sur pied.

— Non. Je ne devrais pas, c'est toi qui as raison, répondit Michael.

Son ami se releva en s'essuyant les mains sur son Levi's.

— Au fait, ta mère a appelé. Elle a laissé un message sur le répondeur.

— Mmm, grogna Michael. Pour parler du temps qu'il fait, c'est ça ?

— Oh, écoute...

— Quoi ? C'est toujours de ça qu'elle parle, non ? « Quel temps fait-il, chez vous ? »

— C'est parce qu'elle a peur de toi.

— Peur de *moi* ?

— Maïs oui.

Thack prit deux assiettes dans le placard et les posa sur la desserte.

— Tu la traites comme de la merde, Michael.

— Moi, je la traite comme de la merde ? Quand m'as-tu entendu lui dire la moindre chose qui...

— Ce n'est pas ce que tu lui dis, c'est la *façon* dont tu le dis. Ta voix devient complètement atone. Je sais toujours quand c'est elle qui est au bout du fil. Il n'y a personne d'autre avec qui tu aies cette voix-là...

Il se demanda pourquoi la conversation avait pris ce tour.

— Tu lui as parlé ?

— Non.

Thack paraissait légèrement sur la défensive.

— Pas récemment, en tout cas.

— Mais elle t'a appelé à ton boulot. Tu me l'as dit.

— C'était la semaine dernière, objecta-t-il, fouillant dans un tiroir. Les serviettes sont dans le linge sale ?

— Oui.

Thack déchira deux feuilles d'essuie-tout et les plia dans le sens de la longueur.

— Moi, elle ne m'appelle jamais à mon travail, remarqua Michael.

— Elle le ferait peut-être, si tu n'étais pas si dur avec elle, la pauvre vieille. Elle se donne un mal de chien pour que les choses aillent mieux entre vous. Je t'assure, Michael.

Michael n'avait pas envie d'en discuter. Si la « pauvre vieille » faisait des tentatives de réconciliation, celles-ci venaient un peu tard. En fait, elles avaient seulement commencé l'année précédente, quand son père était mort subitement d'une crise cardiaque. Comme presque toutes les femmes du Sud rural, il lui fallait à tout prix un homme sur qui s'appuyer, dût-elle pour cela se rabibocher avec son pécheur de fils tombé dans l'enfer de l'homosexualité en Californie.

— Tu lui manques, insista Thack. J'en ai la conviction.

— C'est ça, oui. Et c'est sans doute la raison pour laquelle elle te téléphone à toi !

Thack fit tomber une poignée de laitue dans l'essoreuse à salade. Lentement, un sourire horripilant apparut sur son visage.

— J'ai l'impression que tu es jaloux, risqua-t-il.

— Oh, s'il te plaît !

La vérité était qu'une espèce de copinage écœurant s'était installé entre Thack et sa mère depuis quelques mois : ils papotaient au téléphone sur le temps et les petits riens de la vie domestique comme deux vieilles bigotes à l'ouvroir... Une femme qui n'avait jamais voulu adresser la parole à Jon, son premier amant — même quand elle avait su qu'il était mourant !

Seuls le deuil et la solitude avaient fini par faire une différence, c'était ce qui l'avait enfin poussée à décrocher son téléphone. Parce qu'elle avait désespérément besoin de compagnie. S'il éprouvait de la jalousie, ce n'était pas pour lui, mais pour Jon, qui avait espéré son affection sans jamais réussir à l'obtenir. Mais cela, pensa Michael, comment pourrait-il jamais l'expliquer à Thack ?

— Elle est contre tout ce que tu représentes, maugréa-t-il enfin. Vous n'avez strictement rien en commun.

Thack essorait toujours la salade.

— Rien... sauf toi, corrigea-t-il.

Tout en dînant, ils parlèrent de la journée de Thack. Cela faisait maintenant presque un an qu'il travaillait à la Fondation pour le patrimoine, organisant ici et là des visites de demeures historiques. Depuis peu — ce qui lui plaisait davantage —, on l'appelait pour apporter son témoignage devant le Bureau d'appel des permis de construire, et il plaidait la cause d'édifices en péril.

— Et une fois de plus, ils se font tirer l'oreille, pesta-t-il. Ce que ça m'énerve !

— Il s'agit de quoi ?

— Une villa de style italien, du côté de Clement Street. Fous le camp, Harry ! Laisse-moi finir de manger.

— C'est l'odeur des fruits de mer, dit Michael pour excuser le chien.

— Eh bien, il peut attendre un peu, non ?

Michael foudroya Harry d'un regard sévère.

— Tu as entendu ?

Le caniche s'éloigna, mais n'alla pas plus loin que la porte, sur le seuil de laquelle il s'assit stoïquement, raide comme un lion de marbre à l'entrée d'un temple.

— Nous allons la perdre, soupira Thack. C'est sûr.

— La perdre ?...

Michael avait perdu le fil.

— Oh, tu veux dire la villa ?... Dommage.

— Elle n'est pas loin de la jardinerie, tu sais. D'ailleurs, je suis passé vers midi, pour voir si on pouvait déjeuner ensemble.

— Brian me l'a dit. J'étais parti livrer les bambous de Mme Stonecypher.

— Livrer ?

Thack fronça les sourcils.

— Je croyais que vous aviez des employés, pour ça.

— Oui... Seulement, elle m'aime bien, et elle fait rentrer beaucoup d'argent dans la caisse. Dans son cas, je fais une exception.

— Je vois. Tu faisais la pute, quoi.

Michael sourit. Aux yeux de Thack, les gens riches étaient irrémédiablement abjects : rien qu'un symbole hideux — parmi beaucoup d'autres — d'une société corrompue où le pouvoir était blanc, mâle, sexiste, homophobe et corporatiste. La malheureuse Mme Stonecypher comme les autres, avec ses chapeaux cabossés et ses dents branlantes.

— Désolé que tu sois venu pour rien, accorda Michael. Téléphone d'abord, la prochaine fois.

— Ça n'a pas d'importance. J'en ai profité pour déjeuner avec Brian.

Michael avait des frissons rien qu'à l'idée de ce que son associé et son amant pouvaient trouver à se dire quand il n'était pas là.

— Où êtes-vous allés ? demanda-t-il.

— Quelque part dans le centre. Un truc mexicain qui vient d'ouvrir.

— Le *Corona* ? Nous y sommes allés la semaine dernière.

— C'est ça. Plutôt pas mal.

— Et tu as mangé quoi ?

— Leur salade aux crevettes grillées.

Thack se tut pendant quelques instants, grignotant pensivement ses fruits de mer, puis il reprit :

— Il me fait de la peine, ce garçon.

— Brian ? Pourquoi ?

— Oh... À cause de la façon dont sa femme le traite.

Michael l'observa un moment.

— Qu'est-ce qu'il t'a raconté ?

— Rien de particulier. Mais c'est facile à deviner.

— Laisse tomber la divination, tu veux. Tu n'as aucun moyen de savoir ce qui se passe entre eux.

Thack eut un sourire ironique.

— Tu veux dire « là-bas », au loin, dans l'étrange monde crépusculaire des hétérosexuels ?

— Non, ce n'est pas ce que je voulais dire.

Thack, pour toute réponse, ricana.

— Est-ce qu'ils se sont disputés ? voulut savoir Michael.

— Je doute qu'ils se voient assez souvent pour y arriver. Elle n'est jamais là.

— C'est une personnalité publique, argumenta Michael, agacé de voir Thack prendre toujours le parti de Brian. Elle n'y peut rien, si elle est obligée de sortir.

— Mais elle adore ça.

— Et alors ? C'est son droit, non, si ça l'amuse ? Elle a travaillé assez dur pour en arriver là.

— Je ne fais que répéter ce qu'il dit.

— Lui vit comme une espèce de mollusque. C'est un très chic type, mais...

— Qu'est-ce que tu entends par « mollusque » ?

— Eh bien... il est trop mou, voilà. Empêtré dans sa petite routine. En fait, il n'aime rien tant que la routine. C'est pour ça qu'il se sent si bien à la jardinerie. Ça ne lui demande pas trop d'énergie. Du moment que tout suit son cours...

— Pourtant, tu as toujours prétendu...

— Je ne prétends pas qu'il fasse du mauvais boulot. Simplement, il n'a pas d'ambition comme Mary Ann. J'imagine facilement que pour elle, ça doit être barbant, quelquefois.

— Moi qui croyais que vous vous entendiez parfaitement, tous les deux...

— Nous nous entendons à merveille. Arrête de changer de sujet.

— Et quel était le sujet ?

— Le fait que...

Il s'interrompit. Effectivement, quel était le sujet ? Il n'en était plus très sûr.

Thack s'en aperçut et sourit.

— Tu as vu son émission, aujourd'hui ? Sur les toutous lyophilisés ?

— Oui.

— C'était la pire, ou il y a eu plus nul ?

— Moi, j'ai trouvé ça plutôt marrant. Et puis ce sont les producteurs qui décident. Elle n'y peut rien.

— Je sais. Quoi qu'il arrive, elle n'y peut jamais rien.

Michael lui lança un regard torve, mais préféra laisser tomber. Au bout du compte, Thack était trop nouveau dans leur petit groupe pour être vraiment capable de cerner la personnalité de Mary Ann. Il fallait la connaître depuis des années et des années pour comprendre ce qu'elle était aujourd'hui.

D'une certaine façon, et en dépit des énormes changements qui s'étaient produits dans leurs vies, Michael continuait à considérer leur petite bande — Brian, Mary Ann et lui-même — comme une bande d'éternels célibataires, courant toujours après leurs rêves trop grands pour eux et revenant lécher leurs plaies dans la maison de Barbary Lane.

Pourtant, il en était parti depuis plus de deux ans ; Brian et Mary Ann, eux, depuis plus longtemps encore. Maintenant, c'était son employée, Polly Berendt, qui occupait son ancien appartement au second étage, et le reste de l'immeuble était habité par des gens dont il savait à peine les noms. Excepté Mme Madrigal, bien sûr, qui semblait aussi indéracinable que le lierre.

Il était tombé sur son ancienne logeuse le matin même, rôdant parmi les étals de fruits sur un petit marché de Chinatown. Elle l'avait serré dans ses bras avec exubérance et avait insisté pour que Thack et lui viennent dîner le lendemain. Il avait senti comme un élancement de culpabilité, conscient soudain de l'avoir négligée trop longtemps.

Il fit part de ce sentiment à Thack, qui éprouva la même chose.

— Apportons-lui une bouteille de sherry, proposa celui-ci.

Ils étaient à présent étendus sur le sofa — le dos de Michael contre la poitrine de Thack, Harry à leurs pieds — et, le repas terminé, regardaient une rediffusion de *Kramer contre Kramer*. C'était sur une chaîne nationale, et les censeurs avaient trafiqué la scène où l'on entend Dustin Hoffman et son petit garçon faire l'un après l'autre leur pipi du matin.

Thack fulminait.

— Non, mais j'hallucine! Ils ont coupé le bruit. Quels connards!

Michael esquissa un sourire ensommeillé.

— Ça ne doit pas cadrer avec les Valeurs de la Famille, ironisa-t-il.

— Aux chiottes, les pères La Pudeur! s'emporta Thack.

— C'est le cas de le dire!

— Elle est mignonne comme tout, cette scène! Merde! On ne comprend même pas ce qui se passe ensuite. Ce n'est même plus drôle.

— D'accord avec toi.

— Salaud de Reagan!

— Il n'est plus là pour bien longtemps, le rassura Michael.

— C'est ça. Et son vice-salopard de Bush va prendre la relève.

— Pas sûr.

— Tu verras ! Ça va encore empirer.

Thack ne décolérait pas. Il fit un geste en direction du téléviseur.

— Tu veux continuer à regarder ça ? demanda-t-il.

— Non.

— Alors, où est la télécommande ?

Michael fit courir sa main entre les coussins de velours côtelé jusqu'au moment où elle rencontra le boîtier, ou plutôt l'un des trois qu'ils avaient à leur disposition (il ignorait d'ailleurs complètement à quoi servaient les deux autres). Il appuya sur un bouton, et l'écran devint noir. Enfin il se retourna et posa sa tête contre la poitrine de Thack. Et là il soupira en pensant à la mini-crise de tout à l'heure. Car il ne se passait pas de jour sans qu'il s'en produisît une, c'était comme une fatalité.

Thack caressa les cheveux de Michael.

— J'ai acheté de nouveaux sacs pour l'aspirateur, annonça-t-il.

— Bonne idée, apprécia Michael en lui tapotant la cuisse.

— Seulement, je ne suis pas sûr que ce soit le bon modèle. Je ne me rappelle jamais la taille.

— Au diable l'aspirateur.

Il y eut un silence. Puis Thack émit un léger rire.

— Tu sais à quoi j'ai pensé ?

— Non, à quoi ?

— Eh bien, nous devrions aller faire un tour à un meeting d'Act Up. Juste histoire de voir.

Michael s'attendait vaguement à une idée dans ce genre. La fièvre revendicative de Thack avait recommencé à monter pendant la semaine, et maintenant elle entrait en ébullition comme du lait sur le feu. Cette fois, c'était le symptôme Act Up, mais ç'aurait pu tout aussi bien en être un autre. Une lettre furieuse au *Chronicle*, peut-être, ou même une vigoureuse protestation contre des flics de la police municipale.

Voyant que Michael ne réagissait pas, Thack ajouta :

— Il y a assez de gens qui ont besoin de coups de pied au cul, tu ne crois pas ?

Michael essaya la plaisanterie :

— On ne pourrait pas le leur caresser un peu, plutôt ?

Mais Thack n'avait pas envie de rire :

— Il faut que je fasse quelque chose, trancha-t-il.

— À propos de quoi ?

— De tout. L'AZT, pour commencer. On nous la fait payer combien, cette saloperie ? Et maintenant, cette ordure de Jesse Helms va faire ce qu'il faut dans son ministère à la con pour que les pauvres n'y aient même plus droit. Tu sais ce qu'ils se disent entre eux, ces pourris ? Que de toute manière, c'est bien fait. Ils n'avaient qu'à pas baiser entre mecs, un point c'est tout.

— Je sais, je sais, soupira Michael, en tapotant de nouveau la cuisse de son ami.

— Les gens sont devenus tellement cyniques ! Je n'arrive pas à y croire.

Michael était d'accord avec lui, mais il trouvait les révoltes de son ami épuisantes. Maintenant, plus que jamais, il avait besoin de temps pour des émotions plus tendres. Le monde était pourri, soit. Et alors ? Il y avait des façons d'échapper à sa cruauté. À condition de ne pas devenir l'esclave d'une rage continuelle.

— Thack...

— Quoi ?

— Je voulais te dire... Je ne comprends pas pourquoi tu es toujours en colère.

Il y eut là un autre moment de silence, puis Thack déposa un baiser sur la tempe de Michael.

— Et moi, je ne comprends pas pourquoi tu ne l'es jamais ! répliqua-t-il.

Harry entendit le bruit du baiser et escalada leurs jambes mêlées, gémissant comme un amoureux éconduit.

— Oh, oh! se moqua Thack. Voilà la Brigade des mœurs qui s'émeut!

Ils s'écartèrent juste assez pour laisser le chien se glisser entre eux, puis le cajolèrent de concert, Thack lui grattant le bas de l'échine et Michael la tête. Harry, d'ordinaire, quittait automatiquement la pièce chaque fois que ses maîtres faisaient l'amour, mais puisqu'il ne s'agissait cette fois que d'un peu d'affection, il en voulait sa part.

— Ce n'est pas sain qu'il soit jaloux comme ça, s'inquiéta Michael.

— Mais si, c'est normal.

Thack fit claquer une petite bise dans le cou du chien.

— Pas vrai, Harry?

Harry répondit d'un petit jappement approbateur.

— Il pue, se plaignit Michael.

— C'est vrai, ça, Harry? Tu pues?

— Et comment! Demain, opération baignoire!

Thack approcha sa bouche de l'oreille du chien.

— Tu entends ça, Harry? Demain, tu ferais mieux de filer dans les bois.

Un moment plus tard, le caniche se retirait obligeamment dans la chambre, laissant ses maîtres sommeiller sur le sofa. Michael s'assoupit petit à petit, à peine dérangé par le chœur des cornes de brume et quelques crissements de pneus, plus bas, dans les rues de Castro. À onze heures, il fut tiré de son sommeil par la sonnerie de son bipeur, aiguë comme une pointe surgie de l'obscurité.

Un New-Yorkais pur jus

Depuis quelques années, le quartier du Tenderloin connaissait une vogue extraordinaire. Ce qui n'avait abrité naguère que repaires de poivrots ou obscures boutiques pour amateurs de poupées gonflables avait vu fleurir confiseries de luxe et restaurants proposant des oursins au menu. Le plus chic de ces nouveaux établissements, incontestablement, était *Chez D'orothea* ; la décoration y relevait d'une sorte de fantaisie postmoderne avec des murs de marbre ornés de niches en trompe-l'œil et des tables isolées par des cloisons, lesquelles évoquaient un Meccano géant.

Quand Mary Ann entra, ses yeux se posèrent furtivement sur la paroi devant laquelle montait la garde le maître d'hôtel. Là, une rangée de caricatures signalait aux nouveaux venus l'identité des habitués les plus illustres. La sienne était toujours là — qu'est-ce qui avait bien pu lui faire craindre qu'elle n'y fût plus ? —, flanquée comme toujours de celles de Clint Eastwood et de l'ambassadrice Shirley Temple Black.

Le maître d'hôtel l'aperçut et lui sourit.

— C'est gentil de venir nous voir.

— Bonjour, Mickey. J'ai rendez-vous avec quelqu'un...

— Il est déjà là.

— Ah ! Parfait.

Le maître d'hôtel se pencha vers elle avec un air de conspirateur :

— Je l'ai installé dans la salle du fond, sur la banquette. Il y a bien une table de libre ici, mais Prue a débarqué avec le père Paddy, et j'ai pensé...

Mickey lui fit un clin d'œil.

— J'ai pensé que vous seriez plus tranquilles, si je vous déportais dans un coin de Sibérie.

Mary Ann le remercia avec un petit rire insouciant.

— J'envie votre présence d'esprit, Mickey.

— Je fais ce que je peux, répliqua-t-il avec un rictus perfide.

Heureuse de cette promesse d'intimité, elle fila vers la salle du fond, cependant que Prue et le père Paddy jacassaient énergiquement, oublieux du reste du monde. Quand elle atteignit la dernière table, Burke Andrew se leva prestement de la banquette et, s'inclinant par-dessus les couverts, la serra contre lui en une étreinte un tantinet inconfortable.

— Tu es superbe ! s'exclama-t-il.

— Merci. Tu n'es pas mal non plus !

Il dodelina du chef, l'air vaguement confus. Cette réaction rappela à la mémoire de Mary Ann le jeune homme un peu perturbé qui l'avait quittée pour une carrière new-yorkaise. Mais de ce Burke-là, il ne restait quasiment plus rien à présent, hormis, pour réveiller ses souvenirs, les larges épaules et les superbes cheveux blonds qui résistaient héroïquement à la calvitie. Sur son beau visage de chien fidèle, autrefois lisse comme le marbre, quelques plis s'étaient creusés, mais de façon plutôt séduisante.

Il se laissa retomber sur la banquette et l'examina un moment, secouant lentement la tête.

— Bon sang. Dix ans !

— Onze, corrigea-t-elle en s'asseyant.

— Merde...

Elle se mit à rire.

— Et maintenant tu es une star ! s'écria-t-il. Ils ont même affiché ton portrait, ici.

Elle jugea préférable de feindre de ne pas savoir de quoi il parlait.

— Pardon ?

— Là-bas, à l'entrée : à côté de Shirley Temple.

Elle ne s'autorisa qu'un regard bref, dédaigneux, du côté de la caricature.

— Oh, ça !...

56

— Ça ne te plaît pas?

Elle haussa les épaules.

— Ce n'est pas mal.

Un silence.

— Mais Shirley déteste le sien.

Burke fronça ses sourcils couleur pain d'épice:

— C'est une amie à toi?

Elle acquiesça de la tête, puis:

— Elle habite San Francisco, tu sais.

D'accord, « amie » était un terme un peu exagéré; mais Shirley avait été une fois l'invitée de son émission, et toutes deux avaient longuement bavardé lors de l'exposition des Impressionnistes français à la galerie De Young. De toute manière, Mary Ann était sûre que l'ambassadrice n'aurait pas apprécié ce dessin qui la représentait en gamine boudeuse, avec dashiki et cigarette. Mary Ann ne s'était pas gênée pour le dire à D'or — D'orothea, la patronne des lieux — le jour où on l'avait accroché.

Le regard de Burke parcourait la salle.

— J'aime bien cet endroit, observa-t-il.

— Vraiment? C'est un peu le rendez-vous des gens du métier.

— C'est ce que tu m'as dit au téléphone.

Mary Ann prenait alors conscience qu'il y avait autour d'eux bien peu de célébrités pour donner à ce tête-à-tête tout le prestige qui aurait été nécessaire pour impressionner Burke; aussi devait-elle tirer le maximum de ce qu'elle avait sous la main.

— Cette blonde tout embijoutée, là-bas, murmura-t-elle en faisant un signe du menton vers l'autre salle, c'est Prue Giroux.

À l'évidence, Burke n'avait jamais entendu parler de cette femme.

— Elle était dans *Us*, le mois dernier. Elle a emmené des orphelins à Pékin dans le cadre d'une mission pacifiste.

Burke s'abstint de la moindre réaction.

— C'est en fait une grande mondaine, continua Mary Ann. Toujours en quête de publicité.

— Mmm, fit-il. Et le prêtre ?

— C'est le père Paddy Starr. Il anime une émission sur ma chaîne : *Grâce à Dieu.*

— Grâce à Dieu, il a une émission, ou c'est le titre ?

— C'est le titre.

Il sourit, avec un rien de suffisance. Elle lui rendit la pareille, avec en apparence autant d'aplomb, mais plutôt mal à l'aise, consciente que tout cela avait l'air affreusement ringard. Burke, après tout, était devenu un New-Yorkais pur jus, et ce genre de type, elle le savait, avait une fâcheuse tendance à considérer San Francisco comme une espèce d'auberge de province géante : pittoresque, certes, mais qui ne méritait pas qu'on s'y attarde. En son for intérieur, elle s'intima sèchement l'ordre d'éviter les potins sur les « personnalités » locales.

— Comment va Betsy ? s'enquit-elle, pour changer de sujet.

— Brenda.

— Oh, pardon. Je savais que ça commençait par un « B ».

Elle pencha la tête, d'un côté, puis de l'autre, essayant de trouver un commentaire spirituel.

— Burke et Brenda. B & B, comme *bed and break-fast.*

— Elle va bien, je te remercie. Seulement très occupée par les enfants, bien sûr...

Ben voyons ! pensa Mary Ann.

— Elle aurait voulu m'accompagner, poursuivit-il, mais Burke junior a chopé la grippe et Brenda n'a malheureusement pas assez confiance en la gouvernante pour la laisser se débrouiller sans elle.

— Je comprends !

Elle lui prit doucement le poignet.

— Nous, nous avons une Vietnamienne. Adorable. Seulement, la tête sur le billot, elle ne saurait pas dire la différence entre *feuilleton* et *feuilleté* !

Il rit, mais d'un rire qui lui sembla un peu forcé, et elle craignit qu'il eût jugé sa remarque raciste.

— Évidemment, ajouta-t-elle, en lâchant son poignet, moi-même je ne parle qu'une seule langue, alors... En tout cas, sa famille en a vu de dures, là-bas, pendant la guerre, et nous avons pensé que cela rendait amplement légitime un effort de compréhension de notre part.

— Toi aussi, tu as des enfants, non ? Un ou deux ?

— Une fille. Comment le sais-tu ?

Il eut de nouveau son sourire un peu ironique.

— Je vous ai vues ensemble dans *Super Soirée*.

— Oh... tu as vu ça ?

Ça lui était agréable d'apprendre qu'il l'avait vue sur une chaîne nationale. Au moins, elle savait à présent qu'il ne pouvait pas la considérer comme une figure purement locale. Même si ce numéro de *Super Soirée* avait eu pour sujet les présentateurs de talk-shows sur les chaînes locales, précisément.

— Une jolie petite fille, commenta-t-il.

La vision de Shawna affublée de son maquillage si vulgaire de la veille traversa l'esprit de Mary Ann, la déstabilisant un bref instant :

— Euh... Elle a beaucoup grandi, depuis. Cette émission remonte à plus de trois ans.

— Vraiment ?

— Mais oui.

— Je parie que ta fille te ressemble de plus en plus.

Elle lui sourit d'un air engageant, espérant qu'il n'attacherait pas trop d'importance à ce qu'elle allait dire :

— Ce n'est pas ma fille biologique, tu sais. Nous l'avons adoptée.

— Ah bon ?

Comme un peu plus tôt, il dodelina du chef.

— Oh oui, je le savais, il me semble...

— Je ne vois vraiment pas comment tu aurais pu le savoir, objecta Mary Ann.

— Peut-être que non, alors.

— Sa mère était une amie à moi. Enfin... quelqu'un que je connaissais bien, en tout cas. Elle est morte quelques jours après la naissance de Shawna, en laissant une lettre dans laquelle elle nous demandait à Brian et à moi de nous occuper de sa fille.

— C'est magnifique !

— Oui, concéda Mary Ann sur un ton malheureusement pas tout à fait convaincu.

— Quelle histoire merveilleuse ! continuait Burke. On peut dire qu'elle a de la chance, cette petite...

Mary Ann fit la moue.

— J'avoue qu'au début, l'idée rendait Brian un peu plus enthousiaste que moi.

Ces mots le décontenancèrent visiblement, et il balbutia :

— N'empêche que... Tu dois... Je veux dire : je comprends qu'il t'ait fallu un certain temps pour t'y habituer, mais...

Elle sourit pour le tirer de son embarras.

— J'apprends, le rassura-t-elle. Ce n'est pas si terrible. Ça se passe même très bien. Enfin, la plupart du temps.

— Quel âge a-t-elle ?

— Oh... Dans les cinq ou six ans, je suppose.

Il fallut un certain temps à Burke pour comprendre qu'elle plaisantait.

— Ne te fiche pas de moi ! dit-il enfin.

— Elle aura six ans en avril prochain.

— Ah.

Il hocha vigoureusement la tête, histoire de ne pas perdre contenance pendant le temps mort.

— Et... Brian ?

— Brian ?

Elle trouva la question un peu bizarre.

— Eh bien, il a à présent quarante-quatre ans.

— Non, corrigea-t-il en riant. Je ne te demande pas son âge, je te demande *qui* il est.

— Oh, je croyais que tu le savais ! C'est Brian Hawkins.

Le déclic, chez Burke, ne se faisait apparemment pas.

— Il habitait chez Mme Madrigal, lui rappela Mary Ann. Au dernier étage.

Maintenant, il commençait à comprendre.

— Le type qui vivait dans la maison sur le toit ?

— Voilà.

— Ça alors !

Son évidente stupéfaction l'amusa.

— Tu te souviens de lui ? demanda-t-elle.

— Je me rappelle surtout que tu ne pouvais pas le supporter.

— Pardon ?

Elle mit dans son regard toute l'acidité dont elle était capable.

— Excuse-moi, bredouilla-t-il. Je veux dire que... Enfin, tu n'approuvais pas son mode de vie...

Elle s'apprêtait à passer à l'attaque, mais à cet instant le serveur fit son apparition.

— Alors, vous avez eu le temps de regarder le menu ? s'enquit-il.

— Oui. Je vais prendre du thon grillé, annonça Mary Ann, un peu sèchement. Avec une Calistoga à l'orange.

Burke jeta un regard rapide à la carte, puis la referma.

— Du thon grillé ? Ça m'a l'air très bien, approuva-t-il.

— Même chose pour vous, alors ?

— Même chose.

61

— C'est parti, lança le garçon en tournant les talons.

Burke attendit qu'il se fût complètement éloigné.

— Bon, reprit-il. Donne-moi une chance de me faire pardonner.

— Allons, ce n'est pas la peine.

— Mais si. C'était assez inélégant, cette réflexion.

— Oh, j'avais compris ce que tu voulais dire, fit négligemment Mary Ann. C'était effectivement un vrai coureur de jupons, à l'époque.

— Je l'aimais bien, pourtant. Je le trouvais très gentil.

Elle arrangea distraitement les couverts en argent sur la nappe couleur saumon.

— Il *est* très gentil, murmura-t-elle. Et très patient. Une qualité dont il a bien besoin avec moi, crois-moi.

Burke sourit doucement :

— Allons, allons !

— Si, je t'assure. Ce n'est pas facile d'être le mari de Mary Ann Singleton.

Il l'observa quelques secondes entre ses paupières mi-closes.

— Ça a commencé quand, entre vous deux ?

— Oh... À peu près un an après ton départ.

Disons plutôt une semaine, se corrigea-t-elle en pensée. Non, plutôt quatre jours. Exactement quatre. Elle ne se remémorait que trop bien cette nuit où, en pleurs, elle était montée dans la chambre de Brian avec un joint et une bouteille de mauvais chianti. Il sortait alors avec Mona Ramsey, mais il avait paru immédiatement disposé à la consoler.

Comme c'est étrange, songea-t-elle, d'être en ce moment assise en face de l'homme qui l'avait rendue si malheureuse, et de ne rien éprouver sur le coup hormis ce sentiment plutôt plaisant de ne partager que de bons souvenirs. Elle pouvait à peine se rappeler ces mois de passion, et moins encore reconstituer si peu que ce fût ce qu'elle avait ressenti alors, même histoire de s'offrir un moment d'excitation.

— Comment va Mme Madrigal? s'enquit-il.

— Bien, je crois. Je l'ai rencontrée chez Molinari il y a à peu près un mois.

Elle sourit et secoua gaiement la tête.

— Plus adorable et plus cinglée que jamais.

Burke sourit à son tour.

— Brian et moi avons quitté la maison lorsque nous avons pris Shawna avec nous, poursuivit-elle. Barbary Lane avait une espèce de charme désuet, bien sûr, mais ce n'était pas vraiment l'endroit rêvé pour élever un enfant.

— Et Michael et... Jon, c'est bien ça?

Elle acquiesça en se rembrunissant.

— Jon est mort du sida en 82, laissa-t-elle tomber.

— Merde.

— Comme tu dis.

— Et Michael va bien, lui?

— Il est séropositif mais, pour le moment, il est en bonne santé.

— Tant mieux. Ça me rassure.

— Il a un nouvel ami, continua Mary Ann. Ils ont acheté une maison dans le Castro.

— Et que fait Michael, maintenant?

— Il dirige une jardinerie dans Clement Street.

— Sans blague?

— Sans blague, confirma Mary Ann. Brian et lui la codirigent, en fait.

L'idée semblait beaucoup plaire à Burke.

— En somme, tout continue à se passer en famille, à ce que je vois! C'est ça? plaisanta-t-il.

— Oui.

Il hochait lentement la tête, découvrant avec nostalgie la réalité de leur décennie perdue.

— Tu es superbe, répéta-t-il pour terminer.

Très bien, soit, pensa Mary Ann, mais encore... n'est-ce pas ainsi que notre discussion a commencé?

Le serveur savait qu'elle ne goûtait guère les commentaires bavards, aussi leur thon grillé leur fut-il servi sans tralala. Burke avala quelques bouchées, puis reprit la parole :

— Je suis producteur maintenant. Pour Teleplex. Tu étais au courant ?

— Bien sûr, répondit-elle. Comme tout le monde !

Il émit un petit rire.

— Il ne faut pas exagérer !

— Bon... concéda Mary Ann. En tout cas, moi, je le suis.

Il se concentra sur son assiette, se préparant à l'évidence à lui dire ce qu'il avait en tête.

— Je compte lancer un nouveau talk-show matinal, lâcha-t-il enfin. National, depuis New York. Nous avons l'impression qu'il existe un vrai marché pour quelque chose de plus axé sur les réalités locales, et... de plus intelligent que ce qui est couramment proposé, surtout.

— Pas mal ! Les gens en ont par-dessus la tête de toutes ces idioties dignes de la presse à scandales. Il va forcément y avoir un mouvement de réaction.

— Je crois, fit Burke, s'adressant toujours à sa tranche de thon. Un mouvement que nous pouvons précipiter, en fait. Pour ne rien te cacher, nous avons déjà pas mal de soutiens. Les chaînes nationales sont sérieusement intéressées. Ce qu'il nous faut, maintenant, c'est le bon présentateur — ou la bonne présentatrice, tu vois ? Quelqu'un qui pourrait discuter avec Gore Vidal, par exemple, tout en étant à l'aise s'il faut d'aventure se mettre à causer tambouille.

La fourchette de Mary Ann s'arrêta à mi-course. *Pas de conclusions hâtives !* se gendarma-t-elle. *Peut-être veut-il simplement ton avis. Peut-être veut-il...*

— Qu'est-ce que tu en dirais ? continua-t-il.

Leurs yeux se croisèrent enfin.

— Ce que je dirais de quoi ? demanda prudemment Mary Ann.

— De le faire.

Elle posa sa fourchette et se força à compter jusqu'à trois.

— Moi ?

— Oui, toi.

— Comme présentatrice ?

— Oui.

Il lui fallut toute sa maîtrise de soi pour dissimuler son excitation.

— Burke... Je suis terriblement flattée...

— Mais ?...

— Eh bien, d'abord, j'ai déjà mon émission, observa-t-elle.

— Oui. Sur une chaîne locale.

Soudain un peu piquée, elle parvint parfaitement à se contenir et répondit froidement :

— Ici, en Californie, ces émissions sont parmi les plus regardées. On ne fait pas mieux aux États-Unis.

Il esquissa un sourire patient.

— N'empêche que tu saisis parfaitement la différence, insinua-t-il.

— Oui, sans doute, mais...

— Et je crois que du seul point de vue financier, tu apprécierais aussi le changement.

— Là n'est pas la question, objecta-t-elle calmement.

— Alors, dis-moi où est le problème. Dis-moi ce qu'il faut que je fasse.

Il la suppliait presque !... Dieu, que c'était agréable !

— J'ai ma maison ici, Burke, ma famille.

— Et ils ne seraient pas d'accord pour partir ?

— C'est une partie du problème, en effet.

— Soit.

Il eut un petit geste conciliant.

— Quelle est l'autre partie du problème ?

— Quand m'as-tu vue ? Dans quelle émission, je veux dire.

— Je t'ai vue des tas de fois. Chaque fois que je passais par San Francisco. Et chaque fois, je t'ai trouvée formidable.

Il la gratifia de surcroît d'un petit sourire engageant.

— Si ça te fait plaisir, nous pourrions même garder le titre : *Mary Ann le matin.*

Elle préférerait *Mary Ann*, tout simplement.

— Écoute, poursuivit-il, si tu dois me répondre « non », tant pis. Mais auparavant, je veux être sûr que tu comprends ce que je te propose.

— Je pense que je comprends parfaitement, martela-t-elle.

— Alors, que puis-je te dire de plus ?

— Eh bien... Ce que moi, j'aurais à offrir, par exemple.

Il lui jeta un regard incrédule.

— Allons, allons, la pria-t-il.

— Mais si, franchement !

— Bon.

Il réfléchit un instant.

— Tu n'es pas une automate. Tu écoutes vraiment les gens. Tu réagis. Tu ris quand tu as envie de rire, et tu dis ce que tu penses. Et puis, tu as ce... ce côté très Cleveland qui n'appartient qu'à toi.

Elle sursauta.

— *Ce côté très Cleveland ?* répéta-t-elle.

Burke osa un nouveau sourire qui l'agaça.

— Peut-être que j'aurais pu formuler ça un peu mieux... s'excusa-t-il.

— Burke, j'ai travaillé des années pour arriver à *effacer* ce côté Cleveland, pour m'en débarrasser totalement et définitivement !

Il secoua la tête.

— Eh bien, ça n'a pas marché, c'est tout !

— Merci beaucoup, répliqua-t-elle sur un ton pincé.

— Et c'est une chance que ça n'ait pas marché ! Cette naïveté est ton meilleur atout. Écoute... Que serait Johnny Carson sans le Nebraska ?

Frémissant intérieurement, elle réalisa en un clin d'œil qu'elle pourrait se trouver *en face* de Carson d'ici quelques mois, devisant amicalement avec lui de son ascension de météore vers la célébrité.

— Alors, ça vous a plu ? demanda brusquement une voix de femme gutturale.

Surprise, Mary Ann se récria :

— D'or ! Euh... Bonjour. C'était délicieux, comme toujours. Burke, je te présente notre hôtesse, D'orothea Wilson.

D'or était ce jour-là particulièrement élégante, songea Mary Ann, dans son corsage de soie mauve et son pantalon de gabardine beige.

— C'était une merveille, renchérit Burke en montrant ce qui restait de son thon grillé. Surtout la sauce au beurre de cacahuète.

D'or hocha la tête d'un air satisfait :

— C'est une recette que je prépare chez moi depuis toujours.

Elle regarda Mary Ann et sourit ironiquement.

— DeDe et les enfants m'en veulent même un peu de l'avoir fait délibérément tomber dans le domaine public !

— DeDe est-elle là, aujourd'hui ? questionna Mary Ann.

— Non, elle ne sera pas là avant deux heures.

— Eh bien, dis-lui bonjour de ma part, promis ? Il y a des lustres que je ne l'ai vue.

— Promis, fit D'or avant de continuer sa tournée d'inspection dans l'autre salle.

— C'est une beauté, cette femme ! remarqua Burke.

— N'est-ce pas ? Elle était mannequin, autrefois. Elle et son amie se sont échappées de Jonestown avec les enfants juste avant... juste avant le fameux massacre. Elles se sont réfugiées à Cuba pendant trois ans.

— Ça alors !

Mary Ann était ravie de sa réaction.

— C'est moi qui ai révélé cette histoire, d'ailleurs.

— Dans ton émission ?

— Non. C'était avant. Quand j'en étais encore à présenter le film de l'après-midi. En 81. C'est comme ça que j'ai débuté, tu sais ?

— Et on t'a confié un talk-show pour que tu puisses parler de ce scoop ?

— Non...

— Explique-moi...

Burke ayant l'air de plus en plus perplexe, Mary Ann haussa les épaules et lui adressa un sourire énigmatique.

— J'en ai simplement parlé en présentant le film, répondit-elle tranquillement.

— Mmm... fit Burke.

— C'était juste un petit événement local, railla Mary Ann. Ça n'aurait jamais pu parvenir jusqu'à New York.

Burke comprit l'ironie et scruta attentivement son interlocutrice.

— Depuis quand es-tu devenue si dangereuse ?

— Qui, moi ? s'étonna-t-elle. Dangereuse ? La naïve petite fille de Cleveland ?

Se faire voir chez les Grecques

Ce soir-là, le brouillard qui envahissait les rues de la ville ressemblait à une nappe de velours et formait un halo autour du réverbère posté au pied des marches de Barbary Lane. Thack s'arrêta subitement.

— Zut, marmonna-t-il.

— Qu'est-ce qui t'arrive ? demanda Michael.

— Nous avons oublié le sherry.

Le sentiment de culpabilité, chez Michael, se fit à

nouveau cuisant. Il n'aimait pas l'idée de se présenter chez Mme Madrigal, qu'il n'avait pas vue depuis plusieurs mois, sans apporter sous son bras quelque offrande rassurante en signe d'affection. Avisant la rude côte de Leavenworth, il annonça :

— Il y a une petite épicerie, là-haut.

— Laisse tomber, dit Thack. On n'aura qu'à lui envoyer des fleurs demain.

— Tu penseras à me le rappeler ?

— Bien sûr.

Quand ils atteignirent le bosquet d'eucalyptus en haut des marches, un chat dans l'allée les dépassa, en brandissant sa queue comme un sabre. Michael l'appela sur un ton aguicheur, mais pour toute réponse l'animal feula dans leur direction et s'éclipsa dans la brume.

— Sac à puces ! lui cria-t-il.

Puis, comme Thack lui lançait un regard étonné :

— Je le connais, expliqua Michael, en montrant le nouveau lotissement du bout de la route. Il est du quartier.

C'était un ensemble d'édifices vert pâle d'architecture postmoderne, protégé par des grilles de sécurité. Les poubelles étaient enterrées et les portes s'ouvraient avec des bourdonnements qu'on pouvait entendre à des lieues à la ronde. Pour le construire, une grande partie du bois d'eucalyptus avait été sacrifiée.

Après le lotissement, là où la chaussée se rétrécissait et où les buissons croissaient à l'état sauvage, commençait le véritable Barbary Lane, une prolifération bohème de petites maisons en bois déglinguées et de poubelles qui se dressaient sur les bas-côtés sans vergogne. Quand ils poussèrent le portail du numéro 28, lequel évoquait les grilles d'un cimetière, une odeur de rôti vint caresser leurs narines, s'échappant de la fenêtre d'Anna Madrigal.

Lorsque la logeuse les fit entrer dans le saint des

saints, la vision de cet endroit où rien ne semblait pouvoir jamais changer réconforta Michael. C'était toujours le même fatras de livres poussiéreux et de coussins de velours plus poussiéreux encore, immuable et familier. Mme Madrigal, en kimono couleur prune, deux baguettes d'ivoire piquées dans l'écheveau touffu de ses cheveux argentés, les accueillit avec effusion.

— Tu as envie de fumer? proposa-t-elle à Michael.

Malicieusement, celui-ci fit mine d'examiner le bout de ses pieds.

— Je ne sais pas... Franchement.

— Ah, pas question de badiner avec mon vieux rituel!

Elle fourra entre les mains de Thack un petit plateau où reposaient des joints tout préparés:

— Tiens, chéri. Charge-toi de le dévergonder. Oh, mes biscuits sont en train de brûler! s'exclama-t-elle avant de filer vers la cuisine, toutes voiles dehors.

Thack, au spectacle de cette sortie théâtrale, sourit généreusement puis tendit le plateau à Michael.

Celui-ci se laissa vite convaincre: après tout, ce n'était pas une soirée comme les autres.

Quand la logeuse réapparut, Thack et lui étaient déjà dans les vapes, et s'abandonnaient à la profonde étreinte des coussins damassés du vieux sofa.

— Oh, il faut que je vous dise... annonça-t-elle en s'adjugeant le fauteuil. J'ai pour vous une nouvelle assez sensationnelle.

— Vraiment? fit Thack.

Elle posa sur eux un regard rayonnant, prenant son temps pour faire durer le suspense.

— Je m'apprête à vider les lieux, laissa-t-elle enfin tomber.

Une soudaine angoisse saisit Michael. À vider les lieux? *Quitter la ville?*

Sa réaction devait être visible, car en toute hâte Mme Madrigal précisa :

— Pour un mois, seulement. Guère plus.

— En vacances, vous voulez dire ? intervint Thack, l'air tout aussi abasourdi que son ami.

Elle hocha la tête en réponse, les fixant avec de grands yeux ravis, les mains posées sur ses genoux. Apparemment, elle-même n'en revenait pas non plus. Jusqu'à ce jour, Mme Madrigal avait été la personne la plus passionnément casanière du monde.

— Eh bien... Félicitations ! bredouilla Michael.

— Mona veut que j'aille la rejoindre en Grèce. Et comme je n'ai jamais consacré beaucoup de temps à ma fille chérie, je me suis dit que...

— En Grèce ?

— Oui, mon ange.

— À Lesbos ?

Les yeux de la logeuse s'écarquillèrent.

— Elle t'en a parlé ?

— Pas récemment, non, mais ça fait des années qu'elle dit vouloir y aller.

— Cette fois, elle y va pour de bon, expliqua Mme Madrigal. Elle a loué une villa, et elle y invite sa vieille mère.

— Génial ! s'écria Thack.

Michael imaginait déjà le scénario : Mona, avec ses cheveux crépus, sombre et tourmentée de désir dans quelque taverne enfumée, et Mme Madrigal trônant au milieu de sa cour en caftan de lin beige, ou dansant sur la musique de *Zorba le Grec* quand la transe s'emparerait d'elle.

— J'arrive à peine à y croire, avoua la logeuse en poussant un soupir d'aise. La terre de Sappho !

— Oui, et aussi environ dix milliards de femmes qui s'y précipitent sur les traces de l'illustre gouine ! se moqua Michael. Ça, je ne pense pas qu'elle vous en ait prévenue.

— Bien sûr que si ! s'offusqua Mme Madrigal.

— C'est quasiment un lieu de pèlerinage.

— Je sais.

— Elle m'a expliqué qu'en pleine saison, ce sont des hordes de goudous déchaînées qui débarquent là-bas.

Mme Madrigal lui lança un regard légèrement agacé.

— Je pense que tu t'es fait comprendre suffisamment, chéri ! ironisa-t-elle.

— Bien sûr, j'imagine qu'on y rencontre aussi des hommes...

— Oui. J'imagine aussi, répliqua-t-elle sèchement.

— Quand partez-vous ? s'enquit Thack.

— Au début de la semaine prochaine.

Michael ne s'attendait pas à cela. Et tout aussi inattendue, du reste, était la légère frayeur qui s'était emparée de lui. Pourquoi diable ce projet le troublait-il donc ? C'étaient seulement des vacances !...

— Ça ne vous laisse pas beaucoup de temps pour faire vos bagages, observa-t-il avec une voix atone.

Elle scrutait son visage, cherchant à deviner ce qu'il avait derrière la tête.

— Mais il est vrai que vous n'aurez pas besoin de grand-chose, ajouta-t-il.

— Je ne suis plus sûre de savoir *comment* on fait ses bagages, plaisanta-t-elle. Cela fait des siècles que je n'ai pas quitté le quartier.

— Raison de plus pour partir, remarqua Thack.

Michael, alors, demanda :

— Est-ce qu'il ne fait pas très chaud, sur cette île ?

— Un peu, répondit-elle.

— Je croyais que vous aviez horreur de la chaleur !

— Oh, du moment que c'est une chaleur sèche...

— En tout cas, pour ce qui est de l'*herbe*, ce sera ceinture ! souligna Michael.

— Allons ! protesta Thack. Tu n'as pas bientôt fini de jouer les rabat-joie ?

72

Michael haussa les épaules.

— Je trouve qu'il vaut mieux qu'elle soit avertie, voilà tout.

Pendant le dîner, la conversation dériva jusqu'à finir par évoquer Mary Ann et Brian, qui apparemment n'avaient pas rendu visite à leur ancienne logeuse depuis Noël.

— Tous les deux sont très occupés, assura Michael à Mme Madrigal, ce qui ne manqua pas de faire surgir un sourire sceptique sur les lèvres de Thack — comme toujours trop enclin à penser ce qu'on pouvait imaginer de pire sur le compte de Mary Ann.

Coquettement, Mme Madrigal jouait avec une mèche de ses cheveux.

— Je serais ravie qu'ils me laissent Shawna à garder... Cela fait des siècles que Brian ne m'a pas demandé de jouer les baby-sitters.

— Mais elle est à la maternelle, maintenant ! expliqua Michael, mal à l'aise. Ça résout pas mal de problèmes.

— Effectivement, souligna Thack avec perfidie.

La logeuse se mordit une lèvre et acquiesça.

— Encore des pommes de terre, Thack ?

Celui-ci secoua la tête et tapota son ventre.

— Merci. Je suis repu.

— Il y a encore beaucoup de viande dans la marmite, insista leur hôtesse.

— Non, sincèrement.

— Et toi, Michael ?

— Eh bien...

— Ne fais pas semblant d'hésiter, je t'en prie ! trancha Mme Madrigal.

Il lui sourit et cessa de feindre d'être au régime.

— Viens avec moi, reprit-elle, l'attirant dans la cuisine.

Sur le seuil, elle se tourna vers Thack.

— Excuse-nous un instant, chéri, tu veux ?

Dans la cuisine, elle s'affaira devant son fourneau avec un enjouement un peu forcé.

— Tu préfères toujours les morceaux un peu brûlés ?

— Oui... Ce que vous voudrez ! répondit distraitement Michael.

Elle découpait la viande sans en détacher les yeux une seconde.

— Penses-tu que j'aie raison de faire ça, mon grand ? demanda-t-elle enfin.

— De faire quoi ?

— De partir.

— Oh, bien sûr ! dit Michael. Pourquoi pas ?

— Eh bien... Si jamais ta santé n'était pas parfaite...

— Mais tout va pour le mieux, protesta-t-il. Sinon, vous croyez que je vous le cacherais, si ce n'était pas le cas ?

— Naturellement, j'espère bien que...

Elle ne put finir sa phrase. Michael, alors, leva les yeux au ciel :

— Au premier ennui, j'arriverai ici en hurlant. Faites-moi confiance !

Elle prit son temps pour disposer la viande sur le plat.

— Je serai absente pendant tout un mois, insista-t-elle sur un ton soucieux.

— Voulez-vous vous taire !

Elle posa les couverts sur le bord du plat et s'essuya les mains.

— Excuse-moi, dit-elle.

— Il n'y a pas de quoi vous excuser.

— Je sais que c'est complètement irrationnel, mais je ne pense plus qu'à ça depuis que...

— Est-ce que je n'ai pas l'air en pleine forme ? l'interrompit Michael.

Elle lui caressa la joue.

74

— Tu es splendide. Comme d'habitude.

L'intensité du regard avec lequel elle le fixait était presque gênante, et il détourna les yeux.

— Mona dit que c'est une île merveilleuse, reprit-elle. Et sauvage ! L'aéroport n'existe que depuis cinq ans, je crois.

La main de Mme Madrigal quitta sa joue, et la vieille femme commença à rassembler les assiettes dans l'évier.

— Laissez donc tout ça, conseilla-t-il. Je m'en occuperai tout à l'heure.

Tout à coup, elle fit volte-face.

— Tu pourrais venir avec nous, lança-t-elle avec enthousiasme.

— Pardon ?

— À Lesbos. Je suis sûre que Mona en serait enchantée.

Il lui sourit affectueusement.

— Je dirige une boîte qui a besoin de moi, objecta-t-il. Et j'ai une maison à payer.

Thack apparut dans l'encadrement de la porte, son assiette à la main :

— Est-ce qu'il est trop tard pour changer d'avis ?

— Bien sûr que non ! s'exclama Mme Madrigal.

Tandis qu'elle empilait de la viande dans l'assiette de Thack, Michael se tint à l'écart et la dévisagea : elle avait l'air aussi soulagée que lui que Thack fût entré pour mettre un terme à leur embarras.

Tous les trois étaient en train de laver la vaisselle quand quelqu'un frappa à la porte. Avant que Mme Madrigal eût le temps de s'essuyer les mains, Polly Berendt entra prestement dans la cuisine.

Elle salua Michael et Thack puis se tourna vers Mme Madrigal.

— J'allais sortir, et j'ai pensé que ce ne serait pas mal si je vous apportais ça.

Elle ouvrit une des poches de son blouson de cuir et en tira un chèque, de toute évidence pour le loyer.

— Désolée d'avoir laissé passer la date.

La logeuse fourra le chèque dans la manche de son kimono, murmurant :

— Aucune importance, mon ange.

L'air un peu gêné, Polly frotta une main contre sa cuisse.

— Excusez-moi, je ne voulais pas vous inter- rompre.

— Tu n'interromps rien du tout : nous avions fini de dîner. Viens donc t'asseoir avec nous, proposa Mme Madrigal.

— Merci, mais je n'ai pas le temps.

Elle regarda Michael.

— J'ai rendez-vous avec des amis, *Chez Francine*.

— Francine ? interrogea la logeuse. Est-ce que je la connais ?

— C'est le nom d'un bar, expliqua Polly.

Michael ne put y résister.

— Devine où Mme Madrigal part en vacances.

Polly eut l'air vaguement soupçonneuse.

— Où ça ?

— À Lesbos !

— Euh... Tu veux dire ?...

— L'île de Lesbos, intervint Thack. Là où Sappho est née.

Polly hocha évasivement la tête.

— Ne me dis pas que tu ne connais pas Sappho ? s'étrangla Michael, incrédule.

— Oh, bien sûr, j'en ai entendu parler. Seulement, je ne suis pas très calée en mythologie.

— Sappho n'est pas du tout un personnage mytho- logique !

— Allons, grogna Thack. Laisse-la tranquille.

— Bien envoyé, renchérit Polly, agacée.

Mme Madrigal fronçait les sourcils.

— Les enfants, si vous voulez vous chamailler...

Michael regardait Polly avec un air de reproche.

— Et tu oses te prétendre gouine !

Son employée poussa un soupir d'exaspération, et, bien plantée sur ses jambes, lui répondit crânement :

— Je ne me prétends pas gouine, je *suis* gouine. Et je n'ai pas eu besoin de prendre des cours pour ça, figure-toi.

— Voilà le drame, avec les jeunes d'aujourd'hui ! proféra Michael, imperturbablement sérieux.

Polly grommela quelque chose d'inintelligible, et Thack secoua vigoureusement l'épaule de Michael.

— Quel vieux sermonneur ! railla-t-il.

— Exactement, le suivit Mme Madrigal. Et un vieux sermonneur à la mémoire courte, qui plus est.

— Pourquoi à la mémoire courte ?

— Eh bien, si je ne me trompe, mon chou, c'est moi qui ai dû t'apprendre qui était Ronald Firbank.

Michael la regarda, sourcils froncés.

— Vraiment ?

— Mais oui.

— Impossible ! s'indigna Michael.

— Je m'en souviens parfaitement, pourtant.

— De toute façon... De toute façon, Ronald Firbank n'a rien d'un personnage de l'envergure de Sappho.

Mme Madrigal préféra changer de sujet et concentra son attention sur Polly.

— Dis-moi, chérie, commença-t-elle anxieusement, crois-tu que tu pourras te débrouiller toute seule pendant que je serai partie ?

Polly fit la moue.

— Naturellement.

— Je ne pense pas que tu auras besoin de chauffage, mais si jamais il se mettait à faire froid, tu n'auras qu'à tourner le bouton de la chaudière en forçant un peu, comme toujours.

— Bien, je m'en souviendrai, répondit Polly.

— Je laisserai un double des clefs chez les Gottfried, au troisième. Tu n'auras qu'à sonner chez eux, si
tu perds les tiennes.

— Parfait. Merci.

— Oh, et puis j'aimerais bien que tu gardes un œil
sur Rupert. Je crois que ce sont les Treacher qui le
nourrissent, ces temps-ci, mais j'ai toujours en réserve
quelques boîtes de viande pour chats, au cas où. Elles
sont dans le placard, là-bas, au fond. Je te donnerai une
clef avant de partir.

Entendant cela, Michael se sentit soudainement
vieux et presque ostracisé, un peu comme l'*ancien*
d'une université qui retourne sur son campus et
découvre qu'il n'y a plus sa place, que la vie estudian-
tine a continué sans lui. Qui étaient-ils, ces gens — ces
Gottfried et ces Treacher qui étaient maintenant initiés
aux antiques mystères de la maison ?

Il sentit aussi qu'il était quelque peu jaloux de Polly,
dans son nouveau rôle de lieutenant du 28 Barbary
Lane. Tout cela était complètement irrationnel, bien
sûr : après tout, c'était lui qui avait choisi de partir.
Mais le sentiment de dépossession n'en était pas moins
vif.

Quand ce soir-là Thack et lui prirent congé,
Mme Madrigal les entraîna tous les deux par le bras,
telle une duchesse douairière, et descendit avec eux
l'allée envahie de brouillard, jusqu'en haut des
marches. L'odeur même de ces lieux — une odeur
capiteuse de terre, de fougère et d'eucalyptus — libé-
rait en lui un flot de souvenirs, et Michael se sentit
dangereusement près de fondre en larmes.

— Écoutez-moi, dit la logeuse en lâchant leurs bras.
J'aimerais que nous fassions quelque chose d'amusant,
avant mon départ.

— Avec plaisir ! s'exclama Thack.

Mme Madrigal tira vigoureusement Michael par la
manche :

— Et toi, mon grand ? Qu'est-ce que tu en penses ?

— Euh... Bien sûr. Volontiers, murmura Michael en évitant son regard.

— Rappelle-lui de téléphoner, commanda-t-elle à Thack. Sinon, il oubliera.

— Non, je n'oublierai pas, promit Michael.

Il dévala les marches en toute hâte avant qu'elle pût voir la tête qu'il faisait.

Gare aux revenants !

Jusqu'à présent, songeait Brian, vingt-quatre heures avaient passé sans que Mary Ann eût pipé mot de son déjeuner avec Burke Andrew. Lui-même avait failli mettre le sujet sur le tapis la veille au soir, mais quelque chose dans la manière virevoltante et trop attentionnée de sa chère épouse lui avait fait pressentir qu'il était plus sage de ne pas s'y risquer. S'il y avait encore quelque chose entre Burke et elle, il préférait ne pas le savoir.

C'était évidemment de la paranoïa pure et simple, mais qu'y pouvait-il ?

On avait droit ce jour-là à une soirée claire et bleutée, et il rentrait chez lui au volant de sa Jeep. Le soleil amorçant son déclin, les tours d'ivoire de Russian Hill s'étaient dorées. Tout bien considéré, Brian se disait qu'il avait toutes sortes de bonnes raisons d'estimer que sa vie aussi était dorée ; il fallait donc que cessât au plus vite ce sentiment d'insécurité qu'il éprouvait de façon si lancinante.

D'ailleurs, jugeait-il, il aurait dû être plutôt rassuré par le comportement de Mary Ann. Les retrouvailles avec Burke s'étaient sans doute déroulées sans coup de théâtre, et elle avait tout bonnement oublié d'en parler.

Au surplus, s'il s'était produit entre eux un déclic, elle n'aurait pas été assez bête pour attirer là-dessus l'attention de sa moitié par un silence inhabituel ; elle aurait raconté ce déjeuner d'un ton léger et désinvolte, afin d'en finir rapidement avec le sujet.

Lui-même avait arrêté d'y penser lorsqu'il arriva au 23e étage du Summit, le gratte-ciel où ils habitaient.

— Hou-hou ! cria-t-il en entrant dans le living-room.

Les rayons obliques du soleil devenu rouge projetaient une ombre couleur de vieux muscat sur la moquette, où gisaient plusieurs douzaines des poupées de Shawna, alignées face contre terre en rangées impeccables.

— Allô, tout le monde ! Je suis rentré !

Sa fille surgit de sa chambre et se planta devant lui, en se grattant les fesses.

— 'soir, papa.

Elle tenait une autre de ses poupées par le pied gauche.

— Salut, chérie. Qu'est-ce que c'est que ce bazar ?

— Je vais les donner, déclara solennellement Shawna.

— Vraiment ?

— Oui.

Elle s'agenouilla et plaça soigneusement à côté des autres la poupée qu'elle tenait à la main.

— Et à qui vas-tu les donner ? interrogea Brian.

— Aux enfants qui n'ont pas de maison.

Brian fut impressionné.

— C'est toi qui as eu cette idée ?

— Oui, dit Shawna. Moi d'abord, puis Mary Ann.

— C'est très gentil. Mais ne les donne pas toutes, d'accord ?

— T'inquiète pas.

Elle lissa la robe de la dernière poupée.

— Je ne donne que les moches.

— C'est plus raisonnable, acquiesça Brian.

Il lui pressa le bout du nez avec son doigt.

— Tu es une vraie mère Teresa.

Dans la cuisine, Mary Ann écossait des petits pois, la mine volontaire, avec un faux air de Sally Field, jouant les femmes d'intérieur dans son tablier Laura Ashley. Quand il l'embrassa dans le cou, il huma son odeur capiteuse des fins d'après-midi, et se sentit totalement, stupidement amoureux d'elle.

— S'il te plaît, peux-tu m'expliquer ce que ta fille est en train de faire ?

— Oh, je sais...

Elle lui adressa un regard affligé par-dessus son épaule.

— On dirait le massacre de Jonestown, à côté !

Il jeta un petit pois cru dans sa bouche et le mâchonna, appuyé à la desserte.

— Tu es sûre que c'est une bonne idée ?

Mary Ann haussa les épaules :

— Pourquoi pas ?

— Je me demande... Et si elle les regrette, ensuite ? Tu te souviens du drame qu'elle a fait quand nous avons jeté sa tétine ?

— C'est elle qui l'a décidé, Brian. C'est comme un rite de passage, tu sais : une façon de se libérer !

— Je comprends, mais si...

— Brian, si on t'avait écouté, elle en serait encore à sucer sa tétine.

— D'accord. Tu as raison.

— D'ailleurs, ajouta Mary Ann, elle gardera les plus jolies.

— Alors tout va bien.

— Qu'est-ce que tu préfères : des pommes de terre nouvelles ou des patates douces ?

— Euh... Des patates douces.

— Avec de la guimauve ?

Il lui lança un coup d'œil interrogateur.

— Depuis quand achètes-tu de la guimauve ?

Elle bougonna.

— Oh, si tu n'en veux pas...

— Bien sûr que si, j'en veux ! protesta Brian. Seulement... tu ne m'as pas dit un jour que c'était de la nourriture pour ploucs du Middle West ?

Elle lui opposa un regard de défi en guise de réponse et continua son écossage.

— Tu veux que je t'aide ? proposa-t-il.

— Non, merci. J'aime bien avoir les mains occupées. Ça me décontracte.

Il se glissa derrière elle et à nouveau lui déposa un baiser dans le cou.

— Tu as besoin de te décontracter ?

— Non, dit-elle. C'est seulement que... J'avais envie de faire quelque chose de manuel, voilà tout.

— Mmm...

Il lui mordilla le cou.

— Je crois que j'ai une idée, si tu as vraiment envie de quelque chose de manuel.

Elle émit un petit rire :

— Va plutôt mettre la table ! ordonna-t-elle pour le taquiner.

— Si nous mangions devant la télé ? suggéra-t-il.

— Comme tu veux. Mais il n'y a rien à regarder.

— Bien sûr que si ! Il y a *Cheers*. Deux épisodes d'affilée.

— Et quoi d'autre ? demanda-t-elle.

— Euh... Michael m'a prêté la cassette du *Détective chantant*.

— Ah non, merci bien ! fit-elle, l'air dégoûté.

— C'est de Dennis Potter !

— Brian, je n'ai aucune envie de regarder un petit vieux qui gratte son psoriasis pendant que je mange.

— Pourtant, tu as fait une émission sur lui le mois dernier.

— Raison de plus.

— Tu es dure ! plaisanta-t-il en lui claquant une fesse.

Mais Mary Ann le poussa vers la porte.

— Va donc jouer avec Shawna. Quand elle sera couchée, nous verrons...

— Bon. Si ça ne te dit rien...

— Allons, file ! J'ai des moules farcies à préparer, insista Mary Ann.

— Des moules farcies ?

Brian n'en revenait pas.

— Quoi ?

Constatant l'étonnement de son mari, Mary Ann se donna de grands airs scandalisés.

— Je suis une femme complète, tu ne le savais pas ?

Brian sortit, quelque peu effaré. Il ne l'avait pas vue farcir des moules depuis des années.

Il s'assit par terre dans le living-room, et écouta Shawna décliner — un peu trop gaiement peut-être — la liste des défauts de ses poupées-pour-SDF.

— Celle-ci ne parle plus.

— Ah bon ?

— Non. Celle-ci a les cheveux coiffés n'importe comment, ça lui donne un genre idiot. Et regarde-moi celle-là ! Elle est horrible.

— Mais non, elle n'est pas horrible, mon chou.

— Si. Horrible. Et celle-ci... Sens ! Tu ne trouves pas qu'elle pue ?

Brian fronça les sourcils, puis renifla la poupée. L'odeur, alors, lui pinça les narines comme de petits crocs acérés.

— Pedro lui a pissé dessus ! expliqua Shawna.

— Qui ça ?

— Pedro. L'iguane des Sorensen.

— Oh... délicieux ! fit-il en grimaçant.

Il remit la poupée à sa place.

— J'aimerais bien avoir un iguane, moi aussi, déclara Shawna tout à trac.

— Ça, pas question !

— Pourquoi ? Je m'occuperais de lui.

— Sûrement... Je vois ça d'ici, ironisa Brian.

— Je t'assure !

Il réfléchit un instant, puis ramassa la poupée qui puait.

— Je pense qu'il vaudrait mieux ne pas donner celle-là, d'accord ?

— Que veux-tu que j'en fasse, alors ?

— Jette-la.

— Pourquoi ? protesta Shawna.

— Parce que, mon chou, si tu trouves qu'elle sent mauvais, une petite fille pauvre trouvera elle aussi qu'elle sent mauvais.

— Ah ?

Shawna, avec une extraordinaire coordination, secoua la tête et se gratta une fesse en même temps.

— Pas si elle n'a pas de maison, objecta-t-elle.

— Mais si, Puppy. Crois-moi.

Sa fille le regarda avec indifférence.

— Comme tu veux, conclut-elle.

— Viens, proposa alors Brian.

Il se leva et la prit par la main.

— Allons aider maman à mettre la table.

La première fois qu'il avait vu *Le Détective chantant,* Mary Ann était absente, occupée par des mondanités télévisuelles.

— C'est un film exceptionnel, tu sais ? lui expliqua-t-il, de retour dans la cuisine. Tu vois ce vieux bonhomme sur son lit d'hôpital, avec ses dents de travers et sa figure pareille à peu de chose près à un vieux cul fripé... Il ouvre la bouche pour chanter. Et ce que tu entends, c'est *Ça pourrait être le printemps...* avec une voix à la Sinatra, tu imagines ? Orchestre, et tout et tout !

— Je ne comprends pas, dit Mary Ann.

— Moi non plus, bouda Shawna.

— Quand tu le verras, tu comprendras.

Mary Ann n'était pas convaincue.

— En tout cas, pas si ça dure six heures ! avertit-elle.

— Nous pouvons le regarder petit bout par petit bout, si tu préfères.

— Non et non ! trancha Shawna.

Brian se tourna vers sa fille et la chatouilla sous les bras.

— Toi, de toute façon, tu ne regarderas pas.

La fillette se débattit en riant nerveusement.

— Je regarderai si je veux ! pesta-t-elle.

— Pas question. Tu iras voir le *Cosby Show* dans ta chambre, un point c'est tout.

— Ça, c'est toi qui le dis.

— Exactement, c'est moi qui le dis. Sans oublier ton bien-aimé Freddy ! ajouta-t-il.

Et ce faisant, ayant pris la tête de sa fille entre ses mains aux doigts brusquement durcis, comme des serres griffues, il lui fit pousser un petit cri de frayeur.

Mary Ann fronça les sourcils et le fixa sévèrement.

— Brian !

— Quoi ?

— Ce n'est pas drôle, se plaignit-elle.

— Non ? Bon, si tu le dis...

Brian lâcha la tête de Shawna, puis lui fit un clin d'œil.

— Tu sais quoi ? Maman nous a préparé des patates douces avec de la guimauve.

— Miam-miam ! s'écria Shawna.

— Au fait, est-ce que tu sais pourquoi maman a eu cette bonne idée ? interrogea Brian.

Shawna secoua négativement la tête.

— C'est un tortionnaire, tu sais ? continuait Mary Ann, poursuivant son idée.

Son mari la dévisagea :

— Qui ça ? demanda-t-il.

— Freddy, insista-t-elle. Dans ce film...

— Ah bon ?

Il se tourna à nouveau vers sa fille.

— Tu crois que ce festin, c'est parce que nous avons été sages toute la semaine, Shawna ? reprit-il.

— ... Et ils en ont fait un véritable héros, s'obstinait Mary Ann. On le vend même en posters ! C'est ignoble.

— Oui. Sans doute, admit Brian.

— D'ailleurs, nous allons faire une émission à ce sujet.

Je l'aurais juré !... pensa Brian.

— Moi, je le trouve génial, affirma Shawna.

De nouveau, Mary Ann fronça les sourcils :

— Qui ? demanda-t-elle.

— Freddy.

— Non, la corrigea Mary Ann. Tu ne le trouves pas génial.

— Mais si !

— Voyons, Shawna...

Mary Ann décocha à son mari une œillade accablée.

— Tu vois ?

— Je trouve qu'il est rigolo, renchérit Shawna.

Brian posa sur sa femme un regard qui voulait dire : « Surtout, ne va pas en faire un drame ! »

— Elle le trouve *seulement* rigolo, observa-t-il sur un ton conciliant.

— C'est ça, objecta Mary Ann en versant les petits pois dans une casserole. Un véritable sadique !

— Est-ce que tu veux boire du vin ? demanda Brian, qui en avait déjà assez de parler de Freddy.

— Oui. Celui que tu veux.

Brian ouvrit le réfrigérateur, y prit une bouteille de sauvignon et la glissa dans le freezer, pour le servir glacé comme ils l'aimaient. Voyant Shawna sortir de la pièce, il s'assit sur un tabouret.

— Je voulais te demander... fit-il aussi nonchalamment qu'il put. Comment ça s'est passé, ton déjeuner avec Burke?

— Mmm...

Il lui fallut un moment pour répondre.

— Très bien.

— Ah.

Brian hocha la tête.

— Vous vous êtes raconté toute la décennie?

— Plus ou moins.

— Il est toujours marié, et tout ce qui s'ensuit?

Elle le considéra un moment, puis le gratifia d'un long sourire suave.

— Ce que tu es bête! soupira-t-elle.

Le sourcil gauche de Brian fit spontanément quelque chose qui rappelait Jack Nicholson dans *Shining*.

— Tu trouves?

Les yeux de Mary Ann fixèrent à nouveau les patates douces qu'elle découpait en rondelles.

— Je savais que tu te mettrais dans cet état, murmura-t-elle.

— Dans quel état?

Il paraissait outré.

— C'était une simple question.

— Bon, d'accord. Oui, il est toujours marié. Oui, il a toujours deux enfants.

— Ah. Et... comment est-il, maintenant?

— Que veux-tu que je te réponde? s'emporta-t-elle. Quelque chose de vraiment désobligeant pour lui, rien que pour te rassurer?

— C'est pas une mauvaise idée.

Elle sourit, puis:

— Ce que tu peux être compliqué! se lamenta-t-elle.

— Allons, fais un effort. Est-ce qu'il a pris du bide, au moins?

Elle se mit à hurler de rire, aussi se glissa-t-il rapidement derrière elle en lui entourant la taille de ses bras.

— Tu l'aimais beaucoup, lâcha-t-il.

— Qu'est-ce que tu en sais ?

— Dis donc ! J'étais là, tu ne t'en souviens pas ? Je vous voyais ensemble tout le temps.

Mary Ann fit volte-face et caressa du bout des doigts les cheveux de Brian.

— Dis-moi, c'est Michael qui a fait toute une histoire à propos de ce déjeuner ?

— Michael ? Je ne lui en ai même pas parlé. Toi oui ?

— Non. Pourquoi l'aurais-je fait ?

Brian haussa les épaules sur un mode dubitatif.

— Qu'est-ce qui peut bien te faire croire, poursuivit Mary Ann, qu'après onze ans je pourrais...

— Rien, rien. Tu as raison. Je suis bête.

Sa femme l'observa attentivement, puis elle lui donna une tape sur le ventre pour l'écarter et retourna à ses patates douces.

— Si tu veux vraiment tout savoir, reprit-elle, je trouve qu'il est devenu un peu ennuyeux.

— Comment ça ?

— Je ne sais pas. Trop sérieux, trop consciencieux. Obnubilé par sa carrière.

— Et c'est quoi, sa carrière ?

— La télévision. Il est producteur, expliqua-t-elle.

— Eh bien ! Le monde est petit.

— N'empêche qu'il est resté très gentil, reconnut Mary Ann. Ça lui a vraiment fait de la peine quand je lui ai dit Michael était séropositif.

Un silence.

— En fait, c'est surtout de ça que nous avons parlé.

— Ils étaient très amis, n'est-ce pas ?

— Oui, assez. Il a proposé que nous nous retrouvions tous les quatre, un soir de cette semaine.

— Ah oui ? Avec Michael et Thack, tu veux dire ? Elle fit oui de la tête.

— Mais si ça ne te plaît pas, bien sûr...

— Si, si, acquiesça Brian. Je n'ai rien contre...

— Je crois que tu t'entendrais très bien avec lui, ajouta Mary Ann.

— Mais tu viens de me dire qu'il est ennuyeux.

Elle hésita, puis :

— Quand il parle de son travail, oui. Mercredi, ça t'irait ?

— Je ne sais pas, répondit Brian. Je n'ai pas regardé l'agenda, ces jours-ci.

Il voulait dire *leur* agenda, leur agenda à tous les deux. Depuis des années, à l'initiative de Mary Ann, ils gardaient trois agendas chez eux : un pour lui, un pour elle et un pour leur couple. Cette précaution évitait beaucoup de complications.

— Nous n'avons rien de prévu, annonça-t-elle. Et Nguyet devrait être libre, aussi. Enfin, je suppose.

Faire appel à leur domestique vietnamienne lui paraissait inutilement fastueux pour un simple dîner entre copains.

— Tu ne crois pas que nous pouvons nous passer d'elle ? s'enquit-il.

— Nous pourrions, admit Mary Ann. Mais nous serons quand même cinq pour le dîner. Six, en comptant Puppy. Et il faudra bien que quelqu'un s'occupe du service. Je trouve que ce serait plus pratique.

— Alors, je ferai la cuisine, proposa-t-il. Ma paella.

— C'est gentil, mais...

— Quoi ? Elle a eu un gros succès, la dernière fois !

— Je sais, mais ce serait plus sympa si nous restions tous ensemble à table, non ? À quoi bon nous réunir si tu te cloîtres dans la cuisine pour te débattre avec tes fruits de mer ?

— Comme tu voudras, accorda-t-il.

— Tu te charges d'inviter Michael, ou tu préfères que je m'en occupe ?

— Occupe-t'en, plutôt. Il me voit toute la journée.

Je crois que ça le toucherait davantage. Il y a un bon moment que tu ne lui as pas parlé.

Elle approuva d'un hochement de tête et décrocha le téléphone mural.

Alors, tandis qu'elle parlait à Michael, la paranoïa de Brian se déchaîna.

Chienneries

Michael raccrocha le téléphone et entra dans la salle de bains. Thack, assis tout nu dans la baignoire, était occupé à shampouiner Harry. Le poil luisant comme celui d'un rat d'égout, le chien poussait de petits grognements de protestation cependant que Thack, la douchette à la main, lui rinçait l'arrière-train.

— C'est bien, dit Michael en s'adressant à Harry. Tu es un bon chien. Oh, le bon toutou bien sage !

— Si tu voyais le nombre de puces ! s'écria Thack.

— Oh, j'imagine...

— Il va falloir désinsectiser toute la maison, j'en ai peur.

Michael s'y attendait. Il avait beau prétendre hautement le contraire, Thack n'aimait rien tant que « désinsectiser toute la maison ». Chaque fois qu'il y avait des puces à exterminer, le fervent antimilitariste se métamorphosait en Rambo.

— Qui était-ce, au téléphone ?

— Mary Ann, répondit Michael.

Comme à son habitude, Thack fit alors la grimace. Michael abaissa le couvercle de la cuvette des W-C et s'y installa.

— Nous sommes invités à dîner mercredi, ajouta-t-il.

Thack souleva la tête de Harry et lui aspergea soigneusement le cou.

— En quel honneur ? demanda-t-il.

Il sous-entendait sans doute par là que c'était surprenant, vu que Mary Ann maintenait une certaine distance depuis quelque temps. Michael ne pouvait le nier et préféra ne pas discuter.

— L'un de ses anciens petits amis est de passage, expliqua-t-il. Elle doit craindre que l'atmosphère ne devienne un peu pesante s'ils ne sont que tous les trois.

— Quel ancien petit ami ? s'enquit Thack.

— Celui qu'elle avait rencontré sur le *Pacific Princess,* tu sais ? C'est lui qui a révélé cette histoire de rites cannibales dans la Grace Cathedral.

— Ah, oui, je me souviens.

— Un type sympa... Enfin, il l'était il y a dix ans.

— C'était forcément un type bien, puisqu'il l'a plaquée, ironisa Thack.

Michael était fatigué de ce genre de réflexions perfides.

— Il ne l'a pas plaquée, corrigea-t-il. On lui a offert un boulot à New York, et il lui a demandé de la suivre. Mais elle n'a pas voulu quitter San Francisco.

— Mmm... Trop occupée à s'y faire une place au soleil, je suppose.

Michael se leva.

— Je vais la rappeler et nous décommander, déclara-t-il.

— Mais non, voyons !

— Écoute, si c'est pour qu'il y ait une scène...

Thack l'arrosa avec l'eau de la douche. Il plaisanta :

— Arrête de faire ta prima donna, tu veux ?

Michael se rassit.

— Je n'ai pas le droit d'être un peu sarcastique ? se défendit Thack.

— Si jamais tu piques une de tes crises...

— Pourquoi veux-tu que je pique une crise ? Heu-

91

reusement, Brian sera là, et je m'entends très bien avec lui.

Harry se débattit alors pour sortir de la baignoire, ses griffes essayant frénétiquement de trouver une prise sur l'émail. Thack le rattrapa et continua à le rincer.

— Attention, il n'aime pas l'eau trop chaude, prévint Michael.

— Je sais.

— Et ne lui fous pas le jet dans les couilles : il a horreur de ça.

Thack se mit à rire.

— Promis, maman Alice.

Michael lui jeta un regard noir.

— Tu avais exactement la même voix qu'elle, se justifia Thack. Pendant un instant, j'ai cru l'entendre.

— Je te remercie !

— Tu sais, nous avons tous la même voix que quelqu'un d'autre...

— Quand j'ai celle-là, avertis-moi vite, maugréa Michael. Pour que j'en change.

Thack sourit.

— Effectivement, acquiesça-t-il, ça vaudra mieux.

Et comment ! pensa Michael. Même s'il reconnaissait qu'il devenait aussi casanier qu'elle, il aurait préféré être pendu que de ressembler en quoi que ce fût à sa mère.

— Passe-moi la serviette de Harry, lui lança Thack.

C'était une grande serviette de plage usée, portant sur fond bleu le logo *All-Australian Boy* : une relique sentimentale du temps où Michael passait des heures à se faire bronzer à « Barbary Beach ». À l'époque où son cœur était encore affamé, il pouvait rester des après-midi entiers à ne rien faire d'autre que préparer son corps pour ses entreprises de séduction nocturnes.

Il saisit la serviette et la tendit à Thack, disant :

— Sortons quelque part, d'accord ?

— Quand ? demanda Thack.

— Ce soir.

— Où ça, quelque part ?

— Je ne sais pas. Au *Rawhide II* ?

— Si tu veux.

Thack emmaillota Harry dans la serviette, puis l'assit par terre pour lui administrer une vigoureuse friction.

— Qu'est-ce qui t'en a donné envie ? voulut-il savoir.

— Rien. J'ai besoin de m'amuser un peu, c'est tout.

— Ah bon ?

— Oui. Nous ne sortons presque jamais, grogna Michael.

Thack l'observa avec une lueur d'ironie dans le regard.

— OK, j'ai compris, conclut-il. C'est ma punition pour t'avoir appelé maman Alice !...

Ils avaient parlé au moins vingt fois d'aller passer une soirée au *Rawhide II*, sans que jamais ce projet se réalisât. Charlie Rubin avait beaucoup fréquenté l'endroit, au cours du mois précédant sa mort, et en avait dit le plus grand bien. Il était même prévu une fois qu'ils s'y rendraient avec Polly et Lucy ; mais Polly, quelques heures avant le rendez-vous, avait pla-qué Lucy pour la vice-championne du concours Miss Cuir International, et comme les goûts de sa nouvelle copine étaient plutôt sado-maso que country-western, Polly s'était instantanément convertie à sa religion, et conséquemment avait posé un lapin aux deux garçons. Pendant les trois semaines qui avaient suivi, Michael avait jubilé en découvrant que Polly recevait sans cesse en cadeau des bijoux pour clitoris.

Quand ils arrivèrent au *Rawhide II*, un cours de danse venait de commencer. Les participants étaient en tenue de ville — pas désagréables à regarder mais sans rien d'extraordinaire —, un peu comme si dans le métro des banlieusards avaient été soudain pris d'un désir irrépressible de se mettre à valser. Gros ou maigres, grands ou petits, ces types formaient des couples d'allure variable qui tournaient sur la piste dans le sens inverse des aiguilles d'une montre au son de la musique de Randy Travis :

I'm gonna love you forever,
Forever and ever, Amen;
As long as old men live to talk about the weather,
As long as old women live to talk about old men...

Souriant jusqu'aux oreilles, Michael avisa un tabouret libre et s'assit au bar.

— Qu'est-ce que tu prends ? demanda-t-il à Thack en le voyant partir à la recherche des toilettes.

Ses envies étaient si fréquentes que Michael imaginait assez souvent que sa vessie devait avoir la contenance d'un sachet de thé.

— Une bière. Une Miller, de préférence.

— OK.

— Dans quelle direction dois-je aller, à ton avis ?

Il parlait bien sûr des toilettes.

Michael leva les yeux au ciel avant de lui expliquer :

— La porte que tu cherches a la mention ÉTALONS. Pour les filles, c'est POULICHES.

— Quel sexisme ! se désola Thack avec humeur.

Quand il eut disparu, Michael passa leur commande. Et le sort voulut que son bipeur se mît à sonner à l'instant même où une main posait devant lui sa Calistoga. Le barman lui sourit.

— Tiens ! Une créature bionique de plus ! plaisanta-t-il.

Michael soupira.

— D'habitude, il a plutôt tendance à m'appeler depuis un portemanteau !

Il tira de sa poche sa boîte à pilules et en avala deux, qu'il fit descendre avec une gorgée de son eau minérale. En déglutissant, il vit que l'homme assis sur le tabouret voisin le regardait d'un air entendu.

— Je crois que le mien va sonner d'une seconde à l'autre, dit-il en tapotant la poche de son blouson.

Michael lui adressa un clin d'œil.

— Hier soir, au *Big Business*, poursuivit son voisin, c'était un véritable concert symphonique.

L'homme avait des yeux sombres, expressifs, et cette espèce de douceur à la E.T. que Michael savait typique des gens malades depuis longtemps.

— Tu en prends aussi au milieu de la nuit ? demanda-t-il.

L'homme secoua négativement la tête.

— Moi non plus. Double dose à onze heures et à sept heures ?

— C'est ça.

— Et... Ça va ?

Son interlocuteur haussa les épaules.

— Aux dernières nouvelles, il me reste six T4, répondit-il.

Michael savoura sa chance en silence : selon son dernier test, il en était encore à trois cent dix.

— Je deviens très possessif, avec ces six-là, ajouta l'homme. Je ne vais pas tarder à leur donner des noms, je crois.

Michael se mit à rire.

— Celle-là, risqua-t-il, tu as dû la placer souvent !

— Pas encore ce soir.

Thack revint et s'appuya au tabouret de Michael, sa bière à la main. Ils observèrent la piste de danse en silence, et les couples qui passaient devant eux en tournoyant. La chanson sur laquelle ils dansaient maintenant était *Souvenirs à brûler*.

— Regarde celle-là, dit brusquement Thack. Non, mais vise-moi un peu ça !

L'objet de sa stupeur était une femme grassouillette,

en pantalon, qui devait avoir dépassé soixante-dix ans. Un minuscule sombrero pailleté de rose était fixé sur un côté de sa permanente mauve, et elle avait l'air de s'amuser comme une folle. Le type qui lui servait de cavalier semblait son cadet d'au moins quarante ans.

— Quel tableau ! pouffa Michael.

— Vous pouvez l'emballer et l'embarquer ! proposa l'homme aux six T4.

Michael se tourna vers lui, souriant :

— Tu la connais ?

— Oh, juste un peu, répondit l'homme. C'est ma mère.

— Euh... Vraiment ?

Michael rougit.

— En tout cas, elle prend du bon temps.

— N'est-ce pas ?

Thack riait.

— Apparemment, c'est une habituée ! osa-t-il.

L'homme poussa un grognement.

— Mmm... Une habituée de *quoi*, mieux vaut ne pas le savoir.

— Est-ce qu'elle habite San Francisco ? s'enquit Michael.

— Maintenant, oui. Elle a quitté Havasu City pour s'installer ici, il y a cinq ans. Quand je suis tombé malade.

— Je vois.

— À mon avis, poursuivit ce brave fils, elle pensait que je ne ferais pas de vieux os, mais... surprise, surprise !

— Alors, elle habite avec toi ? demanda Thack.

— Doux Jésus, jamais de la vie ! Elle partage un appart' avec une amie d'Havasu City. Une amie dont le fils est dans le même cas que moi. Il doit d'ailleurs être ici ce soir.

Il lâcha un soupir.

— Ce sont des fêtardes comme je n'en ai jamais vu,

toutes les deux, reprit-il. Elle connaît plus de pédés que moi.

Thack rit de nouveau. La vieille dame, virevoltant toujours, s'était rapprochée. Elle agita les doigts en direction de son fils, puis s'éloigna dans les bras de son cavalier.

— Ce soir, elle est habillée de façon plutôt discrète, leur fit-il remarquer. Mais elle a toute une tenue assortie à ce chapeau, figurez-vous.

— Tu sais... commença Michael.

Ses sourcils se froncèrent.

— Je crois que je l'ai déjà rencontrée.

L'homme le regarda avec étonnement, puis :

— Tu joues au bingo au *Saint Rédempteur*?

— Non.

— C'était peut-être au *Eagle*, pour le Concours des plus beaux pectoraux.

Michael éclata de rire.

— Elle va au Concours des plus beaux pecs?...

— Depuis cinq ans qu'elle est là, elle n'en a pas manqué un seul.

— Non, ça devait être ailleurs, songea tout haut Michael.

La musique prit fin et la piste de danse se vida. La vieille dame, alors, fonça tout droit sur son fils, traînant son cavalier par la main.

— Coucou! fit-elle, en tapotant ses boucles mauves.

— Tu prends une Budweiser? proposa son fils.

— Je ne dis pas non. George, je vous présente mon fils Larry. Larry, George.

— Enchanté, dit Larry. Voici... euh...

Michael leva la main dans une sorte de salut à la cantonade :

— Michael, lança-t-il. Et voici Thack, ajouta-t-il en désignant son compagnon.

97

On se contenta ensuite de hochements de tête et de murmures.

La vieille dame inclina le chef d'un côté pour risquer une proposition :

— Un petit tour de piste, jeunes gens ?

— Bon sang ! s'exclama Larry, accablé. Quand elle en a épuisé un, elle recommence avec un autre !

— Tais-toi donc, protesta sa mère.

— Il ne faut pas que tu te sentes obligé d'accepter, dit le fils en se tournant vers Michael.

— Oh, mais ce sera avec plaisir, répliqua celui-ci.

— Tu vois bien, Larry ! pépia la vieille dame.

— Seulement, je ne suis pas sûr de savoir valser, annonça Michael, qui voyait du coin de l'œil Thack réprimer un fou rire.

— Pfff ! C'est facile comme tout.

Elle le prit par la main et l'entraîna vers la piste.

— Je croyais que tu voulais une bière, s'impatienta son fils.

— Tout à l'heure !

Puis, s'adressant à son nouveau cavalier, elle minauda.

— C'est bien Michael, votre prénom ?

— C'est ça.

— Mon petit nom à moi, c'est Eula.

— Enchanté, Eula, répondit courtoisement Michael.

Une autre valse avait déjà commencé, aussi attendirent-ils qu'un peu d'espace se libérât devant eux. Enfin, ils se mêlèrent aux autres couples de danseurs. L'usage — semblait-il à Michael — était de tenir sa cavalière à quelques dizaines de centimètres, les bras presque tendus ; ce qui était parfait, car l'imposante poitrine d'Eula, hérissée de froufrous en acrylique, exigeait de l'espace.

— Vous ne vous en sortez pas si mal, l'encourageat-elle.

— En somme, dit-il avec amusement, il suffit de tourner en comptant *un, deux, trois*, c'est ça ?

— C'est ça.

Elle tourna la tête.

— Regardez ces deux filles, de ce côté-ci. Elles ont exactement saisi le truc.

Les deux « filles » étaient un couple de lesbiennes quinquagénaires, toutes les deux habillées comme si elles venaient de figurer dans un western. Il était vrai qu'elles dansaient bien ; aussi Michael observa-t-il leur façon d'épouser le rythme, les imitant de son mieux.

— Voilà ! Maintenant, c'est parfait, approuva Eula.

— C'est parce que vous êtes une excellente danseuse, répliqua Michael.

Et si bizarre que cela parût, ce n'était pas faux. Son gros corps tournoyait avec une étonnante légèreté.

— Vous venez ici pour la première fois ? demanda-t-elle.

— Oui. En fait, non. Je suis déjà venu une fois, il y a plusieurs années. Mais ça s'appelait autrement, à l'époque.

— Ah ? Ça s'appelait comment ?

— Je ne m'en souviens pas, fit Michael.

Il proférait là un gros mensonge. À l'époque, l'endroit s'appelait *The Cave*, et les murs étaient peints en noir ; ses spécialités étaient les concours de lutteurs nus et la vente aux enchères d'esclaves d'un soir. Pourquoi n'en voulait-il rien dire à une femme qui ne manquait jamais le concours des plus beaux pectoraux au *Eagle*, c'était ce que Michael était incapable de s'expliquer.

— Ce garçon à qui vous parliez est mon fils, précisa soudain Eula.

— Je sais. Il nous l'a dit.

— Il n'aime pas beaucoup sortir, mais de temps en temps, je le force.

Michael ne savait que répondre.

— Quant à Ronnie, poursuivit Eula, il est encore pire. C'est son ami. On dirait que tout ce qu'ils savent faire, ces deux-là, c'est louer des vidéos et rester enfermés à la maison.

— Je suis un peu comme ça, moi aussi, avoua Michael.

— Vous ? Sûrement pas. Vous devez être autrement plus rigolo !

Les étincelles de coquetterie qu'il décela alors dans ses yeux le firent se rappeler enfin où il l'avait déjà vue.

— Est-ce que je ne vous ai pas rencontrée au *Castro Theatre* ?... Pour le concours de « La Belle et la Bête » ?

— Si. C'était bien moi, répondit Eula.

— Et votre « bête », c'était un chihuahua, non ? Vous l'aviez déguisée en Marie-Antoinette !

— En Carmen Miranda, corrigea-t-elle.

— Oui, c'est ça. En tout cas, c'était superbe.

— C'est Larry qui avait fait le petit chapeau, se vanta-t-elle fièrement. Il avait trouvé toutes les petites bananes en plastique au Marché aux fleurs, et il les avait cousues sur un chapeau de poupée.

— Oui ? C'était bien trouvé, comme idée.

— Il est à son affaire, quand il a une aiguille entre les mains. Il a beaucoup travaillé pour le *Patchwork* du sida, vous savez... Je crois qu'il en est à son dixième panneau.

— Vraiment ? C'est émouvant, conclut Michael.

Cinq minutes plus tard, sur les instances d'Eula, Michael entraînait Thack sur la piste de danse.

— Rien qu'une ! insista-t-il. Ensuite, on rentre.

Son ami lui décocha un regard hargneux, mais se laissa persuader, pour finalement adopter avec talent la cadence de la valse.

— Aie donc l'air un peu plus heureux !... ironisa Michael. Elle nous regarde.

— Écoute, ce n'est pas ta mère... protesta Thack.

100

— Ça, c'est le moins qu'on puisse dire !

— Et d'ailleurs, tu n'aimerais pas avoir une mère comme elle !

— Je n'en suis pas si sûr...

Quand il pensait à sa mère, Michael ne se la représentait jamais autrement que déjeunant dans une cafétéria du centre commercial d'Orlando, et déclarant à toute personne qui la questionnait sur son fils que celui-ci vivait « en Californie » — mais surtout pas « à San Francisco » — parce qu'elle aurait eu trop peur que ce nom laissât deviner l'épouvantable secret.

— Tu serais écœuré si ta mère se mettait à ressembler à une fille à pédés, affirma Thack.

— Eula n'est *pas* une fille à pédés, s'indigna Michael.

— Eula ? C'est son nom ?

Michael sourit, puis :

— Elle s'amuse bien, c'est tout, l'excusa-t-il. Regarde, elle danse avec une lesbienne, maintenant.

— D'accord, concéda Thack. Une fille à goudous, alors.

— Ferme-la ! Elles viennent par ici.

Eula et sa cavalière valsaient à côté d'eux.

— C'est de mieux en mieux, le complimenta-t-elle.

— Merci. Pas aussi bien que vous, hélas.

La cavalière d'Eula était une femme d'une quarantaine d'années, aussi petite qu'elle mais très râblée, avec une délicate fleur bleue tatouée sur le biceps gauche.

— Mon Dieu ! s'exclama Michael lorsqu'ils se furent écartés. Si les bonnes gens d'Havasu City la voyaient en ce moment !

Soulagés d'en avoir fini avec l'univers des night-clubs, ils rentrèrent chez eux de bonne heure. Harry, à la porte, les gratifia d'un accueil délirant, dansant debout sur ses pattes de derrière comme un chien de cirque, tout à sa joie de constater qu'ils ne l'avaient pas abandonné.

— Il a fait sa promenade ? interrogea Michael.

— Non.

— Alors, je vais le sortir cinq minutes.

Tandis que Thack montait se déshabiller, Michael, dans la cuisine, ferma le sac-poubelle avec un lien en plastique et le tira de son habitacle situé sous l'évier. Harry vit là le signe d'une sortie imminente et aboya frénétiquement pour réclamer sa promenade.

— D'accord, d'accord... le rassura Michael. Je t'entends.

Il se mit en route dans l'obscurité, en retenant difficilement le chien qui tirait sur sa laisse, et près du portail il laissa tomber le sac-poubelle dans le container à ordures. Thack, pour dissimuler cette horreur, avait récemment construit un petit abri en bois qui, au clair de lune, faisait penser à une maison de poupées. Michael fit halte un instant afin de contempler l'ensemble avec attendrissement, assez longtemps cependant pour s'attirer une nouvelle remontrance de Harry.

Dolores Park, l'endroit où ils emmenaient le chien s'ébattre dans la journée, grouillait, la nuit tombée, de dealers de crack et de casseurs de pédés ; aussi Michael opta-t-il pour un itinéraire plus sûr, passant par Cumberland, puis Sanchez, et revenant par la 20ᵉ Rue. Parvenu au bas des marches de Cumberland Street, il détacha le chien et le regarda filer comme une flèche parmi les énormes cactus, jusqu'à l'étendue herbeuse nettement plus accueillante qui s'offrait tout en haut. Mais avant que Michael eût pu le rattraper, Harry se mit ce soir-là à japper d'une manière qui ne pouvait signifier qu'une chose : il avait rencontré un être humain de sa connaissance.

— Harry ! cria-t-il, lassé d'être considéré comme un importun par les gens du voisinage.

En haut des marches, appuyé à la rambarde avec une canne à la main, se tenait un vieil homme qui venait souvent faire sa « petite promenade digestive » de ce côté-là.

— Mais c'est le petit Harry ! s'exclama le vieillard comme si ce nom expliquait et justifiait tout.

— Oh, il est infernal ! se plaignit Michael. Je suis désolé.

— Faut pas : c'est tout Harry. Il vous annonce, rien de plus !

Harry trottait autour de l'homme, jappant de façon insupportable.

— Harry !

Michael claqua dans ses mains avec autorité.

— Allons, file plus loin ! Gare ton cul !

Quand le chien se fut éloigné, Michael adressa au vieux promeneur un sourire d'excuse et reprit sa marche. C'était curieux de penser que Harry connaissait dans le quartier presque tout le monde, du moins superficiellement, et qu'on l'appelait par son nom, alors que lui, Michael, n'était pour la plupart de ces gens que le propriétaire de Harry. Quand il se promenait seul par ces mêmes rues, la première parole qu'on lui destinait était toujours : « Où est Harry ? »

Il aimait cela, pourtant — de même qu'il aimait les conversations qui suivaient habituellement : d'aimables papotages de quartier, tout simples, sur la sécheresse ou le vent, le problème des graffitis, la floraison des roses ou l'affreuse nouvelle maison du coin de la rue qui ressemblait à un relais autoroutier. Ce qu'il avait conclu avec les gens du voisinage était en somme un accord tacite pour échanger des propos plaisants sans échanger de noms. Ce n'était pas si différent de ce qui lui avait tant plu au temps où il fréquentait les saunas : ce cordial anonymat qui transformait des étrangers en égaux.

Suivant Harry, Michael dépassa les palissades

blanches qui bordent Cumberland, puis tourna à droite, s'engagea dans Sanchez et grimpa une nouvelle volée de marches pour atteindre la 20e Rue. Harry connaissait le chemin par cœur ; aussi, comme il n'y avait pas de circulation à cette heure, son maître le laissait-il libre de folâtrer à sa guise. Au reste, si le chien prenait trop d'avance, il ne tardait pas à s'en apercevoir lui-même et s'asseyait patiemment dans l'herbe obscurcie par la nuit jusqu'à ce que Michael apparût, traînant un peu les pieds.

Quand ils atteignirent la 20e Rue, une femme écarta le rideau de sa baie vitrée pour jeter un regard furtif au-dehors, et, les reconnaissant — ou plus probablement reconnaissant Harry —, les salua d'un gracieux petit signe de la main. Michael, alors, lui rendit son salut. Il avait aisément identifié l'une des « Golden Girls » : c'était ainsi que Thack avait surnommé un groupe de Lituaniennes qui avaient l'habitude de jouer au gin-rummy dans le jardin d'une maison sur Sanchez.

Lorsqu'il commença à redescendre les marches qui conduisaient à sa rue, la lune déversait à flots sa clarté jaune et crémeuse sur les Twin Peaks. Il fit halte et admira paisiblement le spectacle, Harry à son côté, jusqu'au moment où son bipeur le tira soudain de sa rêverie. Il arrêta l'engin, raccrocha la laisse au collier du chien et descendit l'escalier pour rentrer.

— Tu sais quoi ? fit Thack.

Tous les deux — non, tous les trois — étaient maintenant au lit : Thack se serrant contre le dos de Michael, Harry tapi sous la couette neuve contre le mollet de Michael.

— Quoi ? demanda Michael.

— J'ai une super idée, pour la treille.

— Je t'écoute.

— Eh bien, je pense que nous pourrions la construire en forme de triangle, expliqua Thack. Et dessus, nous ferions pousser des fleurs roses.

104

— Très joli, ironisa Michael. Très discret, surtout !

— Moi, ça me plairait assez, insista Thack.

— Ben voyons !

— Quoi ? Ça fait pas longtemps qu'on a envie d'une treille ? En même temps... En même temps, elle délivrerait un message politique, tu vois ?

— Tu es sûr que les voisins ont besoin de ce message-là ?

— Mais bien entendu. Certains d'entre eux, en tout cas ! Et puis ça donnerait au quartier un petit côté commémoratif.

— Nous ne pourrions pas nous contenter d'un drapeau gay, comme tout le monde ? suggéra Michael.

— Nous pourrions, oui. Comme tout le monde... justement !

Ça ne vaut pas la peine de se disputer, se dit Michael.

— D'accord, marmonna-t-il.

— D'accord pour quoi ? Le triangle rose ou le drapeau gay ?

— Le triangle rose. Ou les deux, même, si tu veux. Pourquoi se gêner ?

Thack partit d'un petit rire perfide.

— Attention à ce que tu me balances, hein ! Ma première idée était d'inscrire au-dessus de la porte : MAISON POUR FOLLES DANGEREUSES !

Ce n'était probablement pas une plaisanterie, aussi Michael jugea-t-il plus sage de rester coi.

— En plus, ça emmerderait le vieux Loomis, poursuivit Thack d'un ton mauvais.

— Qui est-ce, le vieux Loomis ?

— Tu sais bien : le type qui est venu râler à cause de mon panneau publicitaire pour les poires à injection !

— Ah, oui...

— C'est à se demander dans quelle ville il se croit, ce vieux con homophobe !

Michael étouffa un ricanement et tendit le bras en arrière pour tapoter la cuisse de Thack.

— Tu es plus enragé qu'un intégriste chiite, railla-t-il.

— Et alors ? rétorqua son ami. Il en faut, quelques enragés, non ?

Le couple de l'année

Furieuse, Mary Ann quittait le plateau et se dirigeait au pas de charge vers sa loge, ignorant presque la présence du producteur associé qui la suivait d'un air contrit, protestant de son innocence.

— Ilsa et moi sommes allés la voir la semaine dernière, balbutiait-il, et je vous assure que c'était un vrai moulin à paroles...

— Splendide ! répliqua-t-elle sur le mode le plus sec.

Malheureusement, devant les caméras, son invitée s'était comme recroquevillée sur elle-même, quasi muette et l'air complètement hébété.

— Si j'avais pu prévoir si peu que ce soit... reprit le producteur.

— C'est votre boulot, de prévoir, non ? Elle était tout simplement incapable de proférer une phrase complète, Al ! Et quand je dis une phrase... Je pouvais m'estimer gratifiée quand j'arrivais à lui arracher un « oui » ou un « non ».

— Je sais...

— Ce n'est pas de la télé, ça ! Je ne sais pas ce que c'est, mais ce n'est pas de la télé.

— Au moins, le public pouvait compatir.

— Comment ça, compatir ?

— Eh bien, euh... On pouvait la comprendre.

— Ah oui ? Comment ?

— Je veux dire... Comprendre à quel point elle est traumatisée.

Elle poussa un long soupir exaspéré, s'arrêtant devant la porte de sa loge.

— Al ! Si elle refuse de communiquer, ça n'aide pas beaucoup de savoir pourquoi !

— Oh, je suis bien d'accord...

— Il doit bien y avoir quelque part une femme que son père a sodomisée et qui soit capable de prononcer quelques paroles cohérentes sur le sujet, non ?

— Mais elle a dit beaucoup de choses, quand...

— Je sais : quand Ilsa et vous êtes allés la voir ! Magnifique. Dommage que personne d'autre n'ait eu la chance de les entendre.

Elle ouvrit sa porte, puis se retourna et le regarda.

— Je croyais vous avoir entendu dire qu'elle était passée chez Oprah Winfrey.

— Oui.

— Est-ce qu'elle a fait subir la même chose à Oprah ?

Il secoua négativement la tête.

— Alors, qu'êtes-vous en train d'essayer de me faire entendre ? Que c'est ma faute ?

— Je n'essaie rien du tout.

— Vous faites bien ! lança-t-elle avant de claquer la porte derrière elle.

Elle se démaquillait rageusement quand le téléphone sonna. Elle hésita un instant, puis décrocha tout de même, craignant que ce ne fût Burke. Elle priait le bon Dieu pour qu'il n'eût pas vu l'émission, car après tout il pouvait encore changer d'avis.

— Allô...

— Mary Ann ?

C'était une voix de femme flûtée et mondaine.

— Qui est à l'appareil ?

— C'est Prue, Mary Ann. Prue Giroux.

Mary Ann fit la grimace.

— Bonjour.

— J'ai eu un mal fou pour qu'on accepte de me passer votre poste ! s'exclama en pouffant Prue Giroux. Il a fallu que je dise et redise que nous étions amies. Vous avez de merveilleux chiens de garde.

Pas si merveilleux que cela, de toute évidence ! Depuis des années, Mary Ann s'efforçait systématiquement d'éviter cette arriviste notoire. Chez Prue Giroux, l'appétit de rencontres avec les célébrités en tout genre était si insatiable qu'elle en était venue à considérer Mary Ann comme un maillon essentiel de la chaîne qui finirait par la relier à elles. C'était toujours sur le plateau de l'émission de Mary Ann que se retrouvaient les personnes en vue.

— Quelles nouvelles, Prue ?

— Eh bien, je sais que je vous préviens un peu tard, mais j'organise une petite séance improvisée de mon Forum cet après-midi, et je serais ravie que vous puissiez venir.

Le « Forum » était l'appellation prétentieuse dont Prue avait affublé les brunchs mondains qu'elle donnait chez elle depuis une bonne décennie. Ces réceptions étaient le plus souvent fort ennuyeuses : on n'y croisait guère que des figures locales au prestige douteux et des gens qui se battaient pour les approcher.

— Oooh, mon Dieu !... dit-elle, imitant sans le vouloir le débit exubérant et la voix de petite fille de son interlocutrice. Comme c'est gentil à vous !... Je suis malheureusement plongée dans le travail jusqu'au cou, ces jours-ci. Les semaines qui viennent vont être absolument surchargées !

— Mais il faut bien que vous mangiez de temps en temps, non ?

Cette snobinarde était comme toujours incapable de considérer un simple « non » comme une réponse.

— Prue, répéta-t-elle le plus calmement qu'elle put, j'en serais enchantée, mais c'est impossible, je le crains.

— Quel dommage ! Pourtant, je suis sûre que vous adôôô-reriez les Rand.

Quels Rand ? Tout de même pas ceux qui...

— Russell m'a appelée hier soir à l'improviste, poursuivit Prue. Pour m'apprendre que Chloe et lui étaient à San Francisco.

C'est bien *ceux-là* ! s'étonnait Mary Ann. Mais par quel miracle ?...

Prue pouffa de nouveau.

— J'ai dit à Russell qu'il était un méchant garçon de ne pas me prévenir plus tôt. Mais que voulez-vous : avec les grands créateurs !...

— C'est bien vrai, acquiesça Mary Ann. Pour combien de temps sont=ils ici ?

Cela faisait des siècles qu'elle rêvait d'interviewer le célèbre styliste. Le Forum de Prue Giroux n'était probablement pas l'endroit idéal pour établir un premier contact avec Russell Rand et sa nouvelle épouse, mais...

— Seulement jusqu'à jeudi, répondit Prue. Ils font juste une petite halte avant d'aller présider à Los Angeles un gala de bienfaisance pour les malades du sida.

— Ah ! fit Mary Ann, se demandant avec humeur pourquoi aucun des membres de son équipe n'était au courant.

Cela lui aurait épargné l'indignité de devoir passer par Prue Giroux !

— Écoutez, reprit-elle, si j'arrive à jongler un peu avec mon emploi du temps...

— Personne ne viendra avant deux heures, affirma Prue. Vous aurez le temps de vous changer.

Il y avait dans sa voix haut perchée une note de triomphe sournois, et Mary Ann eut envie de la tuer.

— J'ai décidé de porter le plus vieil ensemble signé Rand que je trouverai dans ma garde-robe. Histoire de le faire rire un peu.

— Mmm... Tout cela promet d'être amusant.

— N'est-ce pas ? piailla Prue, extrêmement contente d'elle-même.

Mary Ann fit exprès d'arriver en retard chez Prue Giroux, dans sa maison de Nob Hill. La foule habituelle était rassemblée dans le grand salon (une pièce à la décoration terriblement tarabiscotée), grouillant autour du célèbre couple comme des mouches attirées par une charogne. Restée à distance de ce spectacle affligeant, elle se dirigea vers le buffet et attendit d'être repérée par la maîtresse des lieux.

— Tiens, tiens ! fit une voix derrière elle. Regardez qui est là.

C'était le père Paddy Starr — rougeaud, tout joyeux, resplendissant comme jamais dans une chemise couleur framboise à col de clergyman.

— Bonjour, mon père.

— Je vous ai vue, hier, *Chez D'orothea*. Mais je ne crois pas que vous m'ayez remarqué.

— Non, en effet.

— Prue et moi déjeunions dans la première salle. Vous étiez installée dans celle du fond, avec un monsieur.

Elle prit un air faussement indifférent, et fit semblant de s'intéresser au buffet. Le père Paddy était sur la chaîne une véritable institution, trop, en tout cas, pour qu'on pût lui confier la moindre bribe d'information au sujet de Burke et de ses projets. La situation était déjà assez inconfortable comme ça.

— On vous les a déjà présentés ? s'enquit-il.

Elle choisit le cube de fromage le plus blanchâtre qu'elle put trouver et le plaça dans sa bouche.

— Qui ? demanda-t-elle.

Il leva les yeux au ciel d'un air impatient.

— John et Jackie Kennedy !

— Si c'est d'eux que vous parlez, dit Mary Ann, avec un signe du menton vers le coin de la pièce où les Rand se faisaient dévorer tout crus, je crois qu'il serait charitable de les laisser souffler un peu, non ?

Le père Paddy prit une amande dans une coupe de fruits secs.

— Oh, ils ont l'habitude !

— Peut-être, objecta Mary Ann, mais cela nous donne l'air de vrais ploucs, à nous autres Californiens. Cette façon de se jeter sur eux !

— Pas moi ! protesta le prêtre. J'attends mon tour, comme un homme bien élevé.

— Je ne parlais pas de vous.

Elle posa sur lui un regard conciliant.

— Je me sens gênée à l'idée de l'opinion qu'ils vont ramener de notre ville, c'est tout.

Ces paroles firent naître sur le visage de son interlocuteur un sourire protecteur et un peu ensommeillé.

— Bah ! Ne vous en faites donc pas pour notre ville, ma chérie.

Elle éprouva quelque déplaisir à s'entendre appeler « chérie » par le prêtre. Ce mot supposait une familiarité du genre de celle que le père Paddy entretenait avec Prue Giroux, et Mary Ann ne lui faisait pas assez confiance, elle, pour faire ami-ami avec lui.

La foule, bientôt, se dispersa un peu, ce qui permit aux spectateurs les plus éloignés une brève et théâtrale vision de Chloe Rand. Un projecteur mural destiné à mettre en valeur le David Hockney dont Prue était si fière éclairait son visage et en soulignait la pureté classique. Sous ses cheveux auburn, soyeux, coupés très court, elle arborait un aristocratique nez busqué.

Mary Ann en fut impressionnée.

— Elle est superbe, n'est-ce pas ? admira le père Paddy.

— Oui. Saisissante, même.

— Avez-vous vu la double page, dans *Vanity Fair*?

— Oui.

— Elle porte une *Rand Band,* continua le prêtre. Du moins, c'est ce que m'a dit Prue.

— Une quoi?

— C'est comme ça qu'il appelle sa nouvelle gamme d'alliances. Des *Rand Bands.*

— Une trouvaille... reconnut Mary Ann. Je croyais qu'elles étaient censées être à un prix abordable?

— Elles le sont.

— Et vous pensez que Chloe se contente vraiment de ça comme alliance?

Le père Paddy eut un petit rire.

— Vous êtes une vilaine fille! fit-il semblant de s'indigner.

La foule s'écarta davantage, et le célèbre profil en lame de couteau de Russell Rand apparut à son tour. Glabre et bronzé, d'une sveltesse athlétique, il ressemblait étrangement à sa femme, ce qui conférait un indéniable charme incestueux à l'intimité sensuelle que le couple dégageait si librement — et si fréquemment — en présence d'autrui.

— Il lui a offert un jet privé pour son anniversaire, susurra le père Paddy pour édifier Mary Ann.

— Vraiment?

Le prêtre hocha plusieurs fois la tête.

— Pas n'importe quoi, comme cadeau, pas vrai?

— Effectivement, admit Mary Ann, presque fascinée par le synchronisme miraculeux de ces deux visages éclatants.

Quel effet cela pouvait-il faire de présenter au monde une telle image d'unité? De partager avec un autre être une vie où travail et plaisir se trouvaient si artistiquement entremêlés?

Et pourquoi me suis-je contentée de moins que cela, moi? N'en mérité-je pas autant? Comment en suis-je arrivée là?

112

— Allons leur dire bonjour, suggéra le père Paddy. Il y a une possibilité, dirait-on.

— Je crois que je vais attendre encore un peu, risqua Mary Ann.

La dernière chose qu'elle désirait en cet instant était de se retrouver face à face avec le Couple de l'Année en compagnie de cette vieille commère télecclésiastique.

— Allez-y le premier.

— Comme vous voudrez, chantonna le père Paddy, souriant toujours aussi benoîtement.

Il croisa ses mains sur son ventre et s'éloigna d'un pas glissé, majestueux, les yeux fixés sur l'horizon, tel un sage à la recherche d'une étoile.

Tandis que le prêtre s'ingéniait à les fatiguer de son babillage, elle les observa de plusieurs endroits du salon, et, à voir la concordance de leurs expressions, on aurait vraiment juré qu'ils n'avaient qu'une seule paire d'oreilles pour deux. Mais parmi l'assistance surexcitée, elle remarqua aussi Lia Belli, plusieurs des Aliotos et enfin Frannie Halcyon Manigault, de plus en plus cruellement septuagénaire sous son maquillage clownesque. Elle s'était alors attendue à apercevoir dans les parages D'orothea et son amie DeDe — D'orothea n'avait-elle pas été jadis l'un des mannequins de Russell Rand ? — mais les deux jeunes femmes étaient invisibles.

Quand les Rand furent enfin délivrés du père Paddy, Mary Ann attendit quelques instants avant de s'avancer dans leur champ de vision. La chance voulut que le regard de Chloe croisât presque immédiatement le sien, et elle la gratifia d'un sourire fraternel.

— Bonjour, dit Mary Ann en tendant la main. Je suis Mary Ann Singleton.

Chloe lui serra la main cordialement.

— Chloe Rand. Et voici Russell.

Tournant les yeux vers son mari, Chloe constata qu'il était déjà pris d'assaut par quelqu'un d'autre, et regarda Mary Ann avec de grands yeux candides.

— Je crois que nous l'avons perdu, ajouta-t-elle.

Le ton était amical, très « camarade d'école ».

— Vous devez être épuisés, remarqua Mary Ann.

Chloe sourit.

— Nous avons vu beaucoup de monde, admit-elle.

— J'en ai l'impression.

— Est-ce que nous nous sommes déjà rencontrées ? demanda Chloe.

Mary Ann, en souriant à son tour, secoua négativement la tête.

— Pourtant, votre visage m'est familier. Je vous assure. J'imagine que je devrais vous connaître, non ?

— Oh, je ne crois pas. Vous voyez défiler beaucoup de visages.

— Je sais, mais...

— Je présente un talk-show tous les matins.

— C'est ça ! Mais bien sûr... Nous vous avons regardée, la dernière fois que nous sommes venus.

— Vraiment ?

Mary Ann s'efforça d'avoir l'air contente sans exagération. Conduisez-vous comme une grande dame et on vous traitera comme telle : c'était, pour survivre dans le monde où elle évoluait, une règle primordiale.

— Une formidable émission ! la félicita Chloe.

— Merci, répondit gracieusement Mary Ann.

— Russell ! appela Chloe, en prenant son mari par le bras. Excuse-moi de t'interrompre, mais voici Mary Ann Singletary.

— Singleton, rectifia Mary Ann.

— Oh, zut.

Chloe enfouit dans sa paume son nez élégant.

— Ça n'a pas d'importance, la rassura Mary Ann avec un regard aimable, tout en serrant la main du styliste.

Russell lui adressa un sourire où se devinait sa lassitude.

— Que voulez-vous, soupira-t-il. C'est une journée « comme ça »... si vous voyez ce que je veux dire.

Imitant en cela son épouse, il s'efforçait galamment de lui parler comme à une intime. Mary Ann voulut alors lui faire comprendre qu'elle compatissait — autrement dit, qu'elle aussi devait supporter un public non moins exigeant que le sien.

— Je vois parfaitement ce que vous voulez dire, affirma-t-elle hautement.

— Mary Ann présente un talk-show, expliqua Chloe. *Les Gens nous parlent,* c'est bien ça?

— Non. Ça, c'est... l'autre.

— En tout cas, je vous ai vue, insista Russell Rand. Je me rappelle très bien votre visage.

— Comment s'appelle votre émission? s'enquit Chloe.

— *Mary Ann le matin.*

— Mais bien sûr... Suis-je bête!

— Et vous avez un coprésentateur?... poursuivit le styliste. Ross quelque chose.

Mary Ann, sur ce point, aurait préféré qu'il laissât tomber.

— Lui, il coprésente *Les Gens nous parlent.*

— Voilà. Et le nom de votre partenaire à vous, c'est?...

— Je n'en ai pas. Je présente l'émission seule.

— C'est cela. Évidemment.

Il hocha la tête avec assurance, comme s'il l'avait su depuis le début.

— N'empêche que je me rappelle très bien l'émission que nous avons vue, reprit Chloe. Vous interviewiez Cheryl... Euh... Vous savez: la fille de Lana Turner.

— Cheryl Crane, précisa Mary Ann.

— C'était bien vous?

— C'était bien moi.

Ce n'était pas du tout elle : Cheryl Crane avait été invitée dans *Les Gens nous parlent,* mais pourquoi aggraver encore l'embarras de ses interlocuteurs ?

— Vous êtes ici pour combien de temps ? demanda-t-elle en se tournant vers le styliste.

— Rien qu'un jour ou deux, malheureusement. Nous sommes venus présider un gala pour les malades du sida. À Los Angeles.

— Tout ça est un peu précipité, s'excusa Chloe, mais Elizabeth a beaucoup insisté.

Elizabeth. Seulement Elizabeth. Comme si Chloe et Mary Ann connaissaient toutes les deux trop bien Liz Taylor pour avoir besoin de citer en plus son nom. Tout à coup, Mary Ann se sentit devenue incroyablement mondaine.

— Elle fait un travail remarquable, commenta-t-elle avec la familiarité qui s'imposait.

— Oui. Formidable, renchérit Russell Rand.

— Je suppose, hasarda prudemment Mary Ann, que vous ne donnerez pas d'interviews tant que vous êtes à San Francisco.

— Je ne crois pas, gémit gentiment Chloe.

— Naturellement. Je vous comprends.

— Je sais que vous nous comprenez, dit Russell d'un ton complice.

— Enfin, si vous avez envie de vous échapper... Je veux dire, juste histoire d'avoir une heure ou deux de tranquillité... Nous avons notre appartement au Summit, et je prépare un carré d'agneau généralement fort apprécié.

— Comme c'est chic de votre part, s'exclama Chloe. Mais j'ai bien peur que nous n'ayons plus un seul moment à nous.

— Oh, j'imagine... Soyez sans crainte.

Elle se sentit rougir abominablement. Elle se serait giflée. Pourquoi cette tentative ridicule ? Ils auraient pu

116

continuer à parler d'« Elizabeth », et ensuite, qui sait...
Mais la seule issue qui lui restait à présent était de
battre gracieusement en retraite.

— La prochaine fois ! Je vous promets... assura
Chloe. Pourvu que notre emploi du temps soit un peu
moins minuté.

— Parfait ! se réjouit Mary Ann, avec un sourire de
toutes ses dents.

— Ravi de vous avoir rencontrée, conclut Russell.

— Moi aussi, répondit Mary Ann.

Et elle retourna se fondre dans la foule.

Comme elle le redoutait, Prue l'intercepta avant
même qu'elle pût regagner la porte.

— Vous leur avez parlé ? s'enquit celle-ci.

Sanglée dans son « plus vieil ensemble signé Rand »
— un tailleur en grosse laine bleu marine, fermé par un
énorme nœud vert pomme sur la poitrine —, elle était
grotesque.

— Oui, oui, laissa tomber évasivement Mary Ann.

— N'est-ce pas qu'ils sont divins ?

— Absolument.

— Et tellement authentiques ! rajouta Prue.

— Mmm...

— Ils se sont rencontrés chez Betty Ford, vous
savez ? continua-t-elle. Elle y était psychologue, thérapeute, enfin quelque chose dans ce genre, et elle a
complètement transformé la vie de Russell. Je trouve
ça tellement romantique !

Mary Ann fila vers la porte avant que Prue ait eu le
temps de régurgiter l'article de *Vanity Fair* de la première à la dernière ligne.

— Désolée, il faut que je me dépêche, plaça-t-elle.
Je dois aller chercher ma fille à Presidio Hill.

— Ah. En tout cas, je suis ravie que vous ayez pu
venir.

— Moi aussi.

— Je ne voulais surtout pas que vous les manquiez, appuya Prue, qui n'allait pas laisser échapper une miette des honneurs de son coup d'éclat.

Avant de sortir, Mary Ann aperçut une dernière fois le couple célèbre au moment où il échangeait un nouveau regard d'intolérable intimité. Leur amour les enveloppait comme une aura, les protégeant des intrusions du vulgaire mieux que n'importe quel rempart. *Oui, c'est possible,* semblaient-ils lui dire. *Ce que nous avons, tu peux l'avoir aussi si tu refuses de te contenter de moins.*

À cet instant, alors, elle sut parfaitement ce qui lui restait à faire.

On a tous peur

À midi, le lendemain, Brian et Thack allèrent pique-niquer tout en haut de Strawberry Hill, l'île escarpée au milieu de Stow Lake. (Comme souvent, des problèmes de dernière minute avec les fournisseurs de la jardinerie avaient empêché Michael de venir avec eux.) Tandis que Brian parcourait du regard la verdure un peu poudreuse qui s'étendait en contrebas, Thack ouvrit une poche de son portefeuille et en sortit un joint.

— Mmm, fit Brian d'un ton gourmand. Je suis ton homme.

Fourrant sa tête sous son blouson en jean pour se protéger du vent, Thack alluma le joint, en tira une bouffée, puis le lui tendit.

— Bon sang, ça faisait un bail, soupira Brian.

— Vraiment ?

— Oui. Mary Ann ne fume plus, tu comprends ?

Thack haussa les épaules.

— Qu'est-ce qui t'oblige à faire comme elle ? demanda-t-il.

— Elle dit que la fumée imprègne tout dans la maison et que les visiteurs peuvent sentir l'odeur.

Thack hocha la tête d'un air agacé ; ses cheveux couleur de paille ébouriffés par le vent, il fixait des yeux une flottille de pédalos qui venait d'apparaître dans son champ de vision.

Brian devina ce qu'il pensait.

— On peut la comprendre, ajouta-t-il alors pour s'expliquer. C'est un peu un personnage public, maintenant.

Aucune réaction de la part de Thack.

Brian trouva un rocher plat et s'y assit. Quand son acolyte vint le rejoindre et lui tendit à nouveau le joint, il aspira une autre bouffée, puis :

— Je crois que tu la juges trop sévèrement, dit-il. Il y a des côtés de sa personnalité que je connais et que tu ne connais pas.

Thack leva les mains en un geste qui voulait dire : « Ne me mêle pas à tout ça. »

— J'imagine ce que tu penses d'elle, continua Brian.

— Oh, tu sais, je n'ai pas vraiment d'opinion, répliqua Thack. Ni dans un sens ni dans l'autre.

— Raconte pas de conneries.

— Mais non ! Comment le pourrais-je ? Je ne la rencontre pas tellement souvent.

Aux oreilles de Brian, ces mots sonnèrent comme une accusation.

— C'est vrai, admit-il.

— Je ne veux pas dire que nous attendions de vous que...

— Elle est accaparée par un tas de choses, poursuivit Brian. Moi-même, je ne la vois pas tant que ça non plus.

— Je sais.

— Pourtant, vous lui manquez, tous les deux. Elle me l'a dit, hier soir. C'est pour ça que cette petite réunion d'aujourd'hui est tellement importante pour elle.

Thack ne semblait pas saisir.

— Je parle de ce dîner chez nous, ce soir, insista Brian.

— Ah, oui ! Excuse-moi, fit Thack avec un sourire contrit.

— Ne t'excuse pas. Moi aussi, j'oublie toujours ce genre de trucs.

— Qui est-ce, au juste, ce type ?

— Oh...

Brian prit encore une bouffée.

— Mary Ann sortait avec lui, autrefois.

— Sortait ?

— O.K. : *baisait* avec lui... s'il te faut des détails techniques.

Thack émit un petit rire.

— Il habite New York, à présent, précisa Brian. Il est ici parce qu'il doit faire un reportage sur le sida.

— Ah oui ? Il est journaliste ?

— Producteur. À la télé.

Un ange passa.

— Et bien sûr, depuis son arrivée, je suis devenu un paquet de nerfs, avoua Brian.

— Pourquoi ?

Pour toute réponse, Brian haussa les épaules.

— Ça fait combien de temps qu'elle ne l'a pas vu ? demanda Thack.

— Onze ans.

Thack sourit.

— Rien ne peut plus être pareil, après onze ans.

— Non, je suppose que non, admit Brian. En plus, il a une femme, des enfants... et une petite queue.

— Ah oui ? Qui t'a dit ça ? questionna Thack, l'air interloqué.

— Mary Ann, répondit Brian.

— Quand ?

— Hier soir.

Thack se mit à rire.

— Tu lui as posé la question ?

— Mais non ! protesta Brian. Elle me l'a dit spontanément.

— Comme ça, sans crier gare ?

Brian vit les lèvres de Thack frémir légèrement.

— Tu crois qu'elle me l'a dit juste pour me tran-
quilliser ? demanda-t-il anxieusement.

— Euh, histoire de te jeter un os à ronger, c'est ce
que tu veux dire ?

Brian ne put s'empêcher de rire.

— À mon avis, tu sombres dans la paranoïa, déclara
Thack.

— Oui. Je suppose. Comme toujours, pas vrai ?

Thack sourit, puis ouvrit les canettes de cidre et
déballa les sandwichs. Il en tendit un à Brian.

— Ça, c'est celui avec de la moutarde, dit-il. Si tu
en veux plus, il y en a quelques paquets dans le sac.

— Merci, ça suffira.

— Et maintenant, nous allons nous battre pour
savoir qui va s'envoyer le Yoplait de Michael.

— On se bat pas pour son sandwich ?

— Je te le laisse.

Thack mâchonna un moment, puis reprit :

— À ta place, je ne m'inquiéterais pas.

— Je ne m'inquiète pas, mentit Brian.

Ils quittèrent les bords du lac à une heure et demie,
et prirent un bus qui remontait la 25e Avenue jusqu'à la
jardinerie. De là, Thack devait se rendre du côté de
Geary Street examiner une maison sur laquelle il
devait faire un rapport à l'attention de la Fondation
pour le patrimoine. Quand le bus s'arrêta à Balboa,
deux adolescents montèrent en s'apostrophant bruyamment. Un instinct viscéral avertit Brian de se préparer
au pire.

Ils s'échauffaient l'un l'autre.

— Vaudrait mieux pas qu'ils m'approchent ! braılla le premier.

— Ouais, fit le second, lequel était beaucoup plus petit.

Ils étaient visiblement décidés à capter l'attention de l'auditoire.

Brian jeta un coup d'œil en coin à Thack, qui, assis à côté de lui, se tenait immobile et l'oreille tendue comme une bête de la forêt à l'affût du moindre bruit de pas.

Le plus grand glissa sa pièce dans la fente du distributeur de tickets :

— Vaudrait mieux pas qu'ils approchent... parce que moi, j'ai pas envie de le choper, le sida !

— Putain ! Sûrement pas, renchérit le petit.

— Ils te collent le sida, et t'as plus qu'à crever comme un chien !

Il s'avançait vers le fond, brandissant le mot comme un sabre.

— Qu'est-ce que vous en pensez, tout le monde, hein ? Y a des pédales dans ce bus ?

Il s'écoula quelques secondes d'un silence insupportable, puis Thack fit ce qui était prévisible et répondit d'une voix forte :

— Oui ! Un, par ici !

Et il leva la main, avec l'espèce d'assurance un brin embarrassée du bon élève qui sait qu'il connaît la bonne réponse.

Brian tourna la tête et regarda les deux garçons qui restaient maintenant la bouche ouverte au milieu de l'allée, ne sachant apparemment plus comment réagir.

— Et une gouine ici !

La voix appartenait à une jeune Noire, assise de l'autre côté.

— Satisfaits ? demanda froidement Thack, en s'adressant aux deux garçons.

122

— Et puis encore deux autres, là !

Deux types plus âgés, à l'arrière, levaient la main à leur tour.

— Plus un autre ! cria une dernière voix.

Des rires fusèrent alors, hésitants au début, mais qui devinrent bientôt tonitruants, résonnant d'un bout à l'autre du véhicule. Le plus petit des deux jeunes fut le premier à sentir que les choses tournaient mal, et se laissa tomber sur le siège le plus proche pour éviter l'orage. L'autre marmonna un « Merde, alors ! » plutôt piteux et scruta autour de lui les visages, cherchant désespérément des alliés. Un instant, il sembla sur le point de rétorquer quelque chose, quand son copain le saisit par sa ceinture et le força à s'asseoir à côté de lui.

Avec un grand sourire, Brian se tourna de nouveau vers Thack.

— Tu es cinglé, tu sais ?

— Mmm... Je ne te conseillerais pas de faire la même chose dans le New Jersey, répondit Thack.

— Dans le New Jersey ? Tu te ferais massacrer !

— Oui. C'est ce que dit Michael.

Thack se détourna et regarda par la fenêtre :

— Putain, murmura-t-il, ce que j'en ai marre de toute cette merde !

Jeux de société

Archibald Anson Gidde, directeur d'une des plus prestigieuses agences immobilières de San Francisco doublé d'un brillant homme du monde, est décédé mardi dernier à son domicile de Sea Cliff des suites d'un cancer du foie. Il était âgé de quarante-deux ans.

M. Gidde était une personnalité spirituelle et hors du

commun. Il s'était distingué en menant à bien plusieurs des plus importantes transactions immobilières réalisées dans notre ville, parmi lesquelles la vente récente, pour 10 millions de dollars, de l'hôtel particulier de la famille Stonecypher au sultan d'Adar.

Membre du Bohemian Club, il était également très actif au sein des conseils d'administration de l'Opéra et du Ballet de San Francisco, ainsi que du Conservatoire d'art dramatique.

Lui survivent ses parents, Eleanor et Clinton Gidde, de Ross et LaJolla, et une sœur, Charlotte Reinhart, d'Aspen (Colorado).

— C'est incroyable !

Michael leva les yeux des pages de l'*Examiner* au moment même où Thack sortait de la salle de bains.

— Tu le connaissais ? s'enquit ce dernier, lisant par-dessus son épaule.

— Pas exactement. Mais il est venu acheter des plantes à la jardinerie, deux ou trois fois. Jon le connaissait bien. Une grande figure parmi les « A-Gays ».

— Tout ça, c'est des histoires !

— Qu'est-ce que tu veux dire ?

— Un cancer du foie ! se récria son ami, sourcils froncés. Tous ces mensonges ne te paraissent pas un peu lassants à la fin ?

Depuis quelques années, Thack scrutait les rubriques nécrologiques pour y détecter les morts dues au sida qu'on tentait de garder secrètes. C'était devenu pour lui une sorte de jeu de société. Considérant l'âge du défunt, la mention de certains goûts et occupations révélateurs, il tirait ses conclusions et piquait des colères noires.

— Tu as remarqué qu'ils parlent de lui comme d'une « personnalité spirituelle et hors du commun » ? Si ce n'est pas une expression codée !...

124

Michael était fatigué de ces crises.

— Qu'il aille se faire foutre ! s'emportait maintenant Thack. Comment certains types peuvent-ils oser rester ainsi dans leur placard ? Qui croyait-il tromper, d'ailleurs ? Il n'a qu'à aller vendre ses saletés de baraques en enfer !

— Écoute... ça suffit, soupira Michael.

— Comment, ça suffit ?

— Enfin, Thack, ce type est mort !

— Et alors ? C'était une vermine dans la vie et il reste une vermine dans la mort. C'est à cause de gens comme lui que tout le monde se fout du sida. Des connards trop lâches pour dire ce qu'ils sont, et qui font croire à tout le monde que rien ne se passe vraiment !

Michael se tut un moment, puis dit :

— Il faut nous bouger un peu, mon ange. Nous sommes déjà en retard.

Thack le fusilla du regard et quitta la pièce.

— Mets le chandail vert, lui cria Michael. Tu es superbe, là-dedans.

L'appartement du vingt-troisième étage où vivaient Mary Ann et Brian ne répondait guère à l'idée que se faisait Michael de l'intérieur de ses rêves. De cette hauteur, la ville ne ressemblait plus du tout à San Francisco, mais à sa maquette en plâtre. Mary Ann, depuis quelque temps, avait fait un effort pour égayer la froideur de ces pièces modernes et fonctionnelles en y introduisant toutes sortes d'éléments décoratifs rappelant la Californie d'autrefois (meubles peints, crânes de bœufs, etc.) ; mais, en considérant l'ensemble, on pensait beaucoup moins à la Santa Fe des pionniers qu'à la Caisse d'épargne-logement de Santa Fe... Aussi Michael songea-t-il qu'il n'y avait pas vraiment de solution.

La domestique vietnamienne prit leurs manteaux et

les escorta au salon, une pièce qui avait quelque chose d'un squelette sans chair. Brian figurait derrière le bar, en chemise rose à col boutonné, son apparence trahissant une gaieté un peu forcée. Mary Ann et Burke étaient assis aux deux extrémités du grand canapé en forme de croissant.

— Michael! s'exclama Burke en se levant, tout sourire.

— Salut, Burke.

Michael se demanda si l'embrasser paraîtrait approprié. Après tout, onze ans avaient passé et Burke était hétéro : aussi décida-t-il de ne pas prendre de risques, et se borna-t-il à lui tendre la main.

Burke la serra chaleureusement, la gardant longuement entre ses deux paumes, avec une cordialité suggérant que, tout compte fait, l'embrasser n'aurait pas été mal venu.

— Tu as l'air en pleine forme, dit-il à Michael.

— Merci. Toi aussi.

L'ancien béguin de Mary Ann, dans son blazer et son pantalon de flanelle, semblait plus svelte que jamais. Ses cheveux fins et pâles — d'une couleur qui rappelait beaucoup ceux de Thack — avaient fait place à un front dégarni, mais Michael trouva que cela seyait bien à son air d'intelligence tranquille. La cravate jaune, genre « jeune cadre dynamique », était un peu déplaisante, c'est vrai ; mais Burke était new-yorkais, il ne fallait pas l'oublier.

Thack fit un pas en avant, sa main frôlant la taille de Michael.

— Burke, continua celui-ci, je te présente Thack, mon compagnon.

Burke secoua énergiquement le bras de Thack.

— Content de vous connaître.

— Moi aussi, fit Thack.

Mary Ann serra Michael contre sa poitrine et lui posa un chaste baiser sur la joue.

— Nous parlions justement de toi, dit-elle.

Michael était presque sûr que le nouveau parfum qu'elle portait était *Passion* d'Elizabeth Taylor. Pourquoi diable avait-elle décidé d'en changer ?

Il lui rendit son baiser.

— Tu veux que je ressorte, jusqu'à ce que vous ayez fini vos médisances ? plaisanta-t-il.

— Non, répondit-elle en riant. Salut, Thack !

À son tour, elle prit Thack dans ses bras, l'embrassa, et ce dernier fit mine de l'étreindre chaleureusement, de manière plutôt convaincante. À croire que cela leur arrivait tout le temps.

— Vous êtes magnifiques, tous les deux ! claironna-t-elle.

Il y avait dans ce ton un peu trop d'exubérance, et cela déplaisait fortement à Michael de voir Mary Ann excuser son éloignement relatif par de tels débordements d'enthousiasme. Dans quel état de délabrement s'est-elle attendue à me trouver ? finit-il par se demander.

— Qu'est-ce que vous prendrez ? demanda Brian, derrière le bar. Deux Calistoga ?

— Ce sera parfait, approuva Michael.

— Pour moi, plutôt un bourbon, rectifia Thack.

Michael jeta à son ami un regard rapide. Thack ne touchait qu'exceptionnellement aux alcools forts. La soirée qui commençait le mettait-elle si mal à l'aise qu'il avait besoin d'un remontant ?

— OK, acquiesça Brian. Une boisson sérieuse !

Ces propos firent sourire Burke. Il s'adressa à Brian :

— Tu travaillais comme barman autrefois, non ? Au *Benny's*.

— *Perry's,* corrigea Brian.

— C'est ça.

— Mais j'étais seulement serveur, précisa-t-il.

— Ah bon ?

— Auparavant, il était avocat, intervint Mary Ann. Seulement, il a défendu tant de gens gratis qu'il a fini par se ruiner.

Michael vit l'expression de Brian et devina ce qu'il pensait : pourquoi fallait-il qu'elle parle de ça ? Un simple serveur ne faisait pas l'affaire ?

Un moment, Brian croisa le regard de sa femme, puis il arbora un sourire douceâtre et s'occupa du bourbon de Thack.

— Et maintenant, messieurs, vous vous occupez d'une jardinerie, paraît-il ?

Burke, encore un peu trop jovial, avait d'abord regardé Michael, puis Brian, tout en posant sa question.

— Exact, répondit Michael.

— Tu veux de l'eau ? s'enquit Brian à l'adresse de Thack. Plate ? Gazeuse ?

— Seulement de la glace. Merci.

— Nous sommes associés depuis trois ans, expliqua Michael à Burke.

— C'est formidable !

— Prends ton verre, vieux, dit Brian en tendant à Michael sa Calistoga glacée.

Michael et Thack s'approchèrent du grand canapé incurvé et prirent place entre Burke et Mary Ann.

Celle-ci se pencha et posa la main sur le genou de Michael.

— Je n'en reviens pas de te voir en pareille forme !

Michael sourit et hocha la tête avec un entrain appliqué.

— Je me sens super bien, assura-t-il.

— Dites, intervint Burke, savez-vous à qui je pensais, aujourd'hui ?

— À qui ?

Mary Ann, lâchant le genou de Michael, tourna la tête vers lui.

— À notre ancienne logeuse. Anna Machin-chouette.

— Madrigal, corrigea Michael. Oh, merde !

Mary Ann fronça les sourcils.

— Qu'est-ce qu'il y a ?

Submergé de honte, Michael regarda Thack.

— Nous nous étions promis de lui téléphoner. Tu devais me le rappeler.

Son ami jura à son tour.

Brian se laissa tomber dans le grand fauteuil de cuir blanc en face du canapé.

— Vous n'avez qu'à utiliser le téléphone dans la chambre, si...

— Non, le coupa Michael avec gravité. C'est trop tard.

— Elle est partie pour Lesbos, expliqua Thack.

Burke se mit à rire.

— Ça, c'est bien d'elle ! s'esclaffa-t-il.

— Merde et merde, marmonna Michael.

Mary Ann semblait un peu déconcertée.

— Mais pourquoi diable est-elle partie pour Lesbos ?

— Parce que c'est au diable, justement, répliqua Burke, riant toujours.

— Elle doit y retrouver Mona, les informa Michael. Sa fille.

— Ah, oui ! s'exclama Burke. Je me souviens d'elle. Des cheveux roux, tout frisés, c'est bien ça ?

— Oui.

— Est-ce que tu ne sortais pas avec elle ?

Burke, maintenant, s'adressait à Brian.

— Ça m'est arrivé une fois ou deux, admit celui-ci.

— Elle est devenue lesbienne, précisa Mary Ann.

Il y eut un silence gêné, que Brian rompit en lançant à Burke sur un ton faussement sérieux :

— Ceci n'ayant aucun rapport avec cela, évidemment !

Quelques rires fusèrent, qu'on sentit toutefois gênés.

Michael se crut obligé de défendre Mona :

— Elle était lesbienne bien avant de rencontrer Brian.

— Merci, souffla ce dernier.

Mary Ann regarda son mari.

— Allons ! Je ne dénigrais pas tes prouesses, tu sais ?

— Pardonnez-moi, fit Burke, pensant de toute évidence qu'il avait touché un sujet sensible.

— Mais pourquoi ?...

Mary Ann sourit à son tour, pour le rassurer.

— Ne te mets pas martel en tête.

— Où est-elle, maintenant ? demanda Burke.

— Mona ? Elle vit en Angleterre, répondit Mary Ann. Elle a épousé un lord et elle habite un gigantesque manoir dans les Cotswolds.

— Et le lord sait qu'elle est lesbienne ?

— Oh, bien sûr ! intervint Michael. Lui aussi est homo. Ils ne vivent d'ailleurs pas ensemble. Le mari habite ici. Il est même chauffeur de taxi.

— Eh bien ! s'étonna Burke. Merci d'avoir clarifié tout cela.

Au milieu du rire général, Michael s'émerveillait de voir avec quelle facilité apparente les quatre anciens colocataires se retrouvaient sur la même longueur d'onde. Puis, dans un bref moment d'autoflagellation, il se représenta la pauvre Mme Madrigal assise toute seule au milieu de ses sacs en tapisserie dans quelque antique aéroport grec infesté par les mouches, sans qu'il lui eût seulement souhaité bon voyage.

Ils étaient assis autour de la grande table en verre teinté quand Michael prit conscience qu'il manquait quelqu'un.

— Où est Shawna ? demanda-t-il.

— Dans sa chambre, répondit Mary Ann.

Brian jeta un coup d'œil à sa femme, puis se tourna vers Michael.

— Elle joue avec son nouveau Nintendo, expliqua-t-il.

— Ah-ah.

Michael hocha la tête.

— Elle n'est pas très à l'aise avec les visiteurs qu'elle ne connaît pas, ajouta Mary Ann.

— Elle a été parfaite, protesta Burke. Je t'assure.

Brian avait l'air de vouloir s'excuser :

— Quelquefois, il lui faut un peu de temps pour s'habituer, dit-il à Burke.

— Je ne trouve pas... Vraiment ! insista celui-ci.

Michael et Thack échangèrent un regard. Shawna avait-elle fait sa sauvage, piqué une telle colère qu'on l'avait confinée dans sa chambre ?

La domestique vietnamienne apparut, portant un plateau de poisson décoré de feuilles de menthe, et Mary Ann sauta sur cette occasion pour changer de sujet.

— Nguyet, s'écria-t-elle en tournant vers la jeune femme un visage rayonnant, ces rouleaux de printemps étaient les meilleurs que vous ayez jamais faits.

Burke marmonna aussi un compliment, la bouche encore pleine.

La domestique sourit.

— Vous... aimé... beaucoup ça ?

— Oui, beaucoup, acquiesça Thack, se joignant au chœur des félicitations. C'était absolument délicieux.

Nguyet baissa les yeux, posa le plateau et quitta la pièce en toute hâte.

— Elle est très timide... précisa Mary Ann.

— ... mais gentille, ajouta Burke.

— N'est-ce pas ?

Mary Ann attendit que la jeune Asiatique fût complètement hors de portée de voix.

— Sa famille en a vu de dures, au moment de fuir Saigon.

— C'était un bébé, à l'époque. Elle ne s'en souvient même pas, fit observer Brian.

— Je sais, mais... On ne peut pas s'empêcher d'avoir de la compassion pour elle.

Burke opina de la tête, les yeux fixés sur la porte de la cuisine.

— Ses parents habitent un affreux taudis dans le Tenderloin, mais j'ai rarement connu des gens aussi gentils, aussi travailleurs, poursuivit Mary Ann en tendant le plat de poisson à Burke. Et si propres ! C'est incroyable : ils sont beaucoup plus propres que... que presque n'importe qui.

Qui ? se demanda Michael. Plus propres que qui ? Il perçut, de l'autre côté de la table, une lueur assassine dans les yeux de Thack. « Je t'en prie, tenta-t-il de lui intimer par télépathie, laisse tomber. »

Il y eut un moment de silence absolu — un « pet mental », disait jadis Mona — avant que Thack ne se tournât soudain vers Burke pour déclarer :

— Oh... Je viens de me rappeler quelque chose !

— Quoi ?

— Je t'ai vu sur CNN, le mois dernier.

— Ah oui ?

— C'était une espèce de débat sur la télévision.

— Je vois de quoi il s'agit.

— Tu produis une nouvelle émission, c'est bien ça ? Un talk-show ?

— Eh bien...

Burke semblait vaguement mal à l'aise mais, après tout, peut-être n'était-ce que de la modestie.

— Il y a un nouveau projet à l'étude, mais ce n'est pas encore très au point.

Mary Ann les interrompit précipitamment :

— C'est Burke qui a produit cette émission spéciale sur Martin Luther King, l'année dernière, vous savez...

— Je l'ai vue, dit Michael. C'était formidable !

— C'est gentil, le remercia Burke.

— Sais-tu que je suis allé à Selma ? lança Brian. Je veux dire... J'ai pris part à tout ça !

— Vraiment ?

Il y avait dans le ton de Burke un rien de condescendance, assurément involontaire. Michael, lui, trouva plutôt attendrissant que Brian soumît cet ancien titre de gloire à l'approbation de son invité.

— Ce sera quoi, au juste, cette nouvelle émission ? interrogea Thack avec obstination.

— Oh... Une sorte de magazine de société, de format classique, répondit Burke d'un ton distrait.

Puis il se tourna de nouveau vers Brian.

— Alors tu as participé au mouvement de désobéissance civile et tout et tout ?

— Mais oui !

— Quand il était avocat, plaça Mary Ann.

— Non, rectifia Brian. Avant. J'ai fini mon droit en 69.

— Ah, oui. Bien sûr.

— J'aurais aimé en être, risqua Burke.

— Tu étais trop jeune, observa Mary Ann.

Burke haussa les épaules.

— À peine. En tout cas, c'était une grande époque. Il se passait beaucoup de choses. Simplement parce que les gens étaient assez passionnés, en ce temps-là. Si, pour comparer, on prend les années 70... quel vide ! Le néant.

Michael vit un gros nuage noir assombrir le visage de son compagnon, et comprit aussitôt ce qui allait se produire.

— Je ne suis pas vraiment d'accord, protesta Thack.

Burke lui accorda un sourire de beau joueur.

— Bon... Alors, qu'est-ce qui s'est passé d'important ?

— Eh bien, le mouvement de libération gay, pour commencer, répondit Thack.

— Sous quelle forme ?

— Qu'est-ce que tu veux dire, sous quelle forme ?

— Comment s'est-elle concrétisée, cette libération ? Les discothèques et les saunas ?

— Oui, repartit Thack, à l'évidence déjà gagné par l'irritation. Entre autres choses.

Burke, par bonheur, était toujours souriant.

— Lesquelles, par exemple ?

— Par exemple les manifestations, l'action politique, une nouvelle littérature, les marches en musique... Toute une nouvelle culture. Vous autres, bien sûr, vous n'en avez pas rendu compte, mais ça ne veut pas dire que ça n'a pas existé.

— Qui ça, « nous autres » ?

— La presse, assena Thack. Les médias. Les gens qui ont décrété que la lutte des Noirs était héroïque, mais que la lutte des gays, c'était purement pour le plaisir.

— Dis donc, mon vieux, interrompit Brian, Burke n'a jamais prétendu ça, il me semble !

— Il parle des médias en général, précisa Michael.

— Dans ce cas, se défendit Burke, ne t'en prends pas à moi si...

— Je ne m'en prends pas à toi, le rassura Thack, sur un ton plus aimable. Simplement, j'estime que tu devrais savoir qu'il s'est passé certaines choses, dans les années 70. Même si ça ne fait pas partie de ton expérience personnelle, c'est quand même arrivé.

Burke encaissa le coup.

— Je le reconnais.

— Les années 70 ont été nos années 60 à nous.

Michael, après avoir proféré cette inanité, le regretta aussitôt, la bouche à peine refermée.

— Mais cette façon de raisonner par décennies est ridicule, se corrigea-t-il. On a tous vécu des expériences différentes.

— Peut-être bien, reprit Thack, toujours tourné vers Burke. N'empêche que tu devrais être un peu mieux renseigné sur la libération des gays, si tu prépares un reportage sur le sida.

Burke haussa les sourcils, l'air perplexe.

134

— Je me trompe ?

Thack fit face à Brian.

— Tu n'as pas dit qu'il...

Brian fit un geste vers sa femme :

— C'est ce qu'elle m'a raconté.

— Oh...

Mary Ann parut un moment décontenancée, puis s'adressa à Burke.

— Je leur ai expliqué que c'était la raison de ta présence à San Francisco. Un reportage sur le sida.

— Oui, oui, mentit Burke. Évidemment. Excusez-moi, j'avais perdu le fil, pendant un instant.

Mary Ann saisit une bouteille de vin.

— Qui a besoin d'un petit remontant ? demanda-t-elle.

Presque tout le monde en avait besoin.

Après le dîner, tandis que le petit groupe reprenait place au salon, Michael s'éclipsa pour aller aux toilettes. En revenant, il passa devant la chambre de Shawna, jeta un coup d'œil et vit la fillette assise à sa petite table à dessin, armée d'un crayon.

— Salut, Shawna ! lui lança-t-il de la porte.

Elle regarda par-dessus son épaule, puis se remit à dessiner.

— Salut, Michael.

— Qu'est-ce que tu dessines ?

Elle ne prit pas la peine de lui répondre.

— C'est simplement... de l'art ? insista Michael.

— C'est ça.

— Je peux entrer ?

— *Puis-je* entrer, corrigea Shawna.

Il rit doucement.

— Puis-je ?

— Si tu veux.

Debout derrière son dos, il examina son œuvre : un fouillis inextricable de rectangles marron et de traits verts, avec, dans un coin, inscrit sur un rectangle beaucoup plus petit, le numéro 28.

— Je sais ce que c'est! triompha-t-il.

La fillette secoua la tête.

— Impossible! décréta-t-elle, c'est un secret.

— Ah? Je parie que c'est la maison d'Anna.

Elle leva les yeux vers lui et fit battre ses paupières, apparemment surprise par la sagacité de l'intrus.

— C'est une de mes maisons préférées, tu sais? ajouta-t-il.

— Moi aussi, avoua-t-elle après quelques secondes d'hésitation. Je l'aime bien, parce qu'elle est par terre.

Michael rit de nouveau.

— Qu'est-ce qui te fait rire? demanda Shawna, sur la défensive.

— Rien. Je suis bien d'accord avec toi.

Il posa légèrement sa main sur son épaule. La fillette portait un chemisier blanc un peu froissé, et une jupe en velours bleu qui lui descendait jusqu'aux genoux : de toute évidence, on l'avait faite belle pour les invités. Pourtant, elle était restée assise dans sa chambre, seule et digne devant son chevalet, comme une version miniature de Georgia O'Keeffe.

Il s'approcha de la fenêtre et scruta, tout en bas, l'étendue argentée de la baie. Un cargo cinglait vers l'océan, illuminé comme une centrale électrique, et, pourtant, vu de si haut, aussi petit qu'un jouet. Directement au-dessous de lui — mais à combien de dizaines de mètres? —, la maison dessinée par Shawna dormait, invisible dans la verdure environnante.

Il se retourna vers l'enfant :

— Anna est partie en vacances pour la Grèce. Est-ce qu'elle te l'a dit?

Shawna secoua la tête.

— Je ne vais plus la voir, répondit-elle.

— Pourquoi?

La gamine lui opposa d'abord un silence.

— Pourquoi, Shawna ?

— Mary Ann ne veut plus.

La réponse le désarçonna, mais il s'abstint de tout commentaire. La petite était capable d'affabulations pour le moins excentriques, en particulier lorsqu'il s'agissait de Mary Ann. La réalité était sûrement beaucoup plus nuancée que cela.

Shawna demanda :

— Est-ce que tu vas faire ton bruit, ce soir ?

— Quel bruit ?

— Tu sais bien : *biiip, biiip !*

Il lui sourit :

— Pas avant quelques heures.

— Je peux voir le machin qui le fait ? Je veux dire : *puis-je* le voir ?

— Pourquoi pas ? Mais il est dans mon manteau, et Nguyet l'a posé sur le lit dans...

Une voix, soudain, les interrompit :

— Elle te fait tourner en bourrique ?

Michael se retourna et découvrit Brian, debout dans l'encadrement de la porte.

— Pas du tout, répondit-il.

— Comment ça va, Puppy ? demanda son père.

— Ça va.

— Elle a fait du très beau travail, affirma Michael.

Brian se pencha sur le dessin et ébouriffa les cheveux de sa fille.

— Pas mal ! Qu'est-ce que c'est ?

— De l'art, affirma dignement Shawna.

Brian éclata de rire.

— D'accord. Puisque tu le dis... As-tu expliqué à Michael comment tu seras habillée ?

Shawna le regarda, sans comprendre.

— Pour Halloween, ajouta Brian.

— Oh... En Michaelangelo.

Michael fut impressionné.

— Le peintre, tu veux dire ?

— Non. La Tortue Ninja, corrigea Shawna.

Michael regarda Brian, attendant une traduction.

— Tu ne peux pas comprendre, l'excusa celui-ci. Mais ça existe pour de bon : elle n'invente rien.

— La Tortue ?...

— La Tortue Ninja, répéta Shawna.

— Ce sera surtout un déguisement de tortue, avec juste une touche de Ninja, précisa Brian. Tu veux venir ? Ce sera le matin de Halloween. Mary Ann sera au studio.

— Ce sera quoi, au juste ? s'enquit Michael.

— Oh, simplement une fête à l'école. Un défilé, quelque chose dans ce genre.

— Mmm...

— Nous serions de retour... au pire vers onze heures, énonça Brian avec un clin d'œil.

— Alors, d'accord. Ce sera super.

— Ouaiiis ! glapit Shawna.

— Tu vois ? lança Brian à sa fille. Je t'avais dit qu'il viendrait.

Elle le regarda.

— Est-ce que Michael pourrait se déguiser aussi en Tortue Ninja ?

— Ma foi, je suppose qu'il le *pourrait*, mais...

— Ce sera ça, proposa Michael, ou alors Ann Miller.

Brian rit de nouveau :

— Je crois que ta période Ann Miller est terminée.

— Pourquoi ?

Michael sourit.

— Ann Miller est toujours en plein dedans, elle.

Shawna les regarda tous les deux.

— Qui est-ce, Ann Miller ? s'enquit-elle, intriguée.

— Oh, mon Dieu ! répondit Michael en riant. Ne me le demande pas, ça vaut mieux.

— Effectivement.

Brian décocha un regard aigu en direction de sa fille, pour alerter Michael.

— Vois-tu, certaines petites personnes ont tendance à être déjà trop portées sur le rouge à lèvres.

Michael pouffa, se rappelant certaine catastrophe — ou du moins la version de Brian de la version que Mary Ann avait donnée de la catastrophe.

— Est-ce qu'elle est toujours aussi choquée ? demanda-t-il.

— Qui est-ce, Ann Miller ? insista Shawna.

— Elle n'était pas vraiment choquée, nuança Brian.

Une fois son visage recouvert d'une épaisse couche de maquillage, la petite, pensait Michael, devait avoir présenté une troublante ressemblance avec sa mère naturelle. Pas étonnant que Mary Ann eût été horrifiée. Connie Bradshaw, la plaie de l'existence de Mary Ann ! Cette fois encore, sortie de sa tombe avec son allure de pouffiasse, pour refaire son effrayant numéro !

— Qui est Ann Miller ? hurla Shawna en trépignant.

— Une dame qui danse, répondit Brian. Une femme.

— Non, une *dame,* rectifia Michael.

Riant de nouveau, Brian toucha l'épaule de sa fille.

— Puppy... Au dodo maintenant !

— Ouais.

— Embrasse Michael.

Shawna fit claquer sur la joue de celui-ci un petit baiser sonore.

— Ta robe est très jolie, la complimenta Michael.

— Merci, répondit Shawna avec solennité.

— On la lui a achetée spécialement pour ce soir, dit Brian.

— Elle te va très bien, insista Michael à l'adresse de la fillette. Elle fait ressortir le bleu de tes yeux.

Shawna se délecta un instant de l'attention dont elle était l'objet, puis regarda son père.

— Tu restes pour me border ? le supplia-t-elle.

— De toute façon, pérorait Mary Ann quand Michael regagna le salon, ça n'a rien d'un secret d'État. Il est de notoriété publique que Raquel Welch a un sale caractère...

Burke riait.

— ... Et c'est un euphémisme ! commenta-t-il.

Thack riait lui aussi, il avait l'air de s'amuser. Voyant Michael entrer, il lui demanda :

— Tu as déjà entendu cette histoire ?

— Oh, mon Dieu, je ne sais pas combien de fois ! gloussa Mary Ann. Trop, en tout cas.

— Quelques-unes, reconnut Michael. Elle est excellente.

— Quoi qu'il en soit, mon histoire est finie, trancha Mary Ann. Tu n'as plus rien à craindre. Où est Brian ?

— Il met Shawna au lit.

Le téléphone sonna dans la chambre d'amis.

— Je décroche ? proposa Michael, qui était le plus près de la porte.

— Laisse, s'interposa Mary Ann. Le répondeur est branché.

— En fait, intervint Burke, il se pourrait que ce soit pour moi. Des amis à qui j'ai donné votre numéro. Ça ne pose pas de problème, j'espère ?

— Bien sûr que non.

Mary Ann courut vers le téléphone.

Burke réserva le reste de son explication à Thack et à Michael.

— Ils sont seulement de passage, et ils voulaient que nous prenions un verre ensemble après dîner. J'ai pensé que si personne n'y voyait d'inconvénient...

— Pourquoi pas ? fit Michael.

— Volontiers, ajouta Thack.

Mary Ann réapparut dans l'encadrement de la porte :

— C'est bien pour toi, confirma-t-elle à Burke d'une voix basse, presque déférente. C'est Chloe Rand.

Dans le coup

Chloe Rand! Mary Ann ne put s'empêcher d'être frappée par la placidité avec laquelle Burke avait accueilli l'information. Il sourit vaguement, hocha la tête, mais son visage ne trahit pas la moindre surprise. C'était un peu comme si on lui avait dit que sa femme était au bout du fil.

Quand il fut sorti de la pièce, elle se tourna et vit Michael qui la fixait avec des yeux écarquillés par la stupeur.

Il balbutia :

— Pas *la* Chloe Rand que ?...

Thack lui lança un regard mauvais et ironisa :

— Combien de Chloe Rand existe-t-il, à ton avis ?

— Tu veux dire qu'ils sont à San Francisco ? poursuivit Michael à l'adresse de Mary Ann, qui trouva son expression effarée particulièrement gratifiante.

— Oui.

Elle résolut d'afficher la même nonchalance que Burke.

— Seulement pour un jour ou deux. Ils doivent présider un gala de charité pour les malades du sida à Los Angeles.

Cette nouvelle provoqua un grognement de la part de Thack, mais rien d'autre. Elle prit le parti de ne pas lui demander ce qu'il désapprouvait là-dedans. Thack ne cessait jamais d'affûter ses armes en public, et les étincelles l'avaient brûlée une ou deux fois déjà.

Michael lança à son ami un coup d'œil irrité et sembla sur le point de lâcher une remarque, mais Burke reparut avant qu'il en eût le temps.

— Écoute, dit-il à Mary Ann d'un air un peu penaud, mes amis proposent que nous les rejoignions pour prendre un verre au Stars. Mais si ça t'ennuie...

— Pas du tout ! J'en serais ravie.

— Ce sont les Rand, Russell et Chloe. Je pense que tu les trouveras sympathiques.

— Très bien. Comme tu veux.

— Et vous, les garçons ?

Burke s'était tourné vers Michael et Thack.

— C'est parfait, fit Michael, répondant également pour Thack.

Mary Ann n'aurait su dire ce que ce dernier pensait réellement. Quand il ruminait quelque chose, son visage devenait si totalement inexpressif que c'en était insupportable. Elle espérait presque qu'il piquerait une colère, ou du moins qu'il insisterait pour que Michael et lui s'éclipsent. Une escorte de quatre personnes, n'était-ce pas un peu beaucoup ? Après tout, c'était Burke tout seul que les Rand avaient souhaité voir.

Burke eut un autre regard contrit.

— Je t'en aurais parlé plus tôt, mais...

Une idée géniale traversa alors l'esprit de Mary Ann.

— Écoute, coupa-t-elle, pourquoi ne les invites-tu pas plutôt ici ?

— Eh bien...

— Ils pourraient... être un peu tranquilles et se détendre, non ?

— C'est gentil, répondit Burke, mais je crois qu'ils sont plus ou moins coincés là-bas.

— Bon, fit-elle d'une voix indifférente.

Mais il lui vint à l'idée que Burke détestait cet appartement et ne le trouvait pas assez chic pour les Rand.

— Je vais demander à Brian s'il est d'accord, annonça Burke.

— Pas la peine. Il viendra.

— Super ! s'exclama Burke en retournant vers le téléphone.

Quelle erreur de décoration avait-elle bien pu commettre dans son appartement ? Les couvertures indiennes, le squelette de saguaro, les crânes de bœufs peints ?...

Ce qu'elle considérait comme son sens esthétique l'assura pourtant que ce n'était rien de tout cela.

Car elle avait copié son intérieur sur une publicité pour la griffe Russell Rand.

Ils tombèrent d'accord pour se rendre au restaurant dans deux voitures : Mary Ann, Brian et Burke dans la Mercedes de Mary Ann, Michael et Thack dans leur Volkswagen. Le petit problème de la garde de Shawna fut vite réglé : Nguyet, comme d'habitude, consentit volontiers — à la vue de quelques billets — à rester dans l'appartement le temps qu'on voudrait. Brian, c'était à prévoir, ne savait à peu près rien des Rand ; aussi Mary Ann, profitant de ce que Burke était aux toilettes, fouilla-t-elle dans son stock d'*Interviews* et gratifia-t-elle son mari d'un rapide briefing.

En chemin, pendant que Burke et Brian, sur le siège avant, discutaient à n'en plus finir des vertèbres de Joe Montana, elle emplit ses narines du parfum délicat qui se dégageait de l'intérieur en cuir gris de la voiture, se calma et fit le point. Si elle avait su que la soirée s'achèverait en compagnie des Rand, elle n'aurait peut-être pas porté cette petite robe de cocktail Calvin Klein. Trop passe-partout.

D'un autre côté, cela dénotait qu'elle ne manquait pas de tact : il eût été un peu excessif de porter en la présence de Russell Rand un vêtement sorti de ses ateliers. Elle procéda à un inventaire rapide des femmes qu'elle avait vues en photo à son côté. Est-ce que Liza portait du Russell Rand quand elle était avec lui ? Non... Et Elizabeth elle-même ?... Non, bien sûr que non ! Peut-être une telle idée venait-elle aux desperados du genre de Prue Giroux... et encore !

Mais alors, le parfum qu'elle avait mis ce soir, *Passion* ? Était-ce un impair de porter le parfum d'Elizabeth Taylor pour rencontrer des gens qui connaissaient Elizabeth Taylor ? Qui savait ce qu'elle sentait vraiment ? Peut-être ses vrais amis trouvaient-ils ce truc prétentieux et vulgaire. Tout juste bon pour Cher ou ce genre de bonnes femmes. Comment aurait-il pu en être autrement ?

Bon, elle n'allait pas se tourmenter pour si peu. Après tout, c'était quand même un parfum de luxe, et « Elizabeth » avait beaucoup œuvré pour les malades du sida. Si Mary Ann en portait ce soir, c'était surtout pour faire plaisir à Michael, pour lui montrer discrètement qu'elle était à ses côtés. C'est ce qu'elle dirait, si jamais on abordait le sujet. De toute façon, c'était la vérité.

— Là-bas, expliquait Brian à Burke d'un ton d'autorité, c'est le *Hard Rock Café*. Pas mal, mais c'est plutôt une clientèle d'ados.

— Brian, intervint-elle, je crois qu'il y en a un à New York.

— Je sais, rétorqua-t-il. Mais je lui parlais de celui-ci.

— Ils sont tous pareils, insista-t-elle.

— Celui de Londres est plutôt sympa, glissa Burke. C'était le premier, je crois.

— Exact, confirma Mary Ann.

— Regarde-moi ce brouillard ! L'effet sur les néons ! reprit Brian. Génial, non ?

Burke poussa un grognement admiratif, évidemment par pure politesse.

Mary Ann darda sur Brian un regard aigu.

— Il y a des gens qui n'aiment pas le brouillard, tu sais ?

— Pas possible ! répliqua-t-il sur un ton faussement incrédule.

— Si, je t'assure.

Brian regarda Burke.

— Mais toi, tu aimes le brouillard, pas vrai ?

— Bien sûr, fit-il avec un grand sourire.

— Et puis, tu dois bien reconnaître que celui-ci n'a rien à voir avec votre saleté de purée de pois new-yorkaise. Tellement crade qu'on a envie de s'essuyer la figure !

Brian rit, apparemment pour ôter à ces mots tout caractère désobligeant, mais en vain.

— Je veux dire... Franchement, ça n'est pas comparable.

Burke se montra magnanime.

— Mmm... J'admets que tu as raison.

— Il est tellement chauvin ! lança Mary Ann à Burke.

— Et toi, tu ne l'es pas, peut-être ? rétorqua Brian avec mauvaise humeur.

— J'aime beaucoup San Francisco, c'est vrai, répondit-elle calmement. Pour autant, je ne pense pas que le monde commence et s'arrête là. Et puis je trouve que ce n'est pas très gentil de dénigrer la ville de notre invité.

— Allons ! conclut Brian avec un grand sourire pour se rattraper. Il ne l'a pas mal pris.

Il fit à Burke un clin d'œil qui voulait dire : Un vieux pote comme lui !

— D'ailleurs, j'aime bien New York. Je ne voudrais pas y vivre, c'est certain, mais...

Un instant, elle se cramponna à la banquette. Était-ce une pure coïncidence, s'il avait prononcé cette phrase, ou un avertissement qu'il lui envoyait ? Quoi qu'il en fût, elle décida de faire comme s'il n'avait rien dit.

— Comment as-tu connu les Rand ? demanda-t-elle à Burke d'un ton léger.

— Oh... Par des amis communs.

Elle s'apprêtait à lui révéler qu'elle les avait rencontrés chez Prue Giroux, mais jugea plus sage de n'en rien dire, de peur qu'ils ne se souviennent pas d'elle. Et s'ils s'en souvenaient et en parlaient, son silence apparaîtrait comme de la modestie. À tous égards, il valait donc mieux se taire.

Au moment où Brian tournait dans Redwood Alley, elle regarda par la fenêtre et vit un petit groupe de gens qui sortaient de l'Opéra en prenant la direction du restaurant. Lequel de ses collègues aurait l'occasion de la voir ce soir en compagnie des Rand? se demanda-t-elle.

Cette idée était si délicieuse qu'elle en était presque inconcevable.

L'élégance caverneuse du *Stars* ne manquait jamais de produire son effet sur Mary Ann. Entrer dans cette grande salle pleine de fiévreux bavardages et d'affiches signées d'artistes français, c'était comme se sentir partie intégrante d'un tableau vivant — un tableau des années 20, peut-être, et d'un peintre qui n'était sûrement pas d'ici. Il suffisait de plisser juste un peu les yeux, et l'illusion était assez forte pour littéralement vous transporter.

Comme elle l'avait imaginé, les Rand étaient impérialement installés sur la plate-forme surélevée du fond de la salle. Chloe était ce soir-là vêtue de cuir rouge, dévoilant des épaules d'une blancheur de lait sous les lumières des appliques Tiffany. Quant à Russell, il avait un petit côté duc de Windsor, dans un costume croisé à chevrons. Où avaient-ils passé la soirée? se demanda Mary Ann. À l'Opéra? Ou bien venaient-ils d'une autre réception?

C'est Chloe qui les aperçut la première. Elle agita la main en direction de Burke, et tendit sa joue pour se laisser embrasser lorsqu'il atteignit leur table.

— C'est tellement gentil à vous d'être venu, dit-elle.

Burke posa un baiser sur sa joue, puis donna une claque amicale sur l'épaule de Russell. Celui-ci lui sourit, puis s'adressa à Mary Ann.

146

— Avons-nous saboté votre dîner ? lui demanda-t-il, comme s'ils se connaissaient depuis toujours.

— Non, pas du tout, le rassura-t-elle.

— Vous en êtes sûre ?

— Absolument.

— Vous ne deviez pas être plus nombreux ? s'enquit Chloe.

— Les deux autres arrivent dans une autre voiture, expliqua Mary Ann.

— Voici Mary Ann Singleton, annonça Burke.

— Je sais, répondit Russell. Nous nous sommes déjà rencontrés.

— Vraiment ?

— Chloe, Russell...

À nouveau sûre d'elle, Mary Ann sentit monter en elle une audace réconfortante.

— Je vous présente Brian, mon mari.

Tout le monde se serra la main.

— Je vous en prie, dit Russell d'un ton cordial, asseyez-vous donc.

— Où vous êtes-vous rencontrés ? demanda Burke à Mary Ann.

— Chez Prue Giroux.

— Prue Giroux ? Qu'est-ce que c'est que ça ?

Chloe eut un sourire ironique.

— Ce n'est pas vraiment la peine que tu le saches, dit-elle.

Russell jeta à sa femme un regard d'admonestation.

Donc, pensa Mary Ann, elle aussi la trouve insupportable. Les choses se présentent de mieux en mieux.

— C'est une espèce de mondaine locale, expliqua Brian.

— Oui, renchérit sèchement Mary Ann. Une espèce...

C'était juste ce qu'il fallait, estima-t-elle, pour que Chloe comprît qu'elle partageait son aversion, sans toutefois mettre Russell encore plus mal à l'aise. Prue, au fond, lui achetait des robes depuis des années, et elle comprenait qu'il ne voulût pas paraître déloyal. Après tout, il n'avait aucun moyen de savoir qui, dans l'assistance, était susceptible d'aller jaser chez Prue.

— Je suis vraiment idiot, déclara Russell en s'adressant à Burke. Quand tu m'as dit son nom, je n'ai pas fait le rapprochement.

Mary Ann crut d'abord qu'il parlait de Prue. Puis elle devina que Burke avait dû bavarder avec les Rand de la présentatrice de talk-show qu'il désirait engager pour sa nouvelle émission. Dans un moment de panique, elle comprit que Russell était à deux doigts de vendre la mèche.

— Bon, intervint Chloe, qui veut boire quelque chose ? Voyons si nous pouvons attirer l'attention d'un serveur.

— Euh... bien sûr, fit Russell.

Il arborait l'expression si aisément identifiable de quelqu'un qui vient de recevoir un bon coup de pied sous la table.

Une demi-heure plus tard, dans les toilettes, Chloe la prit à part.

— Écoutez, je suis vraiment confuse à cause de mon crétin de mari. Burke lui avait pourtant bien recommandé de ne pas parler de cette histoire de talk-show !

— C'est sans importance, répondit Mary Ann. Je vous assure.

— Vous en avez parlé à Brian ?

— Non, pas encore.

Chloe, devant le miroir, se remettait du rouge à lèvres.

— C'est une occasion fantastique, observa-t-elle.

— Je sais.

— Burke voit tellement juste ! Il est étonnant. À mon avis, il ne peut pas vous donner de mauvais conseils.

Après un dernier coup d'œil dans le miroir, elle se retourna et pencha la tête d'un air d'excuse.

— Pardonnez-moi. Je sais bien que tout ça ne me regarde pas.

— Non, non, protesta Mary Ann. Vous avez raison.

— C'est toujours effrayant de partir, n'est-ce pas ? Une angoisse qui arrive à vous tordre les boyaux, même ! J'ai connu ça quand Russell m'a demandé de l'épouser. Bien sûr, je savais quelle vie merveilleuse ça pourrait être, mais la seule chose qui m'obsédait, c'était à quel point tout me serait étranger. C'est idiot, non ?

— Vous paraissez si sûre de vous, pourtant, s'étonna Mary Ann. J'ai du mal à vous imaginer angoissée.

— Sûre de moi ? Oh, oui. *Maintenant,* dit Chloe. Mais il y a trois ans... N'en parlons pas !

— En fait, déclara Mary Ann, mise en confiance, je suis plutôt douée pour faire table rase du passé. J'y ai très bien réussi quand je suis arrivée ici. J'étais venue en vacances, et puis... Enfin, j'ai bu quelques irish coffees...

Chloe pouffa.

— Et vous n'êtes jamais retournée chez vous ?

— Non.

— Vous m'impressionnez ! Et vous veniez d'où ?

— De l'Ohio, révéla Mary Ann. Cleveland.

— Alors, pas étonnant ! Cleveland, vraiment ?

Mary Ann sourit, un peu mal à l'aise.

— Vraiment.

Chloe lui tendit la main.

— Akron, dit-elle laconiquement.

— Vous voulez rire !

— Pas du tout.

— Mais vous semblez si... si...

— Comme je vous l'ai dit, il m'a fallu un peu de temps. Ça ne m'a pas fait de mal, de connaître Russell.

149

Naturellement. J'étais une vraie sorcière, avant de le rencontrer. Les cheveux filasse, une peau horrible... Et cet horrible pif pour couronner le tout !

Mary Ann sentit qu'une protestation aimable était de rigueur.

— Allons ! Vous avez un nez superbe. On dirait une aristocrate espagnole.

— Libanaise, plutôt.

Déroutée et un peu gênée, Mary Ann changea de sujet.

— Vous vous êtes vraiment rencontrés chez Betty Ford ?

— Oui.

— C'est très romantique.

Et quel beau film ça ferait, pensa-t-elle. « Elle lui donne santé et sobriété. Il la rend belle et riche ! »

— J'avais seulement un job administratif. Je n'étais pas thérapeute ni rien de ce genre.

— Tout de même, objecta Mary Ann. Vous êtes venue vers lui au moment où il en avait besoin.

— Oui, je suppose.

Elle revint au sujet initial.

— Donc, quel est le problème avec votre mari ? Il déteste New York, c'est ça ?

Elle acquiesça sombrement.

— Plus ou moins.

— En tout cas, ce ne sera pas comme si vous débarquiez sans aucune relation. Burke et Brenda connaissent quasiment tout le monde, et si vous avez besoin d'aide — vous trouver un cercle d'amis utiles, ce genre de choses —, Russell et moi serons ravis de vous rendre service.

Pour la première fois peut-être, ce qui s'offrait à elle lui apparut clairement et dans toute son ampleur. C'était presque trop à la fois. La vraie célébrité, de nouvelles relations brillantes, une maison qui deviendrait un véritable *salon*. Elle imaginait déjà son intérieur : de grands placards en pin, une harpe ancienne, des tapis persans fins comme du papier sur des parquets blanchis... Quelque part dans SoHo, peut-être, ou au Dakota, pour croiser Yoko Ono...

— C'est vraiment gentil à vous, dit-elle.

— Oh, je vous en prie ! Ça ne nous fera pas de mal de voir quelques nouveaux visages.

— C'est une grande chance pour moi de vous avoir rencontrés... Votre robe est époustouflante, au fait.

— Merci. Seulement, je ne peux pas la porter à New York. Ivana Trump a exactement la même !

— Dommage, compatit Mary Ann.

Elle grillait d'envie de lui demander quel genre de femme était Ivana Trump dans le privé, mais fut arrêtée par la crainte de paraître trop avide.

Quand elles regagnèrent leur table, Mary Ann trouva Brian en train de régaler les messieurs — que Michael avait maintenant rejoints — de ses opinions-marottes du moment.

— Enfin, qu'est-ce que ça veut dire ? s'emportait-il. Je ne vote pas républicain, mais tout de même : cette malheureuse est ridiculisée sous prétexte qu'elle ne se teint pas les cheveux. Jadis, c'était d'avoir les cheveux teints qui faisait scandale ! Qu'est-ce que c'est que ces histoires à la con ?

Russell Rand, observa-t-elle, faisait un gros effort pour rire. Brian, quand son tour venait d'être au centre de la conversation, avait une façon particulièrement agaçante d'exiger sans cesse l'assentiment de son auditoire. Ce qui avait pour effet de mettre les gens sur la défensive et de les embarrasser. Il ne s'en rendait pas compte, évidemment, et Mary Ann n'avait pas encore trouvé une manière suffisamment délicate de le lui faire comprendre.

N'était-ce pas, d'ailleurs, son plus gros problème en ce moment : *trouver une manière délicate de lui faire comprendre* ?

151

— Où est passé Thack? demanda-t-elle à Michael en s'asseyant.

Ce fut Brian qui répondit :

— Il a déclaré forfait.

— Il est un peu barbouillé, ajouta Michael.

— Oh! Je suis désolée. J'espère que ce ne sont pas les rouleaux de printemps?

— Non, non.

— Il t'a juste déposé et il est rentré?

— Oui.

Ils se sont disputés, pensa-t-elle. Et c'était aussi bien : Thack n'aurait pu que créer des difficultés.

— Tu ne connais pas encore Chloe, fit-elle.

Elle posa doucement sa main sur l'épaule de Chloe, histoire de montrer à Michael qu'elle pouvait déjà se permettre ces familiarités.

— Chloe Rand... Michael Tolliver.

Michael était visiblement subjugué.

— De toute façon, reprit Brian, gaffant avec obstination, Barbara Bush vaut cent fois mieux que l'autre pétasse qui trône à la Maison Blanche pour le moment. Celle-là, tout ce qu'elle sait faire, c'est passer son temps chez son coiffeur et forcer les couturiers à lui offrir des robes.

Il y eut un silence de mort.

Brian scruta alors un visage après l'autre, espérant trouver un soutien.

C'est vraiment tout lui, se dit Mary Ann, exaspérée. S'il avait réfléchi ne fût-ce qu'une demi-seconde avant d'ouvrir sa grande gueule...

— Oh... balbutia enfin Brian en dévisageant Russell Rand. Si je comprends bien, vous aussi?...

Le styliste parvint péniblement à afficher un maigre sourire :

— Effectivement. Mais ça n'avait rien d'un cadeau forcé, vous savez!

— Euh, oui, je vois... En tout cas, c'est une bonne

152

publicité, j'imagine... Je veux dire : les gens à qui elle plaît sont probablement ceux qui... Enfin, de toute façon, ça ne signifie pas de votre part une adhésion personnelle...

— J'aime beaucoup Mme Reagan, pour ne rien vous cacher.

Brian déglutit.

— Ah bon ?... Après tout, je ne la connais pas.

Mary Ann le foudroya d'un regard qui voulait dire : « Non, tu ne la connais pas, alors ferme-la. »

Russell Rand, cependant, resta tout à fait aimable.

— Beaucoup de gens lui jettent la pierre sans raison, voyez-vous ? Mais en fin de compte, elle n'est pas du tout le genre de personne qu'on s'imagine.

— Oui, peut-être, argumenta Brian, mais vous comprenez, puisque je ne peux juger que par ce qui saute aux yeux de n'importe qui...

— Si vous ne l'aimez pas, je ne vous le reproche pas. Croyez-moi.

Brian hocha gauchement la tête et se tut. Michael fixait son verre, l'air mortifié.

Il était urgent de détendre l'atmosphère, aussi Mary Ann prit-elle son ton le plus enjoué pour lancer :

— Que voulez-vous, il est insortable !

— Pas du tout, protesta Russell Rand. Tout le monde a le droit d'exprimer son opinion.

— Merci, grommela Brian, à l'adresse du styliste mais en décochant à sa femme son regard le plus noir.

Un mauvais rêve

Son rêve était encore très présent à son esprit lorsque Michael sortit en titubant pour saluer l'aube. Une épaisse couche de rosée recouvrait la terrasse, et il se souvint de Charlie Rubin, qui avait une fois qualifié ce phénomène de « sueurs nocturnes ». Plus bas, dans les jardins environnants, l'humidité, sur les larges feuilles vertes, suggérait trompeusement que c'en était fini de la sécheresse. Seul le jardin de leur voisin récemment décédé disait la vérité, avec sa fougère géante aussi nue qu'un crucifix dans la lumière ambrée du matin.

Michael leva les yeux, contempla le paysage par-dessus la rambarde et laissa errer son regard vers la vallée en contrebas, où des milliers de fenêtres s'embrasaient au soleil levant. Quelquefois — pas ce matin, pourtant —, il apercevait d'autres hommes debout sur d'autres terrasses, admirant comme lui la vallée.

Ce qu'il aimait surtout dans cette vue, c'étaient les arbres : les cyprès souffreteux, les bananiers plantés dans les cours, les peupliers alignés en ordre de marche sur la crête la plus proche comme autant de points d'exclamation. Bien sûr, il y en avait — en particulier les cyprès — qu'on ne pouvait vraiment distinguer qu'avec des jumelles mais, malgré tout, il savait qu'ils étaient là.

Soudain, une bande d'une quarantaine de perroquets vint se percher sur le figuier sans fruits de la maison voisine. Tandis qu'ils jasaient et battaient des ailes, il resta immobile, se demandant s'il devait réveiller Thack pour qu'il pût admirer ce spectacle : il n'avait jamais vu ces oiseaux si près de la maison.

— Ouaah ! s'exclama derrière lui une voix enthousiaste.

Thack se tenait dans l'encadrement de la porte. Vêtu seulement d'un caleçon, son corps lisse était illuminé par la lumière du matin comme celui d'un héros ; mais ses cheveux peu fournis, ébouriffés par le sommeil, brouillaient cet effet en donnant à son apparence quelque chose d'enfantin et de comique.

— Je peux m'approcher?

— Oui, répondit Michael, mais silencieusement.

Il exultait : cela faisait presque un an qu'il tenait sur les perroquets de la région des propos enthousiastes, sans qu'un seul fût jamais venu survoler la maison pour prouver à son ami qu'il n'avait pas été victime d'hallucinations.

Thack vint s'appuyer contre la rambarde près de lui.

— Ces oiseaux font un de ces raffuts !

— Oui. Mais regarde comme ils sont beaux.

— Mmm... Pas vilains.

— Autrefois, c'étaient des animaux de compagnie, expliqua Michael.

— Je sais. Tu me l'as dit.

— Tu vois les petits, là? Ce sont des perruches, des vraies groupies.

À ce moment-là, Harry débaula sur la terrasse et son irruption bruyante fit s'envoler les oiseaux en une tornade de plumes vertes.

— Bonjour ! dit Michael en grattant le dos du caniche.

Thack s'agenouilla et cajola Harry à son tour, observant le visage de Michael avant de se décider à parler :

— Ne sois pas fâché contre moi à cause de cette petite défection, finit-il par dire.

— Je ne suis pas fâché.

— Si !

— Retourne te coucher, ordonna Michael. Il est trop tôt pour toi.

— Non, répliqua Thack. Puisque je suis debout, je vais m'occuper du petit déjeuner.

Il avait préparé deux bols de céréales avec des raisins secs, qu'ils dégustèrent attablés dans la cuisine sous l'œil attentif de Harry.

— Alors, c'était comment? demanda Thack.

— Bien. Ils sont très sympas. Elle est d'une beauté renversante.

— Je n'en doute pas.

Était-ce un sarcasme ? Michael décida que non.

Thack mâchonna ses céréales un moment, avant de poser une autre question :

— Est-ce qu'il a fait un petit pas hors du placard ?

— Qu'est-ce que tu veux dire ?

— Allons. Tu sais très bien ce que ça veut dire.

— Oui, mais... dans le cas présent...

Thack soupira, impatienté.

— Est-ce qu'il a laissé entendre à tout le monde qu'il était gay, ou est-ce qu'il a passé la soirée à jouer les hommes à femmes ?

— Ni l'un ni l'autre, répondit Michael.

— Tu lui as dit que tu étais gay ?

— Non.

— Pourquoi ?

— Parce que ça n'est pas venu dans la conversation, Thack. Et puis, je suis un homo comme les autres : qui a besoin de le savoir ?

— Lui. Il a besoin d'être entouré de pédés qui lui disent quel sale hypocrite il est !

— Je croyais que nous en avions fini avec ce genre d'histoires, soupira Michael. Il reste du lait ?

— Oui, dans le frigo.

Michael revint avec le carton de lait, en arrosa ses céréales et le posa sur la table.

— N'empêche, reprit Thack, que c'est un pédé notoire.

— Ah bon ? Je ne savais pas.

— Ben voyons ! Je le savais déjà quand j'étais à Charleston. Et *tout le monde* le savait à New York. Il baisait avec tous les acteurs de porno.

— Et alors ?

— Alors, s'énerva Thack, je trouve qu'il a maintenant un certain culot de vendre des alliances en chantant les louanges de l'amour hétérosexuel !

— C'est son métier, mon ange.

156

— OK. Mais si ce n'est pas une façon de se cacher...

Michael sentit grandir son irritation.

— Tu ne le connais pas, répliqua-t-il. Peut-être qu'il aime vraiment sa femme.

— C'est ça. Et peut-être aussi qu'elle a une grosse queue.

— Thack... Les gens se marient pour toutes sortes de raisons.

— Sûrement. Le fric et la dissimulation, pour n'en citer que deux exemples.

Michael leva les yeux au ciel.

— Il avait déjà tout l'argent qu'il voulait, rétorqua-t-il.

— Certes, mais il entend bien le garder. Voilà pourquoi il serait gênant que toute l'Amérique pense que c'est un pervers.

— Il va tout de même présider avec sa femme un gala pour les malades du sida, rappela Michael.

— Et comment ! Soudés par les hanches comme deux siamois, évidemment. Le sympathique couple marié aux idées larges qui vient en aide aux pauvres gays malades. Que dis-je, gays ! Tu peux être sûr qu'ils ne prononceront jamais le mot.

— Est-ce qu'il y a vraiment de quoi s'engueuler ? soupira Michael. Tu sais bien que sur le fond, je suis d'accord avec toi.

— Pourquoi n'as-tu pas refusé l'invitation, alors ?

— Oh, il s'agissait seulement de ne pas gâcher la soirée. Mary Ann avait très envie d'y aller, c'était visible.

— Alors ça, c'est une mauvaise excuse ! Toi aussi, tu avais envie d'y aller ! Toi aussi, ça te plaît, ce genre de conneries !

— D'accord, admit Michael. Peut-être bien que ça me plaît.

Thack bouda un moment.

157

— Au moins, tu le reconnais, maugréa-t-il.

— Je reconnais quoi ? Que j'étais curieux de les rencontrer ? En voilà, un crime ! Écoute, Thack, je ne peux pas passer ma vie à jouer les Hare Krishna pour la cause des homos. Je ne peux pas, voilà tout. Je préfère chercher ce que j'ai en commun avec les gens, et tenter de construire quelque chose à partir de là.

— Soit. Mais ce que tu as en commun avec Russell Rand, tu ne pourras jamais en parler en public. En tout cas, pas si tu veux être son ami.

— Qui a dit que je voulais être son ami ?

Après un long silence maussade, Thack déclara :

— Elle n'aurait jamais dû nous forcer à y aller. Elle nous a invités chez elle pour dîner, puis elle a laissé Burke prendre la direction des opérations. J'ai trouvé ça grossier.

— Là-dessus, je suis d'accord, admit Michael. Elle aurait pu s'y prendre plus délicatement.

Ces mots semblèrent pacifier Thack. Au bout d'un moment, il se mit à sourire.

— Qu'est-ce qui t'amuse ? s'enquit Michael.

— Elle a révélé à Brian que Burke a une petite bite.

— C'est Brian qui te l'a répété ? Quand ?

— Hier, pendant le pique-nique.

— Ce n'est pas vrai ! se récria Michael.

Thack lui lança un regard malicieux.

— Comment le sais-tu ?

— Une fois, nous nous sommes retrouvés aux bains de boue de Calistoga. Jon et moi, Mary Ann et lui. Il y a un côté pour les hommes, un côté pour les femmes, et donc nous avons fini dans... dans des bassins contigus. Eh bien, il avait la queue pleine de boue, naturellement, mais elle m'a semblé d'une taille tout à fait honorable.

— Je vois : ça concorde ! marmonna Thack.

— Qu'est-ce que tu veux dire ?

— Brian pense qu'elle lui a dit ça pour le rassurer.

bri-

pondit-elle. À

anda seulement :

main matin. Tous les deux.

quittant la pièce.

il pensait. D'ailleurs, lui aussi

se.

Sauce lesbienne

ant emprunté son raccourci habituel à travers le
étière, Mona Ramsey s'engagea ensuite dans la rue
incipale du village de Molivos, où un groupe de touristes allemands avait déjà lancé un raid sur les boutiques de souvenirs. Tout en haut, la rue étroite était
recouverte d'une treille de très vieilles glycines, si bien
qu'y pénétrer donnait l'impression d'entrer dans un
tunnel — frais, ombreux et pavé — descendant vers le
centre du village.

La boutique du tailleur se trouvait près de l'extrémité de ce « tunnel », en face d'une pharmacie où une

— Le rassurer sur quoi ?

Thack haussa les épaules.

— Sur le risque qu'il pourrait y avoir encore quelque chose entre eux.

— Entre Burke et Mary Ann ? Je t'en prie ! protesta Michael.

— Quoi ? Tu les as bien vus, hier soir.

— Oui, et j'ai vu quoi ?

— Ces coups d'œil qu'elle n'arrêtait pas d'envoyer à Burke.

Thack prit un air hargneux.

— De toute la soirée, elle n'a pas cessé d'attirer son regard. Tu n'as pas remarqué ?

— Non.

— Eh bien, moi, je te dis qu'il se passe quelque chose.

— Et c'est pour ça qu'elle nous a invités, je suppose ? Pour nous mettre en alerte ? Tu trouves que ça tient debout ?

— Peut-être qu'elle veut ta bénédiction, rétorqua Thack. Comme toujours, d'ailleurs.

— Écoute, ça suffit, s'énerva Michael. Pourquoi es-tu tout le temps remonté contre elle ? Tu t'imagines qu'elle n'agit jamais sans arrière-pensées, c'est ça ?

— Non, mais...

— Laisse tomber, d'accord ? J'en ai marre de discuter !

Cet accès de colère fut si soudain que Thack en resta un peu interloqué. Il fronça les sourcils.

— Qu'est-ce qui te prend, de crier comme ça ?

— Rien. Excuse-moi. Ce n'est pas ta faute. J'ai fait un mauvais rêve.

— Il s'agissait de quoi ?

— Oh, c'est idiot. Toi et moi partions pour la Grèce à la recherche de Mme Madrigal, expliqua Michael, l'air gêné.

Thack sourit.

— Ah oui ? Et qu'est-ce que ça avait de si [?]
mardesque ?

— Eh bien... Elle se cachait de nous. Elle a[?]
que nous la ramenions à San Francisco. Ell[e?]
bord d'une falaise, assise sur une espèce [de?]
pliant... avec des tas de trucs de chez elle. Q[uand?]
l'avons finalement trouvée, elle nous a[?]
sherry. Je lui ai dit qu'elle nous manquait te[llement?]
et elle m'a répondu : « La vie, c'est le [?]
chéri. » C'était horrible, je t'assure.

Thack se pencha par-dessus la table [?]
main de Michael.

— Tu te sens coupable de ne pas l'[?]
c'est tout, dit-il sur un ton apaisant.

— Je sais.

— As-tu un numéro où la joindre ?

— Non.

— Alors, peut-être que...

— J'ai un sale pressentiment, qua[nt?]
voyage, l'interrompit Michael. Il n'y [?]
je le sais, mais... c'est comme ça.

Michael était conscient de tenir là [?]
ment névrotiques, mais il était i[?]
angoisse. Une angoisse qui, à l'évi[dence?]
racines bien plus profondément [?]
absurde.

Thack le scruta un moment.

— Tu sais, observa-t-il, tu ne l'as pas trahie quand
tu as déménagé de chez elle.

— Évidemment.

— En es-tu vraiment convaincu ?

— Eh bien... Si tu veux entrer dans les détails, je ne
pense pas lui avoir donné un préavis digne de ce nom.
J'ai vécu dans sa maison pendant dix ans...

— Bon, raconte !

— Mais ce n'est pas ça le vrai problème. Pas du
tout.

son treillis pour retenir les plantes grimpantes en forme
de triangle rose.

— Oh, j'ai tellement à faire... dit-il.

— Je pourrais te ramener en début d'après-midi. J[?]
t'en prie, Mouse, j'ai vraiment besoin de te parler.

Il s'émerveilla du pouvoir intact de ce vieux [?]
quet.

— Bon, c'est d'accord. À quelle heure ?

— Dix heures, ça te va ?

— Parfait. J'apporte quelque chose ?

— Rien que ton aimable personne, [?]
demain.

— À demain.

Quand il raccrocha, Thack de[?]

— Mary Ann ?

Michael hocha la tête.

— Nous nous voyons de[?]

— Bon, fit Thack en [?]
Michael savait ce q[?]
pensait la même cho[se?]

demain. J'ai pens[é?]
Green et faire une de nos pe[tites?]

Une de nos petites promenades ? Comm[e?]
faisaient tout le temps ! Comme s'ils n'avaient jamais
cessé d'en faire.

— Je pourrais passer te prendre, ajouta-t-elle.

S'il hésitait, c'était en fait pour une seule raison :
Thack avait réservé leur samedi pour la construction de

vieille femme au visage mou comme de la pâte à gâteau exhibait fièrement dans sa vitrine tout un assortiment de préservatifs portant des noms aussi variés que *Dolly, Squirrel* ou *Kamikaze.* Le culte du membre viril, Mona s'en était vite aperçue, était aussi effréné à Lesbos que partout ailleurs en Grèce. Pas moyen d'acheter un paquet de bonbons à la menthe au kiosque du coin sans avoir devant le nez une ou deux étagères de dieux Pan en plâtre à phallus démesuré.

Elle fut confrontée à la société patriarcale dans toute sa splendeur lorsqu'elle entra dans la boutique du tailleur. Le maître des lieux — qui exerçait aussi les fonctions de maire adjoint du village — était en grande conversation avec une demi-douzaine de ses administrés. En la voyant, il se leva derrière une machine à coudre antédiluvienne et hocha la tête comme un oiseau. Ses amis reculèrent sensiblement, comprenant qu'elle était une cliente.

Espérant que cette vision parlerait d'elle-même, elle présenta la jupe qu'Anna avait déchirée lors de sa randonnée jusqu'à Eftalou. Deux jours plus tôt, voulant saluer le boulanger lorsqu'elle était entrée chez lui de bon matin pour acheter ses brioches aux raisins, Mona s'était bien essayée à dire *kalimera,* mais le mot sorti de sa bouche ressemblait plutôt à *kalamari,* ce qui avait provoqué de grands éclats de rire parmi les autres clients qui avaient dû penser qu'elle s'était trompée de boutique : il n'y avait qu'une imbécile de touriste pour réclamer des calmars dans une boulangerie !

— Aaah ! s'exclama le tailleur, reconnaissant la jupe. Kiria Madrigal.

Un autre fan d'Anna, grâce à Dieu ! Mona fut soulagée.

— Seulement... Vous voyez... bredouilla-t-elle, désignant l'accroc dans le tissu en étalant sa paume par-dessus comme un empiècement et levant vers l'homme des yeux pleins d'espoir.

— Oui, oui, fit le tailleur, secouant vigoureusement la tête.

Les autres messieurs présents opinèrent du bonnet de concert, pour la rassurer. Il a compris, semblaient-ils dire. Maintenant, laissez-nous bavarder en paix.

Mona ressortit dans la grand-rue, contente d'être débarrassée de son devoir filial. Un camion de l'armée remontait à grand fracas de ferraille malmenée le tunnel de glycines, sans doute en direction de la boulangerie; aussi fit-elle retraite dans une boutique de souvenirs pour le laisser passer. L'île grouillait de soldats — les Turcs redoutés se trouvant seulement à une dizaine de kilomètres —, mais ces troupes bon enfant étaient trop mal rasées et puantes pour réveiller ses indignations antimilitaristes.

Quelques instants après être entrée dans la boutique, elle remarqua un couple d'Anglaises (l'une trapue, l'autre plutôt maigrichonne, avec la même coupe de cheveux sculptée à mèches noires et blondes) penchées sur un calendrier intitulé *Aphrodite 89*, et lorgnant de toute évidence les photos de nues. Quand la fille trapue s'aperçut qu'on les observait, elle partit d'un petit gloussement stupide et pressa ses doigts contre ses lèvres.

Mona les rassura d'un sourire affable.

— Pas mal, hein?

La maigrichonne fit avec sa main un mouvement d'éventail, comme si elle avait besoin de se rafraîchir.

Toutes trois rirent en chœur après s'être ainsi découvert les mêmes tendances. Mona ne pouvait s'empêcher d'éprouver combien c'était agréable d'être à nouveau une gouine au milieu d'autres gouines. L'espèce, décidément, n'était pas assez représentée dans le Gloucestershire.

La Sirène était une gargote en plein air qui donnait sur la mer, là où l'esplanade se transformait en une sorte de rampe pavée descendant vers le petit port. Quand Mona y arriva, trois ou quatre personnes réclamaient déjà les tables disposées contre le parapet, sur lequel se tenait une phalange de chats de gouttière, presque à hauteur d'yeux des dîneurs, indifférents au coucher de soleil et attendant les restes.

Elle testa deux ou trois tables, choisit la moins branlante, puis répéta cette opération avec les chaises. Le ciel était d'une invraisemblable couleur pêche, aussi s'installa-t-elle de manière à lui faire face pendant qu'il se livrait à son exhibition. Elle se demanda si le couple surexcité de la table voisine applaudirait et crierait bravo quand l'astre resplendissant en aurait terminé.

Costa, le patron, passa près de sa table, une bouteille de résiné à la main.

— Votre maman si gentille, elle n'est pas là ce soir ? s'enquit-il.

— Elle va venir, répondit Mona, faisant de son mieux pour ne pas avoir l'air agacée de devoir répondre à cette même question pour la quatrième fois de la journée. Elle doit me retrouver ici.

Costa posa la bouteille de résiné sur la table d'à côté, puis revint vers elle en précisant :

— Nous avons de l'espadon, aujourd'hui. Tout frais et délicieux.

— Parfait. Vous commencez à me connaître.

Elle le regarda se frayer un chemin à l'intérieur du restaurant, adressant des signes à ses clients comme un prêtre distribuant l'absolution. Puis il prit une nappe de toile cirée propre et revint vers la table de Mona où il l'étala avec de grands gestes exubérants. Ainsi que l'usage semblait l'exiger, elle l'aida à ajuster les coins sous les bandes élastiques qui la maintiendraient en place.

— Je vois que vous avez bronzé aujourd'hui, remarqua-t-il, lissant une dernière fois la nappe plastifiée.

— Vous trouvez?

Mona fit glisser sur l'un de ses avant-bras des doigts dubitatifs.

— À votre avis, je devrais essayer de transformer ma peau en une seule grande tache de son?

— Ça vous va bien, insista Costa.

— Si vous le dites.

— Voulez-vous que j'apporte le vin tout de suite?

— Non, merci. Je vais attendre ma mère.

— Comme vous voudrez, fit Costa, avant de s'éloigner prestement.

Poussée par son moteur asthmatique, une barcasse de pêche bleu et vert rentrait au port. Dans l'incandescence orangée du coucher de soleil, elle avait l'air étrangement triomphante. Mona se demanda si son capitaine, sachant tous les regards fixés sur son bateau, se prenait pour un héros. Ou se sentait-il tout bonnement fatigué, impatient de mettre les pieds sous la table avant une bonne nuit de sommeil?

Elle leva les yeux vers l'esplanade et repéra un couple de promeneurs appuyés au parapet : c'était le couple hétéro de Manchester, pareil à deux souris grises, qui l'avait tellement barbée l'autre soir chez Melinda. Non loin d'eux, mais un peu plus haut, les deux gouines allemandes sexagénaires qu'elle avait déjà surnommées Liz et Iris, du nom d'un couple assez semblable qu'elle connaissait en Angleterre.

Et zut! pensa-t-elle. Deux par deux, toujours deux : cette putain de ville n'était peuplée que de couples.

Mais au nom de Sappho, où trouvait-on des filles seules, dans ce bled?

Sur une pancarte, à l'entrée, Costa avait écrit : ESSAYEZ MA SAUCE LESBIENNE AVEC POISSON OU HOMARD. Cela l'avait fait rire le premier soir où sa mère et elle s'étaient promenées dans le bourg ; elle avait montré l'inscription à Anna, et toutes deux avaient été charmées par tant de naïveté. Naïveté, tu parles ! Costa avait dû servir assez de centaines de lesbiennes — et de gens de la ville en général — pour remarquer leur amusement, et cela depuis des années. À n'en pas douter, il avait maintenant compris. Mais il avait laissé sa pancarte, bien conscient qu'elle attirait les touristes qui passaient par l'esplanade. Par exemple, les deux Anglaises de tout à l'heure avec leurs cheveux bicolores. Elles s'étaient arrêtées devant le restaurant, appâtées par cet écriteau, et arboraient le même large sourire qu'un moment plus tôt, dans la boutique de souvenirs. La plus maigre voulut prendre une photo, mais sa compagne en bas noirs jeta un coup d'œil vers les dîneurs attablés tout près et secoua la tête d'un air désapprobateur.

Vas-y, ma fille ! pensa Mona. Ne sois pas si poltronne.

— Mona ?

Le son de cette voix la fit sursauter, et elle se retourna pour faire face au vieil homme de belle allure qui, depuis une semaine, montrait à Anna tout ce qu'il y avait à voir sur son île, cependant que Mona restait à son poste dans une taverne de la grand-rue et regardait les passants.

— Bonsoir, Stratos !

Petit et propret, il portait un costume en peau de requin bleu et s'était parfumé discrètement d'une eau de toilette aux senteurs de pin. À la lumière du couchant, son énorme moustache blanche avait viré au rose bonbon.

— Puis-je m'asseoir ? demanda-t-il.

— Bien sûr, fit-elle en désignant une chaise en face d'elle.

— J'ai pensé que peut-être...

Il posa son corps massif sur la petite chaise fragile.

— Enfin, j'espérais que nous pourrions dîner ensemble, ce soir. Vous, votre mère et moi. Mais peut-être a-t-elle déjà d'autres projets ?

— Non. Pas que je sache. Elle doit me rejoindre ici d'une minute à l'autre.

— Ah oui ?

— Mais vous êtes le bienvenu, si vous voulez vous joindre à nous.

— Peut-être que votre mère...

— Je suis sûre qu'elle sera très contente, Stratos.

Il eut l'air ravi.

— Alors, s'exclama-t-il, je tiens à ce que vous soyez mes invitées, toutes les deux.

— Si vous voulez.

— Parfait, parfait.

Il posa ses mains tannées sur ses genoux.

— Commandons à boire. Du résiné, ça vous va ? Ou vous trouvez toujours que ce vin a un goût de bain de bouche ?

Mona sourit.

— Je m'y fais, avoua-t-elle.

Il fit signe au gamin de douze ans qui circulait de table en table et passa la commande en grec, administrant une tape amicale à l'épaule du garçonnet quand il eut fini.

— Dites-moi, demanda-t-il en se retournant vers Mona, est-ce que Molivos vous plaît ?

— C'est ravissant, déclara-t-elle, pour éviter une réponse plus précise.

« Emmerdant à mourir » n'était peut-être pas littéralement traduisible.

Stratos murmura quelque chose d'un air satisfait, puis laissa errer sur la mer un regard de vieux chien mélancolique.

— La saison est finie, remarqua-t-il. Les gens commencent à s'en aller, les boutiques ferment. On sent déjà une différence, en marchant dans les rues.

— Ça me convient très bien. Plus vite cette saleté de discothèque fermera, mieux ça vaudra.

Il comprenait visiblement de quoi elle parlait, et la regarda d'un air affligé.

— C'est vraiment honteux ! dit-il.

— Après minuit, le bruit est de plus en plus fort, et ça ne sert à rien de fermer les volets : on crève de chaud, on manque d'air et on entend quand même.

Il hocha la tête, gravement.

— Beaucoup de gens sont de votre avis, soupira-t-il.

— Alors, pourquoi est-ce qu'on ne fait rien ? Un arrêté municipal contre le bruit, quelque chose comme ça...

— Mais cet arrêté existe ! rétorqua Stratos.

Il semblait sur le point de lui fournir une explication quand le petit serveur arriva avec la bouteille de résiné et trois verres qu'il posa sur la table. Le vieil homme le renvoya, puis remplit deux verres.

— Cet arrêté existe, répéta-t-il, mais la police refuse de le faire appliquer.

— Eh bien, qu'on change de policiers !

Stratos eut un grand sourire chaleureux, laissant voir une dent en or :

— Il s'agit de la police nationale. Et la police nationale est de droite.

Mona n'y comprenait rien.

— Mais les gens de droite sont contre la musique rock, habituellement ?

— Oui. Seulement, la police d'ici est avant tout contre le maire, parce qu'il est communiste. Elle se refuse à le seconder de quelque manière que ce soit. Le maire a beau leur demander d'intervenir, les policiers font la sourde oreille. Ils ne veulent pas de lui à la mairie, parce qu'il n'est pas de leur parti, alors...

Il haussa les épaules en guise de conclusion.

— Il n'est pas de leur parti, mais c'est *leur* village, non ? se scandalisa Mona. Tout le monde, ici, finit par en subir les conséquences. Les gens viennent sur l'île pour trouver la paix et la tranquillité, pas pour entendre hurler Bruce Springsteen. Si ça continue, ils ne viendront plus.

— Vous avez raison.

Confronté à cet accès d'exaspération, Stratos gardait un calme remarquable.

— Et ce sera le maire qu'on blâmera. On dira que c'est la faute des communistes.

— Guerre des discothèques dans la mer Égée ! grommela Mona.

— Ah ! fit Stratos en haussant les deux chenilles albinos qui lui servaient de sourcils. Voici votre mère.

Mona regarda par-dessus son épaule et vit Anna descendre à grands pas l'esplanade, bronzée et majestueuse dans son cafetan de lin serré à la taille par une écharpe bleu lavande — un achat récent, apparemment. Ses cheveux étaient relevés en chignon et traversés de leurs habituelles baguettes. Mona distingua même sur ses yeux un peu d'ombre à paupières violâtre assortie à l'écharpe-ceinture toute neuve.

— Stratos ! s'écria Anna en tendant la main. Quelle bonne surprise !

Une fraction de seconde, Mona crut que Stratos allait baiser cérémonieusement cette main tendue, mais il se borna à une respectueuse courbette et déclara :

— Vous savez, Molivos est une toute petite ville.

— Je suppose que oui, reconnut Anna en souriant d'un air réservé.

Elle posa gracieusement son fessier sur une chaise et ses mains l'une sur l'autre sur la table. Tellement séductrice, pensa Mona, tellement *fâââmme*.

— Voulez-vous vous joindre à nous pour le dîner, Stratos ? Nous en serions ravies.

— Il l'a déjà proposé, lui dit Mona. J'ai répondu que ce serait avec plaisir.

— Oh.

Anna sembla rougir légèrement.

— Vous avez eu là une excellente idée !

Stratos fit un geste vers la bouteille de résiné en balbutiant.

— Je me suis permis de... Enfin j'espère que vous ne...

— Merveilleux ! s'exclama Anna en soulevant le verre vide.

Stratos versa le vin avec une certaine élégance.

— Mona me parlait des désagréments que vous cause cette discothèque.

— Oh, oui ! L'entendez-vous, de là où vous habitez ?

Il secoua la tête.

— Pas beaucoup. Ma maison est protégée par la colline.

— Vous avez de la chance, soupira Anna. Nous, nous sommes juste au-dessus. On dirait que le son rebondit sur la mer et revient tout droit chez nous. Une sorte de phénomène d'amphithéâtre, je suppose.

— Ce sera bientôt fini, assura Stratos.

Mona était irritée par cette complaisance typiquement grecque, et elle explosa :

— Je vais couper les câbles électriques, un de ces soirs !

Anna lui adressa un petit sourire indulgent, puis se tourna de nouveau vers Stratos.

— Ma fille est une anarchiste, énonça-t-elle, au cas où vous ne l'auriez pas encore remarqué.

— Ma mère s'imagine que je plaisante, dit Mona.

Stratos laissa échapper un petit rire et leva son verre en direction de Mona :

— Je pourrais bien me joindre à vous. Nous serons deux guérilleros en lutte pour la sauvegarde des îles grecques.

Mona fit tinter son verre contre le sien.

— Mort aux discothèques ! claironna-t-elle.

Pendant le dîner, quatre ou cinq chats descendirent du parapet et dansèrent une curieuse petite gavotte autour des jambes d'Anna.

171

— Celui-ci me rappelle Boris, observa-t-elle en jetant un morceau de poisson à un très vieux matou au poil tigré. Tu te souviens de lui ?

Mona fit oui de la tête.

— Il est toujours vivant ? s'enquit-elle.

— Non.

Le visage d'Anna s'attrista.

— Non, il nous a quittés. J'ai Rupert, maintenant.

Stratos remplit de nouveau leurs verres.

— Avez-vous parlé à Mona de Pelopi ?

— Non, pas encore, répondit Anna avec une voix étrangement douce.

Rougit-elle, se demanda Mona, ou est-ce seulement un effet du coucher de soleil ?

— Qu'est-ce que c'est, Pelopi ?

— Un village perdu dans les montagnes. Stratos a très gentiment proposé de... de m'y emmener.

— Ah ?

Stratos expliqua :

— C'est le lieu de naissance du père de Michael Dukakis.

— Oh... je vois !

Comment avait-elle pu l'oublier ? Les tavernes de Molivos grouillaient de pèlerins des médias en route pour ce lieu sacré. On voyait même des camionnettes de fermiers arborant des autocollants de soutien à Dukakis pour la prochaine présidentielle. Le maire de Molivos, disait-on, avait déjà prévu d'envoyer une troupe de danse traditionnelle lesbienne à la Maison Blanche en cas de victoire démocrate.

Elle ouvrit la bouche pour parler.

— Stratos prétend que c'est ravissant, s'interposa Anna en toute hâte, non sans lancer à sa fille un regard lourd de sens. Son cousin a une maison, là-haut.

— Bien, bien. Tu seras de nouveau partie pour la journée, alors ?

— Euh... Non. Nous avons pensé que nous pourrions y rester un peu.

Mona hocha lentement la tête. La lumière se fit dans son esprit :

Bien sûr ! songea-t-elle. Ils couchent déjà ensemble, ou comptent bien le faire, et très vite !... Comment pouvais-je être aussi naïve ?

Anna la regarda avec un léger sourire de béatitude, qui signifiait clairement : « Ne m'oblige pas à entrer dans les détails. »

— C'est beaucoup plus petit que Molivos, commença Stratos. Mais très beau.

— Je n'en doute pas, répliqua Mona. Et votre cousin est absent ?

— Mona, ma chérie...

Elle darda vers sa mère un regard coquin, prenant acte de sa conquête. Que ce fût Anna, et non sa lesbienne de fille, qui s'envoyât en l'air sur l'île sapphique était une situation dont l'ironie ne leur échappait ni à l'une ni à l'autre.

Soit. C'était ce qu'on gagnait à trop se fier aux noms emblématiques.

— Donc, Mona, reprit Stratos, vous aurez la villa pour vous toute seule pendant quelques jours.

— Très bien.

Mona leur sourit à tous les deux.

— C'est parfait. Amusez-vous bien.

Elle réfléchit quelques instants, puis ajouta :

— J'espère que ce n'est pas moi qui vous fais fuir.

— Mais non, ma chérie !

— Parce que je peux parfaitement prendre une chambre, et...

— Je pars parce que j'en ai envie, coupa Anna. J'ai très envie de voir Pelopi.

— Mmm. Oui, j'imagine assez bien pour quelle raison.

Sa mère la fixa d'un œil méfiant.

— C'est très impressionnant, martela-t-elle. Le lieu de naissance du père de Michael Dukakis !

Mona secoua la tête d'un air faussement émerveillé, s'amusant comme une folle.

Anna mit un terme à cet affectueux harcèlement en fixant la grosse pendule graisseuse sur le mur de *La Sirène*. Elle demanda :

— Quelle heure peut-il être, à San Francisco ?

Mona se livra à une arithmétique rapide.

— Euh... Neuf heures du matin.

— Ah, très bien.

Anna se leva brusquement et posa sur Stratos un regard d'excuse.

— Voulez-vous être assez aimable pour tenir compagnie à ma fille pendant une dizaine de minutes ?

— Avec plaisir.

Un nuage passa sur le visage souriant de Stratos.

— Tout va bien, j'espère ?

— Oui, oui. Ne vous inquiétez pas. Je vais seulement passer un coup de fil aux enfants.

Anna se tourna de nouveau vers Mona.

— Je file jusqu'au téléphone et je reviens tout de suite. Nous irons prendre le dessert ailleurs.

Après un dernier sourire, elle s'éloigna précipitamment dans la nuit tombante.

Alarmé par le départ d'Anna, le serveur réapparut. Mona lui assura que sa mère allait revenir, puis commanda un ouzo-Sprite.

— Et vous ? demanda-t-elle à Stratos.

Celui-ci secoua la tête, et le serveur repartit.

— Vous avez des frères et sœurs ? s'enquit le vieil homme.

Mona sourit :

— Non. Ce sont ses locataires qu'elle appelle ses enfants.

Stratos reçut cette étrange information sans changer d'expression.

— Elle loue des appartements dans sa maison, expliqua Mona. Mais elle a déjà dû vous le dire ?

— Oui, oui.

Il y eut un long silence assez embarrassé, après quoi Stratos prit de nouveau la parole :

— J'ai une idée pour vous.

— Laquelle ?

— Eh bien... si le bruit de la discothèque vous dérange trop, à la villa... peut-être devriez-vous aller à Skala Eressou.

Mona le regarda fixement, se demandant si le soudain départ d'Anna, sous prétexte de téléphoner, n'était pas une mise en scène. En dépit de leurs protestations, n'essayaient-ils pas de se débarrasser d'elle ?

— Il y a une plage, là-bas, poursuivit Stratos.

— Comme celle-ci ?

Son ton était plus brutal qu'elle ne l'aurait voulu, mais la plage locale était une horreur : étroite, caillouteuse, jonchée de saletés.

— Non, précisa-t-il. Une plage de beau sable fin. C'est un petit village tout simple, mais je crois qu'il vous plairait.

Tout compte fait, se dit-elle, sans doute voulait-il seulement se montrer gentil. N'empêche qu'elle était bien décidée à ne pas bouger de la villa. La location était payée, après tout, et le « petit village tout simple » risquait fort d'être encore plus ennuyeux que Molivos.

— Merci, répondit-elle, mais je me trouve très bien ici.

— C'est à Skala Eressou que Sappho est née, continua d'expliquer Stratos. Il y a beaucoup de tentes sur la plage.

— Des tentes ?

— Oui.

— Quel genre de tentes ?

— Eh bien, dit Stratos, des tentes occupées par beaucoup de femmes. Des... féministes, qui viennent d'un peu partout, voyez-vous ?... Enfin, beaucoup plus qu'ici.

Elle scruta son visage, mais il ne trahissait rien.

— Peut-être que ça vous plairait, répéta-t-il.

Elle le regardait toujours, un sourire s'épanouissant lentement sur son visage.

— Peut-être bien, fit-elle en écho.

L'Orgue des vagues

Sous le dôme de porcelaine bleue surplombant Noe Valley, un cerf-volant solitaire poursuivait sa propre queue aux couleurs d'arc-en-ciel. Mary Ann le contempla un moment, toute à l'admiration de son audacieuse indécision, puis engagea sa Mercedes dans l'allée de Michael. Le faux printemps de ce mois d'octobre faisait monter en elle un étonnant flot d'optimisme ; la tâche qui l'attendait ne serait peut-être pas aussi terrible qu'elle l'avait d'abord imaginé.

— Michael arrive ! lui cria Thack depuis le jardin.

Il était perché sur une échelle et clouait des planches contre un côté de la maison.

— Merci, lui répondit Mary Ann.

— C'est une belle journée pour se promener.

— Oui, superbe.

Elle se rendait compte que Thack pouvait se montrer très gentil, quand il le voulait.

— Qu'est-ce que tu construis ? demanda-t-elle.

— Seulement un treillis.

— Ah oui ? Il a l'air original.

— Euh... Il le sera. Du moins je l'espère.

Michael apparut dans l'encadrement de la porte, criant à son tour dans la direction de Mary Ann :

— Est-ce que j'ai besoin d'une veste ?

— Sûrement pas.

Quelques secondes plus tard, il courait vers la voiture, vêtu d'un pantalon de velours côtelé et d'une vieille chemise de madras vert pâle, son petit caniche jappeur dansant gaiement autour de ses chevilles.

— Non, Harry ! Toi, tu restes ici, mon vieux. Ici. À la maison. Tu as compris.

Thack regardait la scène du haut de son échelle.

— Tu l'as promené ? s'enquit-il.

— Oui, tôt ce matin. Je l'ai emmené au P-A-R-C.

Il monta en voiture et adressa un grand sourire à Mary Ann.

— Il faut épeler certains mots, quand Harry est là, expliqua-t-il. Sinon il s'excite pour rien.

Elle ne fut pas surprise.

— Je connais ça, figure-toi.

Michael se mit à rire.

— Seulement, Shawna comprend quand on épelle, j'imagine ?

— Malheureusement. Nous étudions une autre solution.

Ils quittèrent l'allée et se mirent en route. Mary Ann, avec lui, riait toujours de bon cœur : il avait le don de la rendre d'humeur joyeuse et hardie.

Arrivés à la marina, ils garèrent la voiture dans le parking voisin du yacht-club. Le bleu de la baie était pâli par les voiles des plaisanciers, et les joueurs de volley-ball paraissaient si nombreux au bout de la vaste pelouse qu'on aurait dit qu'une seule partie était en cours, phénoménale et virant à l'émeute. Michael suggéra de longer la digue jusqu'à l'Orgue des vagues — ce qui convenait parfaitement à Mary Ann, car il y avait toujours moins de monde de ce côté et elle recherchait un lieu aussi tranquille que possible.

Elle avait eu une fois l'occasion de présenter une brève émission sur l'Orgue des vagues, mais ne l'avait encore jamais vu de ses propres yeux. Il s'agissait d'une série de tuyaux installés sous l'eau et faisant surface sous une terrasse de pierre aménagée à l'extrémité de la digue. En approchant son oreille d'une des ouvertures pratiquées dans le sol de la terrasse, on pouvait entendre la « musique » de l'orgue, les harmonies mêmes de la mer ; du moins, c'était ce que rapportaient les articles qu'elle avait lus.

Michael s'agenouilla près d'une des ouvertures.

— Alors, qu'est-ce que ça donne ? demanda-t-elle.

— Mmm... Intéressant.

— Ça fait vraiment de la musique ?

— De la musique, c'est aller un peu loin.

Elle trouva une autre ouverture — une sorte de périscope de pierre — et écouta à son tour. Tout ce qu'elle entendit fut un sifflement assourdi, en partie couvert par un clapotis régulier : pas vraiment la Symphonie de Neptune !

— C'est peut-être plus impressionnant lors des changements de marée, hasarda Michael.

Comme toujours, il refusait de censurer les créations de son imaginaire.

— Comment est la marée en ce moment ? Haute ou basse ?

— Va savoir !

Il regarda autour de lui, appréciant l'architecture de la terrasse.

— En tout cas, c'est joliment conçu, cet endroit... Genre néoclassique postmoderne ; j'aime bien ces pierres sculptées.

— On les a récupérées dans les cimetières, lui apprit-elle.

— Vraiment ?

— C'est ce qu'on m'a dit.

Il s'assit dans une alcôve et caressa les contours des pierres. Elle vint s'asseoir près de lui et contempla un moment en silence les voiles qui se gonflaient sous le vent, et les mouettes qui rasaient les vagues. Elle commença alors doucement :

— Je suis désolée que nous soyons restés si éloignés ces derniers temps.

— Ne t'excuse pas, dit-il.

— Le plus souvent, je suis complètement débordée, tu sais?

— Je sais.

— Mais Brian me donne des nouvelles de toi, et... de cette façon, je me sens toujours proche.

— Oui.

Il acquiesça de la tête.

— Brian fait aussi ça en sens inverse pour moi.

— Je ne veux pas que la vie nous sépare, Mouse. J'ai trop besoin de toi.

Michael l'observa un moment.

— C'était ça que tu voulais me dire? s'inquiéta-t-il.

Elle secoua la tête négativement.

— Quoi, alors?

— Burke m'a proposé un job, murmura-t-elle.

— Un job?

— À New York. Comme présentatrice d'un talk-show.

Il lui fallut un moment pour enregistrer cette nouvelle, mais il paraissait plus abasourdi qu'horrifié.

— Tu plaisantes! lâcha-t-il enfin.

— Non.

— Tu veux dire... Sur un réseau national?

— Oui.

— Ça alors!

— C'est presque incroyable, non?

Un silence. Puis:

— Tu vas accepter? demanda-t-il.

— Je crois bien, répondit Mary Ann. Burke ne le sait pas encore, mais je suis à peu près décidée.

— Qu'est-ce que Brian en pense?

— Je ne lui en ai pas parlé... Je voulais réfléchir d'abord.

Un couple s'approchait pour essayer à son tour l'Orgue des vagues.

— C'est comment ? voulut savoir la femme.

— Pas très convaincant, osa Michael.

L'homme pressa sa tête contre un des périscopes de pierre. Habillé comme il l'était — tout en tergal et polyester —, il ressemblait à un membre du public qui assistait à l'émission de Mary Ann.

— Qu'est-ce qu'on devrait entendre ? s'enquit-il.

— Nous ne savons pas trop, dit Mary Ann.

L'homme tendit l'oreille un instant, puis poussa un grognement déçu et repartit vers la digue. Cela parut suffire à sa femme, qui ne prit même pas la peine d'écouter. Avant de s'éloigner, elle s'arrêta brusquement devant Mary Ann.

— Oh, il faut que je vous dise... déclara-t-elle. J'ai adoré votre émission sur les messageries roses !

Mary Ann fit son possible pour être aimable :

— Vous êtes très gentille, bafouilla-t-elle avec un sourire.

La femme, son compliment fait, rebroussa chemin et rejoignit son mari au bout de la digue.

Michael tourna vers elle un visage rieur.

— Tu es sûre de voir plus grand que *ça* ? lui demanda-t-il avec un coup d'œil vers les deux silhouettes qui s'éloignaient.

Mary Ann prit son menton dans ses mains et fit mine de réfléchir intensément à la question.

— Ça va, ça va, plaisanta-t-il. J'ai compris.

C'était ce qu'elle aimait tellement en lui. Il pouvait se glisser tout près de ce qu'elle était au plus profond d'elle-même, mieux que toute autre personne qu'elle eût jamais connue. Il pouvait même y rester longtemps, très longtemps, pelotonné contre ce « moi » brûlant d'ambition, pareil à un chat contre un poêle rempli de braises.

— Tu seras... la présentatrice en chef, en somme ?

Elle le lui confirma.

— Ils garderont même le titre, *Mary Ann le matin*.

— Merveilleux. Le vedettariat assuré !

— N'est-ce pas ?

— Alors, où est le problème ? Tu as peur que Brian ne veuille pas te suivre ?

— Non... répondit-elle. J'ai peur qu'il le veuille.

Le visage de Michael ne trahit aucune émotion, mais de toute évidence il avait compris.

— Je ne l'aime plus, Mouse. Il y a déjà longtemps que je ne l'aime plus, avoua-t-elle.

Détournant les yeux, il laissa échapper un juron, mais à voix si basse qu'on aurait dit une prière.

— Je sais quel effet cela doit te faire, reprit-elle. On ne peut pas dire que nous en ayons vraiment parlé, et...

— Et Shawna ? l'interrompit-il.

Elle se tut, puis, pesant soigneusement ses mots.

— Je ne chercherai jamais à la lui prendre, affirmat-elle. C'est ici qu'elle a sa place, tout autant que lui.

Il hocha pensivement la tête.

— Même si j'avais encore... certains sentiments, ce serait mal, de ma part, de vouloir qu'il parte, poursuivit-elle. Il tient à la jardinerie plus qu'à tout ce qu'il a fait dans sa vie. Il ne serait jamais heureux à New York. C'est un autre monde. D'ailleurs, tu l'as vu l'autre soir avec les Rand.

— Quel était le problème ?

— Il n'y avait pas de problème à proprement parler ! Simplement, il n'était pas... à son aise. Ce n'est pas son truc, ce genre de soirée, ça ne l'a jamais été. Il le dit lui-même, très souvent.

Elle étudia le regard brun de Michael, ombragé par ses longs cils, y quêtant une réponse.

— Tu sais que c'est la vérité. Il ne supporterait jamais de ne plus être *que* le mari de Mary Ann Singleton !

— C'est vrai, murmura-t-il, d'un ton un peu absent.

— Autrefois il y avait quelque chose qui nous unissait. Mais ce quelque chose n'existe plus.

181

Il continuait à scruter la surface de la mer.

— Es-tu encore amoureuse de Burke ? risqua-t-il.

Elle s'était naturellement attendue à cette question.

— Non. Absolument pas.

— Et lui ? Il est amoureux de toi ?

Elle eut un petit sourire ironique.

— Amoureux ? Je ne suis même pas sûre qu'il ait de l'*amitié* pour moi ! Tout cela est purement professionnel, Mouse. Je te le jure. Il n'y a rien d'autre.

Michael observa une mouette, qui paradait solennellement sur le bord de la digue.

— C'est comme ça depuis combien de temps ?

— Je ne sais pas, soupira Mary Ann.

— Tu le sais forcément !

— Non, insista-t-elle. Ça s'est insinué en moi sans que j'en aie vraiment conscience : une foule de petites choses qui se sont additionnées. Ce n'est pas comme si j'y pensais depuis longtemps.

— C'est cette affaire de talk-show qui t'y a poussée ?

— Disons qu'elle a agi comme un révélateur. J'ai compris que depuis un certain temps je me contentais d'une vie qui ne me satisfaisait pas. J'ai besoin d'un vrai partenaire, Mouse. De quelqu'un qui partage mes rêves...

Brusquement, elle sentit que des larmes brûlantes lui remplissaient les yeux.

— Quelquefois, je regarde Connie Chung et Maury Povitz, et je me sens... si *jalouse* !

— Tu veux divorcer ?

— Je ne sais pas. Pas tout de suite. Ça ne ferait que compliquer les choses, peut-être. J'envisage plutôt une situation à la Dolly Parton.

Visiblement, il ne comprenait pas.

— Tu sais bien : elle a un mari dans le Tennessee, non ? Un cantonnier, il me semble.

— Un paveur.

— Oui, enfin quelque chose comme ça.

— Donc... ce serait une simple séparation de corps ?

— Je voudrais la solution la moins pénible pour tout le monde, c'est tout.

— Dans ce cas, tu ferais peut-être mieux d'attendre. Voir comment les choses se passent avec ton nouveau boulot...

— Non. Tu trouves que ce serait honnête, Mouse ? C'est fini, entre Brian et moi. Il faut qu'il le sache. Il n'y a pas d'autre issue.

Elle se mit alors à sangloter, estropiant ses mots.

— Je ne suis pas un monstre. C'est seulement que je ne peux pas... lui faire abandonner la vie qu'il aime, ici... et tout ça pour quelque chose qui n'existe plus.

— Je te comprends.

Elle tira un Kleenex de son sac.

— Tu me comprends ? C'est vrai ?

— Oui, bien sûr.

— J'avais tellement peur que non ! Que tu me détestes à cause de tout ça. Je ne peux pas supporter l'idée de te perdre.

— Est-ce que tu m'as déjà perdu ?

— Je ne veux pas, dit Mary Ann. Surtout pas maintenant.

Il lui glissa doucement le bras autour de la taille.

— Quand vas-tu lui parler ? demanda-t-il.

— Je ne sais pas. Bientôt.

— Il n'y sera pas préparé, tu sais ?

Elle se tamponna les yeux avec son Kleenex froissé, et fut prise d'une soudaine inquiétude.

— Tu ne cracheras pas le morceau, n'est-ce pas ?

— Non, bien sûr, mais... Il t'aime beaucoup, Babycakes.

— Non, protesta-t-elle. C'est une habitude, rien de plus. Quelque chose qui nous est arrivé par hasard, parce que nous n'avions nulle part ailleurs où aller. Et il le sait, au fond de lui.

— Tu exagères !

— Je t'assure. C'est la vérité.

— Alors, ce qui s'est passé entre toi et moi est aussi arrivé par hasard ! objecta Michael.

— Non, pas par hasard. Nous nous sommes toujours choisis, Mouse. Depuis le premier jour.

Elle le regarda, mais sans le toucher, consciente que ce serait aller trop loin.

— Nous serons toujours amis même quand nous serons tous les deux prostrés dans des fauteuils au fond d'une maison de retraite !

Une larme roula sur la joue de Michael. Il l'essuya d'un revers de main, puis lui sourit.

— Tu as choisi cet endroit exprès ? interrogea-t-il.

— Quel endroit ?

— C'est ici que nous nous sommes rencontrés. Au supermarché, le Marina Safeway.

— Ah, oui...

Le magasin s'élevait tout au bout de l'immense pelouse. Elle n'y avait pas mis les pieds depuis des années. C'était tout lui, de croire qu'elle l'avait amené ici pour commémorer leur première rencontre.

— Tu te souviens de Robert ? demanda-t-il. Le type avec qui j'étais ce jour-là.

— Et comment ! C'était lui que j'essayais de draguer !

— Merci !

Elle sourit.

— Tu as de ses nouvelles ? s'enquit-elle.

— Je l'ai croisé l'autre jour, raconta-t-il. J'avais du mal à croire qu'il ait pu devenir aussi barbant !

— Normal, observa Mary Ann.

— Je n'arrivais à penser qu'à une seule chose : qu'est-ce qui serait arrivé s'il ne m'avait pas largué ? J'habiterais probablement un pavillon dans un lotissement de Foster City. Et je n'aurais jamais rencontré Thack.

Sur ce dernier point, elle ne savait pas vraiment quoi dire ; aussi préféra-t-elle regarder la mer. Au loin, on distinguait la masse compacte d'Angel Island, tel un buisson poussiéreux au milieu d'une vaste prairie bleue. Autrefois, Michael et elle avaient coutume de s'y rendre pour pique-niquer. Il y avait de cela des années. Ils étalaient une couverture sur un des promontoires où jadis étaient installés des canons, et parlaient de leurs béguins pendant des heures.

— Il faudra absolument que tu viennes me voir, le supplia-t-elle.

— D'accord.

— C'est promis ? insista-t-elle.

— C'est promis.

— Si tu viens, je te présenterai au monde entier !

— Marché conclu. Et tu me téléphoneras toutes les semaines ?

— Bien sûr ! Et tu ne me croiras pas tellement j'aurai de ragots à te raconter !

Voyant qu'il riait, elle comprit que le pire était passé. Dix minutes plus tard, ils marchaient en direction du Marina Safeway, pour y trouver de quoi déjeuner. Sur la digue, un autre couple perplexe mettait un genou à terre en hommage à l'Orgue des vagues et tendait l'oreille pour entendre l'improbable musique.

In memoriam

Le lundi matin, dans la serre des *Plantes adoptives*, Brian se tourna vers Michael et lui déclara, tout souriant :

— D'après Mary Ann, il paraît que vous vous êtes bien amusés, à vous raconter tout ce qui vous était arrivé ces derniers mois.

Michael fut décontenancé, mais s'efforça de n'en rien montrer. Naturellement, elle avait bien fait de ne pas lui cacher leur promenade à la marina : pourquoi garder plus de secrets qu'il n'était absolument nécessaire ?

— Oui, répondit-il du ton le plus dégagé qu'il put. C'était très sympa. Pour déjeuner, nous sommes allés acheter de la salade de pâtes au Marina Safeway.

Les joues râpeuses comme du papier de verre de Brian se fendirent en un sourire encore plus jovial.

— Est-ce que ça drague toujours autant, par là-bas ?

— Cet aspect des choses m'a échappé. J'étais trop concentré sur mes pâtes.

— À d'autres !

À cet instant, Polly entra en trombe dans la serre, l'air inhabituellement troublé.

— C'est pour toi, Michael. Les flics.

— Quoi ?

— Un inspecteur, au téléphone. On dirait que c'est important.

Et merde : ses contraventions ! Elles se montaient à combien, depuis le temps ?

— Il dit qu'il te connaît, ajouta Polly.

Brian ricana.

— Probablement un ex-amant !

— Il s'appelle comment ? demanda Michael.

— Rivera, si j'ai bien compris.

Michael se tourna vers Brian :

— Effectivement, c'est un ex-amant !

— Qu'est-ce que je te disais !

Brian semblait très content de lui.

— Je les flaire encore mieux que toi !

Michael alla prendre l'appel dans le bureau.

— Bill, comment ça va ?

— Alors, tu te souviens ? se réjouit la voix au bout du fil.

— Bien sûr. Ça me fait plaisir de t'entendre.

Mais combien d'années avaient passé, au juste ? Six ? Sept ?

— Moi aussi, répondit Bill.

— Qu'est-ce qui se passe ?

Michael en était presque à se demander si Bill n'appelait pas pour lui proposer un rendez-vous. Après tout, pour lui, Michael était toujours célibataire, et toujours à la recherche de petits camarades de jeu.

— Je t'appelle du Commissariat nord. Nous avons là un ami à toi. Du moins, il nous a donné ton nom. Mais ce qu'il dit n'a pas grand sens.

— Comment s'appelle-t-il ?

— Joe quelque chose. Il ne veut rien nous dire de plus.

Michael réfléchit un moment. Joe Webster, sûrement. Le type dont s'occupait Ramon Landes. Le malade mental.

— Il n'a pas de papiers d'identité, mais je n'ai pas voulu l'envoyer à l'hôpital si...

— Très grand et très maigre ? Dans les trente ans, avec les cheveux bruns ?

— C'est ça, dit Bill. Tu le connais, alors ?

— Pas très bien. Je l'ai rencontré dans un groupe de travail sur le sida. Nous avons bien quelques amis en commun, mais ça m'étonne un peu qu'il se rappelle mon nom.

— Tu sais où il habite ?

— Écoute, je connais son copain *Shanti*...

— Peux-tu l'appeler, lui dire de venir le chercher ?

— Bien sûr. Est-ce que... euh... il a fait quelque chose de mal ? s'inquiéta Michael.

— Disons qu'il a plus ou moins... *abordé* quelqu'un, expliqua Bill. Mais rien de grave. On ne l'a pas inculpé de quoi que ce soit.

— Je vois.

— Tout ce que nous voulons, c'est être sûrs qu'il rentre à la maison tranquillement.

— OK. Merci beaucoup, Bill. Je m'en occupe.

Par malchance, Ramon n'était pas chez lui; aussi Michael laissa-t-il un message succinct sur son répondeur avant de se rendre en personne au Commissariat nord. Quand il se présenta, le sergent de l'accueil cria « Rivera! » par-dessus son épaule avant d'enfouir son visage bovin dans les pages de la biographie de Iacocca.

Bill arriva après quelques secondes.

— Eh bien! s'exclama-t-il. Ça faisait longtemps, mon vieux...

Résistant à l'envie de l'embrasser sur les deux joues, Michael lui serra la main avec une cordialité exagérée.

— Salut! répondit-il. Tu as l'air en super forme.

Bill s'était quelque peu épaissi au niveau de la taille, mais son uniforme lui seyait. Les vêtements qu'il portait jadis dans le civil — chemises Qiana et jeans design surpiqués — n'avaient jamais vraiment rendu justice à son sex-appeal.

— Tu habites toujours cette rue... Comment s'appelle-t-elle, déjà?

— Barbary Lane.

— C'est ça, je me rappelle.

Il secoua la tête, apparemment perdu dans ses souvenirs.

— Il y a des lustres que je ne suis pas passé par là.

— En fait, j'ai déménagé il y a quelques années. J'habite Noe Valley maintenant.

— Mets-toi à l'aise, proposa Bill en lui désignant une rangée de chaises en plastique. Je vais chercher ce zèbre.

— Une seconde.

Michael le saisit par le bras.

— Qu'a-t-il fait exactement?

— Oh, eh bien... Il a... plus ou moins harcelé un groupe de témoins de Jéhovah.

Michael ravala le premier commentaire qui lui montait aux lèvres. Pour le moment, son rôle était d'avoir l'air responsable.

— Il les a agressés, tu veux dire ?

— Pas vraiment.

Bill nota quelque chose sur son bloc-notes.

— Il leur a seulement exhibé... quelque chose. De manière un peu insistante, tu vois...

— Quoi ?

Michael promena autour de lui un regard coupable, comme s'il y avait dans la pièce des témoins de Jéhovah, ou même d'autres personnes susceptibles de l'entendre.

— Tu veux dire sa... ?

Le policier fit non de la tête, avec un sourire pincé.

— Non. Celle de quelqu'un d'autre.

Cherchant sous son bureau, il en retira un sac en plastique et le tendit à Michael.

— Regarde toi-même.

À l'intérieur du sac se trouvait un coffret en carton orné d'un portrait sur papier glacé de Jeff Stryker, la star du porno.

— Qu'est-ce que... ?

— Lis ! insista Bill.

L'étiquette disait : *Le sexe et les couilles de Jeff Stryker. Copie strictement conforme. Dimensions impressionnantes ! Moulé directement sur le sexe en érection de Jeff. Fantastiquement réaliste à l'œil et au toucher !*

Il ouvrit la boîte et y trouva un sachet en velours fermé par une cordelette.

— À ta place, je ne l'ouvrirais pas, conseilla Bill.

— Tu as raison.

— On peut même presser les couilles, figure-toi !

— Sans blague ?

— Si, si.

— On se demande où va le monde ! ironisa Michael.

Bill émit un petit rire, mais c'était un rire froid, professionnel.

— Tu as trouvé l'adresse de Joe? demanda-t-il.

— Non. Désolé.

— Tu pourrais me la donner par téléphone un peu plus tard? Pour mon rapport.

— Bien sûr, répondit Michael.

— Parfait.

Bill leva les yeux de son bloc-notes.

— Alors, comment vas-tu depuis tout ce temps?

— Plutôt bien. Je suis en vie.

— On dirait. Tu es... Tu vis toujours seul?

— Non. Je suis avec quelqu'un, maintenant.

— Ah! Content pour toi. Où l'as-tu rencontré?

— Au pénitencier d'Alcatraz, figure-toi.

Ces mots arrachèrent un sourire à Bill.

— Touriste ou gardien? plaisanta-t-il.

— Touriste.

— Et il est venu s'installer ici?

Michael fit oui de la tête.

— Il y a trois ans, environ.

— Félicitations.

Si Bill avait le cœur brisé par cette nouvelle, son entraînement de policier lui avait appris à dissimuler efficacement ses sentiments.

— Et toi? s'enquit Michael.

— Rien de changé. Célibataire endurci.

— Mmm... Ça a l'air de te convenir.

— Exactement. Qu'est-ce que je ferais d'un amant au *Paradis des poulets*, hein?

Michael fronça les sourcils, sans comprendre.

— Mais si, tu sais bien, les grandes soirées des flics gays et lesbiennes, lui rappela Bill. Je t'ai emmené une fois, il me semble?

— Je ne crois pas.

— Tu es sûr?

Michael leva les yeux au ciel.

— Je m'en souviendrais, Bill, tu peux me faire confiance !

— Viens à la prochaine, dans ce cas. Et amène ton ami.

— Merci. Pourquoi pas ?

— Je vais chercher notre zigoto, décida Bill.

Il donna une tape amicale sur l'épaule de Michael et disparut dans la pièce du fond.

Peu après Joe Webster apparut avec un air hagard et épuisé, sa haute stature élancée réduite à une piteuse allure de ptérodactyle désarticulé. Quand ses yeux rencontrèrent ceux de Michael, celui-ci n'y décela aucune lueur indiquant qu'il le reconnaissait.

— Voilà votre ami, annonça Bill.

— C'est pas mon ami.

— C'est Michael Tolliver. Vous nous avez bien dit d'appeler Michael Tolliver, non ?

Joe dédaigna de répondre.

Bill esquissa un sourire indulgent et regarda Michael.

— C'est bien lui ? demanda-t-il.

Michael hocha la tête en signe d'affirmation.

— Mais il a toutefois raison, précisa-t-il. Nous ne sommes pas vraiment amis.

Bill haussa les épaules.

— Du moment que tu le reconnais...

— Z'ont pas voulu me donner une chambre, ces salauds, interrompit Joe, sourcils froncés. Y avait même pas de serviettes.

Bill interrogea de nouveau Michael.

— Tu as pu joindre son copain *Shanti* ?

— Pas encore.

Michael se tourna vers Joe et s'efforça de prendre un air aussi bienveillant que possible.

— Si nous allions retrouver Ramon ? OK ?

— Il est où, Ramon ? marmonna Joe.

— À la maison. Ou s'il n'y est pas, il y sera bientôt.

191

Michael, intérieurement, faisait des vœux pour que ce fût vrai.

— Je t'y emmène, d'accord ?

— Pas de serviettes, putain ! Qu'est-ce qu'ils croient que je fous ici ? J'ai payé, pas vrai ? Est-ce que j'ai pas payé ?

— Qu'est-ce qu'il raconte ? demanda Michael à Bill.

— Aucune idée. Qu'est-ce que tu vas faire si tu ne trouves pas son pote ?

— Sais pas.

— Tu as le numéro de son boulot ?

— Il travaille chez lui, expliqua Michael. Je suppose qu'il doit être sorti faire des courses...

— Pas de serviettes, pas de chambres, putain de merde !

— Tu ferais peut-être bien de rappeler, suggéra Bill.

Cette fois, Ramon était chez lui. Michael lui relata ce qui s'était passé et offrit de reconduire Joe en voiture jusqu'à Bernal Heights, où Ramon habitait. Celui-ci le remercia avec effusion, et lorsqu'ils arrivèrent une demi-heure plus tard, il les attendait sur le perron.

— Je suis vraiment désolé, déclara-t-il.

— Je t'en prie. C'est sans importance.

Joe déplia son corps dégingandé pour s'extraire de la Volkswagen et commença de monter les marches sans un mot.

— Ho, lui cria Ramon. Tu pourrais dire merci à Michael.

Joe s'arrêta et tourna son regard vers eux.

— Pourquoi ? grogna-t-il.

— Mais parce que je te le demande.

— Ne t'inquiète pas, intervint Michael, gêné. Je t'assure.

Ramon baissa la voix.

— Il perd de plus en plus la boule, ces derniers temps. La semaine dernière, il a mis le feu à une poubelle en plein milieu d'un séminaire de Louise Hay.

— Charmant.

— Il doit vraiment t'aimer beaucoup, poursuivit Ramon, sinon il n'aurait jamais donné ton nom.

— Ça n'a pas d'importance, le rassura Michael.

— Il a comme ça des moments où brusquement il n'est plus la même personne.

Michael hocha la tête.

— Au commissariat, il n'arrêtait pas de parler de serviettes.

— À l'hôpital aussi. Et même à la poste, d'ailleurs. Il s'imagine partout qu'il est au sauna, soupira Ramon. À cause du guichet, j'imagine.

Joe les observait du haut de l'escalier.

— Tu sais, cria-t-il, c'est pas ce que tu as fait qui te donnera des points en plus ! Personne tient les comptes, au Ciel. Si t'es bien vu, t'es bien vu : c'est tout.

Michael fit mine de n'avoir pas entendu et tendit à Ramon le sac contenant le sexe en caoutchouc.

— À ta place, je ferais attention à ce truc, conseilla-t-il.

Ramon lui fit un clin d'œil.

— Si jamais je peux te rendre service, n'hésite pas...

— Mais je t'en prie... répéta-t-il.

— *Tu m'entends ?* hurla Joe.

— Il vaut mieux que je m'en aille, murmura Michael.

Ramon acquiesça.

— Oui, c'est préférable.

— *C'est un temps pour devenir cinglé, Michael ! La gentillesse, ça compte pour de la merde !*

— Crois-le ou non, ajouta Ramon, il lui arrive d'avoir des moments de complète lucidité.

Michael eut alors avec angoisse la sensation que celui-là en était justement un.

Sous couvert d'anonymat

— Bon, expliquait Polly à Brian dans la serre, tu imagines la scène : Madonna et Sandra Bernhard assises côte à côte sur le plateau, sous les yeux de Letterman, et tout simplement *dans les bras* l'une de l'autre ! Elles s'amusaient comme deux petites folles en faisant des blagues à propos du *Hole*, c'est-à-dire le *Cubby Hole*, le plus connu des bars pour nanas à New York. Tout ça passait complètement au-dessus de la tête de cet imbécile de Letterman. Quelle tache, celui-là !

Brian n'était nullement convaincu.

— Polly, tu ne vas quand même pas me raconter que Madonna...

— Pourquoi pas ? Aie un peu les pieds sur terre !

Elle récurait des bacs en plastique et les empilait dans un coin.

— Tu dis ça uniquement parce que tu ne peux pas supporter l'idée qu'elle...

Il l'interrompit en ricanant.

— Quoi ? s'énerva-t-elle.

— Au contraire, insista-t-il. L'idée me plaît beaucoup.

— Ouais, je m'en doute. M'étonne pas de toi ! maugréa Polly.

Il lui jeta un regard en coin, puis :

— Qu'est-ce que t'attends de moi, à la fin ? Que ça me plaise ou que ça me déplaise ?

— Passe-moi ce bac, s'il te plaît, ronchonna Polly.

Il s'exécuta, tout sourire et comme émoustillé.

194

— La vraie question, reprit Polly, est celle-ci : qu'est-ce que Madonna peut bien trouver à Sandra Bernhard ? Moi, si j'étais Madonna, je chercherais quelqu'un de plus excitant : Jamie Lee Curtis, par exemple !

Elle se leva et s'épousseta les mains.

— Dis-moi, est-ce que Michael ne devrait pas être rentré ? Ça fait des heures qu'il est parti.

— Oui, il devrait.

— Ça prend longtemps, de faire libérer quelqu'un sous caution ?

— Le type n'avait pas besoin de caution, rectifia Brian.

— Ah bon ?

— Non. Seulement, j'imagine qu'il a eu du mal à retrouver le bénévole *Shanti*.

— Dis, c'était Mary Ann dont on parlait dans le journal ce matin ?

Ce coq-à-l'âne le prit au dépourvu.

— Quoi ? Où ça ?

— Dans la chronique de Herb Caen, précisa Polly.

— Il parlait d'elle ? Pour dire quoi ?

— Oh, ça pourrait tout aussi bien ne pas être elle, commenta Polly d'un ton dégagé. Comment t'appelles des révélations sur une personne dont on ne donne pas le nom, toi ?

— Euh... Des révélations sous couvert d'anonymat, répondit Brian, qui se sentait déjà sur des charbons ardents.

— Voilà ! triompha Polly. Eh bien, c'est un article sous couvert d'anonymat. Comme tu dis.

Cinq minutes plus tard, quand Polly sortit du bureau, il se ressaisit tant bien que mal et appela Mary Ann au studio.

— C'est de toi qu'il s'agit ? demanda-t-il sans même s'annoncer.

D'abord, il n'obtint pas de réponse.

— C'est de toi? insista-t-il.

— Brian!

Sa voix prit son timbre le plus professionnel.

— Je suis tout aussi surprise que...

— Il me semblait bien, aussi, qu'il ne pouvait y avoir par ici tant d'autres brillantes animatrices de talk-show courtisées par des producteurs de New York!

— Cette fuite n'aurait jamais dû se produire.

— Ah? C'est la vérité, donc? Dans ce cas, tout va bien, je suppose?

— J'ai bien l'intention de m'expliquer, l'assura-t-elle posément. Mais je ne veux pas le faire au téléphone.

— Faut-il que je publie un article quelque part?

Elle soupira.

— Ne réagis pas comme ça.

— Comme ça quoi?

— Systématiquement blessé et parano. De toute façon, j'allais t'en parler.

— Quand?

— Ce soir.

— Pas question, répliqua Brian. Nous allons en parler maintenant. Sans attendre une minute de plus.

— Non, déclara Mary Ann calmement. Pas au téléphone.

— Alors, retrouvons-nous quelque part.

— Je ne peux pas.

— Pourquoi? Tu dois te faire courtiser encore un peu plus?

Elle lui fit payer ce sarcasme par un long silence. Enfin, elle lui posa la question qu'il attendait :

— Où veux-tu que nous nous retrouvions?

— Choisis.

— OK. À la maison, dans ce cas.

Il en conclut tout naturellement qu'elle redoutait une scène publique.

Quand il arriva, elle était debout, près de la fenêtre, portant la tenue qu'elle arborait habituellement lorsqu'elle avait quelque chose à se faire pardonner : un jeans moulant avec le chemisier rose et bleu qu'il aimait tant. La préméditation était évidente, mais cela le calma malgré tout. Il commençait déjà à sentir que sa réaction avait été excessive.

— J'ai renvoyé Nguyet chez elle, dit-elle.

— Très bien.

Il s'assit sur le sofa.

— Je suis vraiment désolée de ce qui s'est passé, Brian, reprit-elle après un silence. Je ne sais pas comment tout ça a pu arriver aux oreilles de Herb Caen.

Il ne la regardait pas.

— C'est pour de bon ? demanda-t-il.

— Oui.

— Tu en as vraiment envie ?

— Oui, énormément.

Brian soupira, puis :

— Tu sais ça depuis combien de temps ?

— Un petit moment, répondit évasivement Mary Ann.

— Depuis ce fameux déjeuner, c'est ça ?

Elle fit oui de la tête.

— Qu'est-ce que tu as pensé ? Que je serais à ce point jaloux d'un type avec qui tu as eu une histoire il y a des lustres que...

— Non, répliqua fermement Mary Ann. Jamais. Tu sais très bien qu'il n'y a rien de ce côté-là.

— Soit. Quoi, alors ?

— Qu'est-ce que tu veux dire par « quoi » ?

— Eh bien, pourquoi n'as-tu pas voulu m'en parler ? expliqua Brian. C'est ce que tu as toujours ambitionné, non ? Tu n'as pas imaginé que je serais heureux pour toi ?

— Brian...

— Est-ce que je suis un tel monstre d'égoïsme ?

— Non, bien sûr que non.

— Tu as cru que j'étais tellement attaché à la jardinerie que j'essaierais de te mettre des bâtons dans les roues?

— Ma foi...

— Tu as cru ça? Oui, c'est exactement ce que tu t'es mis en tête.

— Je sais que tu aimes ce boulot, répondit-elle un peu mollement.

— Ce que j'aime, c'est *toi*, ma petite. Tes victoires sont *mes* victoires. Elles m'ont toujours comblé. Que faut-il que je fasse pour t'en persuader?

Elle s'éloigna de la fenêtre et vint s'asseoir en face de lui dans le fauteuil, repliant d'un mouvement précis ses jambes sous ses fesses.

— Je ne trouve rien à te reprocher, Brian. Je t'assure! Je sais tout ce que tu es obligé de supporter.

Elle prononça ces mots avec tant de tendresse dans la voix qu'il sentit fondre en lui ce qu'il y restait de colère rentrée. Pour qu'elle le comprît, il lui adressa son plus gracieux sourire. Puis il se mit à la questionner à nouveau:

— Qu'est-ce qu'il te propose donc?

— Une émission. Simplement.

— Simplement? Sur un réseau national, c'est ça?

— C'est ça, répondit-elle.

— Basé à New York?

— Oui.

— Tu n'as pas l'air très enthousiaste, observa Brian.

— Si, je le suis. Cela implique seulement... beaucoup de choses auxquelles je dois réfléchir.

— Qu'est-ce que tu lui as répondu?

Elle haussa les épaules, puis:

— Qu'il fallait que je t'en parle d'abord, risqua-t-elle.

Cela l'éclaira soudain.

— Est-ce que c'est pour ça que tu l'as amené ici pour dîner? Pour que je voie qu'il n'était pas une menace avant de m'en parler?

Elle eut l'air penaud.

— Cet aspect-là des choses ne me tourmente pas du tout. Je t'assure.

Il vit qu'un léger doute persistait encore.

— C'est l'occasion de ta vie, mon chou. Nous devrions plutôt sabler le champagne!

Un moment, il la regarda, puis tapota le coussin à côté de lui. Elle se leva du fauteuil et vint s'asseoir tout près, posant sa tête contre son épaule.

— Appelle Burke, proposa-t-il avec résolution. Dis-lui que nous sommes d'accord.

— Non.

— Pourquoi?

— Il est à Los Angeles. Je ne sais pas comment le joindre. De toute façon c'est lui qui doit me rappeler.

— Ah.

Brian resta songeur un instant.

— Est-ce que tu as parlé de tout ça à Michael?

— Non. Bien sûr que non.

— Faut-il que je le lui annonce?

— Non! répondit-elle, presque farouchement. N'en parle à personne, au moins pendant quelque temps.

— Il va me poser des questions, objecta Brian. Il a dû voir cet article.

— Ah, oui... Évidemment!

Mary Ann fronça les sourcils. Brian pensa alors qu'elle était inquiète à l'idée de blesser son vieil ami.

— Il comprendra, la rassura-t-il en lui serrant tendrement l'épaule. Après tout, il a dirigé la jardinerie tout seul, avant que j'arrive.

Quand son associé poussa la porte de la jardinerie dans la lumière oblique de l'après-midi, Michael s'approcha de lui d'un pas nonchalant.

— Alors, comment ça s'est passé? s'enquit Brian, se rappelant l'appel du commissariat.

— Sans problème. On ne lui a pas collé de contravention, rien de tout ça.

— Qu'est-ce qu'il avait fait?

— Rien. Agité un godemiché sous le nez d'un groupe de témoins de Jéhovah.

Brian se mit à rire.

— Tu es sûr que c'est un malade?

Le sourire de Michael était forcé. Il semblait sur sa réserve comme rarement.

— Excuse-moi, le pria Brian. Ça n'a rien de drôle, je le sais.

— Non, non. Tu as raison de poser la question, en fait.

Brian l'observa un instant, visiblement un peu inquiet, et lui demanda :

— Tu vas bien, mon vieux?

— Oui, ça va.

— Nous nous sommes fait du souci, en ne te voyant pas revenir.

— Oh, tu sais...

— J'imagine que ça a pris un bout de temps, chez les flics.

— Pas vraiment. Mais j'ai fait un tour en voiture jusqu'à la plage. J'avais besoin de prendre l'air.

— Je te comprends.

— J'aurais dû penser à téléphoner.

— Mais non. Pas du tout.

Pauvre garçon! pensa Brian. Cette histoire l'a sûrement démoralisé.

— Polly m'a dit que tu avais dû partir. J'espère que mon absence n'a pas compliqué les choses, reprit Michael.

— Non, non.

Il se demanda si son associé ne cherchait pas là une façon d'aborder le sujet de l'article dans le journal.

De toute manière, il n'y avait aucune raison d'éviter cette question.

— Tu as lu la chronique de Herb Caen ce matin ?

Michael acquiesça.

— Polly me l'a montrée.

— Tu sais... c'est bien de Mary Ann qu'il s'agit !

— Ah oui ?

— Elle va accepter ce job, je crois.

Michael lui parut éviter son regard.

— Eh bien, déclara-t-il, c'est... une belle occasion, indéniablement.

— Et comment !

Brian hésita un instant.

— Il va falloir que nous mettions quelque chose au point, Michael.

— Qu'est-ce que tu veux dire ?

— Pour la jardinerie.

Michael cligna des paupières, de l'air de ne pas comprendre.

— Si je pars, expliqua Brian.

— Ah...

Brian espérait qu'un sourire adoucirait le choc.

— Si ça peut te réconforter, ajouta-t-il, pour moi aussi, c'est une sacrée surprise.

— Oh... Ne t'inquiète pas, répondit Michael évasivement.

— Je m'arrangerai pour te trouver des gens qui t'aideront. Promis. Si tu veux que je reste associé nominalement, pas de problème... Ou tout ce que tu voudras d'autre.

Michael hocha la tête, un peu distrait.

— Je sais que c'est très soudain, insista Brian. Je suis vraiment désolé.

— Écoute, je t'en prie...

— Ce n'est pas que j'aime spécialement New York, tu sais ?

— Je sais.

— Seulement... ça serait dégueulasse de ma part, de m'y opposer. Pour Mary Ann, c'est une telle...

— On ferait mieux d'en reparler plus tard, tu ne crois pas?

Michael semblait blessé, c'était évident.

— Euh... Comme tu veux.

— Ça semble un peu prématuré, pour le moment, non?

— OK. Bien sûr. Simplement... je ne voulais pas te cacher quoi que ce soit. Il me paraît normal que tu sois au courant.

— Je te remercie, répondit Michael, avant de se diriger rapidement vers le bureau.

Mary Ann était déjà couchée quand Brian sortit de la douche ce soir-là. Quand il entra dans la chambre, il la vit reposer le téléphone.

— C'était qui? demanda-t-il en s'asseyant au bord du lit.

— Michael.

— Qu'est-ce qu'il voulait?

— Il te demande d'apporter l'ordinateur portable demain matin.

— Ah... OK.

Il se tourna et regarda sa femme.

— Il a parlé de New York?

Elle soupira.

— Il m'a félicitée. Il n'a pas dit grand-chose d'autre.

— Je crois qu'il panique un peu à cause de tout ça.

— Pourquoi?

— Tu sais bien : le fait que je laisse tomber notre association.

— Ah! oui...

— Pour ne rien te cacher, ajouta Brian, je l'ai été aussi, sur le moment.

— Tu as été quoi aussi?

— Paniqué.

— Vraiment ?

— Mais c'est passé.

Il tendit un bras et lui tapota une cuisse à travers la couverture.

— Nous avons là une vraie grande aventure en perspective. J'ai dû me retenir pour ne rien dire à Shawna.

Elle sembla se raidir.

— Mais tu ne lui as rien dit ?

— Non. Mais je ne vois pas quel mal...

— C'est complètement prématuré, Brian, déclara-t-elle fermement.

— Pourquoi ?

— Eh bien... Rien n'est conclu pour le moment. Elle le raconterait à tout le monde à l'école.

— Oui, je comprends.

— J'ai suffisamment de problèmes comme ça, tu sais ? Kenan m'a convoquée dans son bureau cet après-midi à cause de cette saleté d'article.

— Bon Dieu !

Il se représenta l'indignation du directeur de la chaîne, et son grand désarroi à la seule idée de perdre ce joyau unique de sa couronne.

— Il est furieux contre toi ? demanda-t-il.

— Plutôt, oui.

— Mais tu as tout nié ?

— Évidemment.

— Bravo.

Il éteignit la lumière et entra dans le lit pour s'y blottir contre elle.

— Ce type est un immonde connard ! continua Mary Ann avec un soupir excédé.

— Et comment !

— Je serai sacrément contente de le voir s'arracher les cheveux.

Pendant quelques instants, il s'abandonna au plaisir

de s'imaginer avec elle, couchés comme ils l'étaient en ce moment, dans une autre ville et en une autre saison. L'appui de fenêtre était recouvert de neige fraîche sur laquelle tombait la lumière d'un réverbère, et Shawna était endormie dans la chambre au bout du couloir.

— Tu sais à quoi je pense ? dit-il.

— À quoi ? demanda-t-elle d'une voix ensommeillée.

— Qu'est-ce que tu dirais si nous prenions une vraie maison au lieu d'un appartement, cette fois ? Une maison avec un jardin...

— Dors, répondit-elle doucement.

Mais au bout de quelques secondes, ce fut elle qui s'endormit la première, ronronnant contre son dos sur un rythme régulier.

Elle rêve du futur, aucun doute, songea Brian ; un futur fait de richesse, de juste reconnaissance, et d'immondes connards s'arrachant les cheveux.

La troisième baleine

La villa, comme la plupart des maisons alentour, était un bâtiment à un étage au toit de tuiles rouges et aux grandes persiennes en bois de pin dont on pouvait fermer les claires-voies pour se protéger du soleil de midi. Il y avait une cuisine (qu'elles n'utilisaient jamais), une terrasse d'où cascadaient de poudreuses glycines, et deux immenses chambres à très haut plafond donnant sur la mer Égée. Quand Mona se réveillait, il lui fallait généralement quelques instants pour déterminer si c'était le matin ou la fin de l'après-midi, car elle ne manquait presque jamais de faire la sieste.

Pour le moment, c'était le matin. Elle en était sûre, car elle entendait les coqs et le bruit de casseroles que faisait la radio dans la taverne en contrebas. L'après-midi, les bruits étaient entièrement différents : cloches d'église, ânes asthmatiques, et hurlements de pirates à l'abordage que poussaient les enfants en dévalant les ruelles pentues vers la liberté.

Un petite brise vive s'était frayé un chemin par les fentes des persiennes et taquinait les longs rideaux vaporeux. Sur le palier qui séparait leurs chambres, elle distinguait le pas délicat de sa mère, et le bruit reconnaissable entre mille — pareil au cri d'un porcelet — de la porte du réfrigérateur.

La double porte s'ouvrit en grinçant et Anna apparut, dans son caftan, illuminée par le matin et tenant à la main une bouteille d'eau minérale.

— Tu es réveillée, ma chérie ?

Des rais de lumière vagabonde rebondissaient sur le plastique brillant de la bouteille comme les rayons jaillissant d'un sceptre sacré. « Notre-Dame de la Flotte », pensa Mona, en se frottant les yeux.

— Oui, répondit-elle, enfin il me semble. Quelle heure est-il ?

— Huit heures. J'ai pensé que tu voudrais peut-être te lever tôt pour ne pas avoir à voyager en pleine chaleur.

Ah oui ! Son pèlerinage tant attendu jusqu'au lieu de naissance de Sappho ! C'était bien aujourd'hui, non ?

— J'ai acheté de délicieuses brioches aux raisins à la boulangerie. Veux-tu que je t'en apporte une avec une tasse de thé ?

Mona s'assit au bord du lit.

— Non, merci. Je vais descendre.

— Stratos a dit qu'il pouvait te trouver un chauffeur, si tu veux.

— Pas la peine. J'en trouverai un sur l'esplanade.

— Oh, j'y pense !...

Anna enfonça une main dans la poche de son caftan.

— J'ai pensé que ça pourrait t'être utile, dit-elle en

posant une poignée de joints sur la coiffeuse avec un sourire de béatitude. Je ne voudrais surtout pas que tu manques de quoi que ce soit.

Mona lui sourit en retour.

— Merci.

— Celle-ci s'appelle Sigourney, précisa sa mère.

L'herbe, que Mona avait déjà goûtée, provenait du jardin de Barbary Lane. Anna — qui donnait à toutes les variétés qu'elle plantait les noms de gens qu'elle affectionnait — se l'était expédiée en poste restante à Molivos avant de quitter San Francisco. Quoique protégé par plusieurs boîtes gigognes et cinq couches de film plastique, le contenu du paquet dégageait une odeur entêtante lorsqu'elles étaient allées le chercher au minuscule bureau de poste jouxtant le commissariat du bourg.

Personne, cependant, n'avait hasardé le moindre commentaire. Anna, décidément, pouvait tout se permettre.

Une heure plus tard, Anna et Stratos partirent pour le village ancestral de la famille Dukakis dans un cabriolet Impala tout cabossé qui, à en croire Stratos, passait presque pour un carrosse légendaire à Lesbos. Avec son teint bronzé, sa mise soignée et sa dent en or étincelant au soleil, le vieil homme avait derrière son volant un petit air de séducteur désinvolte. Anna prit place à côté de lui et se mit aussitôt à faire avec ses écharpes toutes sortes de choses adorablement pittoresques.

— Si tu peux, lança-t-elle à Mona tandis que la voiture s'éloignait en cahotant sur l'allée aux pavés inégaux, trouve pour Michael quelque chose de sapphique.

— D'accord.

Mona accompagnait la voiture en trottant.

— Et si tu n'aimes pas Pelopi, n'hésite pas à revenir et à disposer de la maison.

Pour toute réponse, Anna lui adressa un sourire énigmatique.

— De toute façon, poursuivit Mona, je serai absente pendant quelques jours.

— Très bien, ma chérie. Merci.

Au moment où la voiture accélérait, elle entendit Stratos lui crier : « Sappho de Russie ! » Du moins, c'était à cela que ça ressemblait.

— Quoi ?

— C'est un hôtel. Souvenez-vous-en !

Elle hurla vers l'Impala qui s'éloignait :

— Sappho de quoi ?

La réponse fut couverte par un chœur de chiens aboyant furieusement.

Elle finit la vaisselle du petit déjeuner, fourra dans un sac quelques vêtements de rechange, ferma la villa et prit un taxi sur l'esplanade. Les taxis de Molivos étaient tous d'antiques Mercedes beiges aux tôles terriblement meurtries, aux tableaux de bord couverts de bibelots votifs à l'effigie de la Vierge... aussi tarabiscotés que hideux. Lesbos, en réalité, était beaucoup moins l'île de Sappho que celle de Marie et, pour ses habitants, il n'était apparemment pas question que le touriste l'oubliât.

Le voyage à travers l'île prit plusieurs heures, sur de petites routes de montagne en lacet. Pendant presque tout le trajet, le chauffeur gava Mona d'airs de bouzouki, ce qui eut l'avantage de lui épargner toute conversation. Une fois dépassées les forêts d'oliviers, le paysage devenait nu et plutôt désolé. Sa monotonie n'était rompue que par des mémoriaux élevés sur le bord de la route rappelant qu'ici ou là, un jour, quelqu'un s'était un peu trop dévotement perdu dans la contemplation de la Vierge et avait raté un virage. Quand, enfin, la voiture descendit vers la verdure des faubourgs agricoles de Skala Eressou, Mona avait du mal à dominer son mal au cœur.

C'était, pour l'essentiel, une bourgade toute simple construite au bord de la mer : des bâtiments modernes d'un étage à toits de tuile, et une rangée de tavernes couvertes de chaume qui formaient une sorte de promenade le long de la plage de sable gris jonchée de détritus. À l'entrée de l'agglomération, là où s'arrêta le taxi, un enchevêtrement de pancartes peintes à la main proposaient aux touristes divers services. Parmi elles, tout aussi rudimentaire, il y en avait une qui se donnait des airs officiels :

BIENVENUE À SKALA ERESSOU
Prière de respecter nos usages et nos traditions.
Discrétion appréciée dans la tenue et les manières.
Bonnes vacances!

Ça alors, quel culot! pensa Mona. Est-ce que Sappho avait écrit beaucoup d'odes à la discrétion? Elle se demanda si des hordes de lesbiennes descendant de leurs autocars ne s'étaient pas montrées trop démonstratives en posant le pied sur leur mère patrie, au point d'horrifier les adorateurs de Marie. Cela lui donna envie d'arracher son corsage et de se jeter lascivement sur la première femme venue.

Pour se familiariser avec l'endroit, elle marcha le long des tavernes situées en bord de mer. La plupart des autres touristes étaient grecs ou allemands. Les voix britanniques avaient l'accent du nord de l'Angleterre et appartenaient de toute évidence à des amateurs de voyages organisés, pâles comme des larves, qui s'achetaient un peu de soleil à tarif économique. En chemin, elle repéra quelques couples discrets de lesbiennes — trop petit nombre, vraiment, pour qu'on pût qualifier la ville de Mecque du tribadisme !

Assoiffée et encore un peu mal à l'aise, elle s'assit à la terrasse d'une taverne et y commanda un ouzo-

Sprite, la boisson qu'elle avait appris à tolérer à Molivos. Elle le sirota lentement, en observant la plage. Une *Fräulein* aux seins nus et aux énormes cuisses couleur d'acajou était étalée sur le sable à gros grains, lisant une feuille de chou teutonne. Ses cheveux étaient si décolorés qu'elle avait l'air d'une photo d'elle-même en négatif. Mona songea qu'il lui fallait se souvenir d'acheter un tube d'écran total.

La plage s'incurvait sur quelques centaines de mètres, jusqu'à une grosse montagne grise qui s'avançait dans la mer en s'effritant. Des gens faisaient de la planche à voile sur les vagues écumeuses, et, derrière la taverne voisine, elle aperçut une file de baigneurs qui attendaient devant une douche de plein air. Malgré des efforts civiques évidents pour donner au bourg les caractères d'une vraie station balnéaire, Skala Eressou avait un aspect terriblement pitoyable que Mona trouvait touchant...

Mais Sappho, dans tout ça ? Y avait-il quelque part un monument, une stèle commémorant sa naissance ? Quelque chose de noble et d'usé par le temps et les intempéries, portant gravé quelque fragment de son œuvre ? Peut-être pourrait-elle acheter un recueil de ses vers et les lire en se promenant sur la plage...

Elle essaya les diverses boutiques de souvenirs, sans trouver ne fût-ce qu'un dépliant sur la vie de la poétesse. Les guides qu'elle ouvrit ne lui consacraient qu'un ou deux paragraphes, ne fournissant au mieux que quelques informations succinctes et embarrassées : la poétesse était née à Skala Eressou en 612 av. J.-C. ; elle avait dirigé une « école pour jeunes filles » ; et quant à ses odes passionnées à la beauté féminine, elles avaient souvent été « mal interprétées ».

Fulminant, Mona se rua vers une boutique qui vendait des statuettes, bien décidée à la perquisitionner, et examina les rangées de phallus en plâtre l'une après l'autre avant de s'arrêter devant la seule figurine féminine en vue.

— Sappho ? demanda-t-elle au vendeur.

Elle prononçait « Sappo » à la manière des Lesbiens.

— Oui, répondit-il, mais avec une inflexion suspecte qui faisait sonner ce mot plutôt comme une question.

— Laissez tomber !... plaisanta derrière elle une voix américaine. Celle-là, c'est Aphrodite.

Après s'être retournée, Mona se trouva face à une femme à peu près de son âge, au beau visage haut perché sur un corps de liane, et pourvu d'une grande bouche à la Carly Simon.

— Ils n'ont pas de Sappho, expliqua la nouvelle venue. Pas en statue, en tout cas. Quelqu'un m'a dit qu'il existe des bouteilles d'ouzo qui sont censées avoir sa forme, mais je n'ai pas réussi à en trouver.

Mona reposa la figurine sur l'étagère.

— Merci, dit-elle à l'Américaine.

— Vous auriez plus de chances à Mytilène, continua celle-ci. Il y a une statue de Sappho, près du port.

Sa grande bouche esquissa un sourire.

— Laide à faire peur, mais que voulez-vous ? Il n'y a rien de mieux !

Mona sourit à son tour, d'un air désappointé.

— Je n'arrive même pas à trouver un recueil de ses poèmes.

— Vous savez, il ne reste pas grand-chose de son œuvre, observa l'Américaine.

— Ah non ?

— Non. L'Église a presque tout brûlé.

— Mmm... J'aurais dû m'en douter, grommela Mona.

— Vous devriez essayer la boutique de souvenirs sur la place, conseilla son interlocutrice. Ils ont quelques porte-clefs à tête de Sappho qui ne sont pas trop vilains.

— Merci, dit Mona. Je vais aller y faire un tour.

L'autre, alors, recommença à fureter parmi les bibelots.

210

Dans la boutique sur la place, Mona trouva les porte-clefs en question — un profil plutôt grossier sur un médaillon en chrome émaillé. Pas terribles, effectivement, mais le nom de Sappho y était gravé ; aussi en acheta-t-elle un vert pour Michael, se disant que cette couleur avait quelque chose de vaguement horticole. Puis elle se mit à la recherche d'un hôtel dont le nom serait quelque chose comme « Sappho de Russie ».

Elle le découvrit sur la promenade, après quelques minutes de marche. *Sappho d'Eressie.* La chambre où elle entra était propre et peu meublée : une armoire de bois blond, un lit à une place avec des draps blancs et une seule lampe. Elle prit une douche pour éliminer la poussière du voyage, s'enduisit de crème solaire et enfila un caftan en coton crêpelé qu'elle avait acheté à Athènes. Quand elle retourna vers la plage, elle se sentait beaucoup mieux, et prit plaisir à sentir ses cheveux humides s'emmêler sous la brise tiède.

Elle se dirigea vers les gros rochers gris, car elle avait remarqué qu'il y avait moins de monde tout au bout de la plage. À mesure qu'elle marchait, les baigneurs se faisaient plus rares... et plus dénudés. Quand elle vit qu'il n'y avait plus alentour que des corps nus, elle ôta son caftan, le roula en boule, le fourra dans son sac en bandoulière, puis elle étendit une serviette sur le sable et s'allongea sur le ventre, s'imprégnant d'une chaleur qui semblait sourdre des profondeurs de la terre.

Les personnes les plus proches étaient à au moins dix mètres d'elle. Elle fouilla le sable avec ses doigts, et le sentit couler de ses mains comme par magie, telles de minuscules perles grises. Une brise légère venait de la mer, et le soleil effleurait son gros derrière blanc mieux qu'une main amicale.

Elle se sentait bien.

La dernière fois qu'elle avait fait cela, c'était à San

Francisco, vers le milieu des années soixante-dix. Michael et elle étaient allés passer la journée sur la plage naturiste de *Devil's Slide*. Elle avait ôté ses vêtements avec beaucoup de réticence, à cause de sa peau trop blanche et — déjà en ce temps-là — de sa cellulite. Naturellement, Michael, lui, s'était défilé à la dernière minute et avait gardé son maillot, sous prétexte de préserver les marques de son bronzage.

Il lui manquait beaucoup.

Depuis longtemps, déjà, elle aurait aimé l'emmener explorer Lesbos ; mais cet idiot était tombé amoureux et n'en avait jamais trouvé le temps.

Il n'était pas malade, affirmait Anna avec insistance. Il était contaminé par le virus, oui, mais il n'était pas malade.

Seulement : il *pouvait* tomber malade. Ou plutôt non : le jour viendrait, inéluctablement, où il tomberait malade. N'était-ce pas ce que tout le monde disait, pour le moment ?

À moins qu'on découvrît un traitement, un sérum, quelque chose. À moins qu'un chercheur, quelque part, convoitât le prix Nobel avec assez d'obstination pour aboutir enfin à un résultat, ou bien que l'un des rejetons de Bush chopât cette saleté...

Elle posa sa joue contre le sable chaud et ferma les yeux.

Plus tard, lorsque la chaleur devint trop forte, elle se décida à entrer dans l'eau. Quand elle fut immergée jusqu'à mi-cuisses, elle se retourna et promena son regard sur la longue plage, la petite ville banale et, plus loin, les collines sombres. Elle ne connaissait pas une âme à des dizaines de kilomètres à la ronde. Anna et Stratos étaient de l'autre côté de l'île, faisant sans doute la sieste en ce moment, ou l'amour, derrière des persiennes closes, la tête enfumée de vapeurs de cannabis.

Elle sourit en pensant à eux et éclaboussa sa peau

granuleuse. En somme, ç'avait été une bonne idée, songea-t-elle, de profiter de ce moment de liberté pendant ses vacances. Elle se sentait merveilleusement éloignée de tout, inaccessible, même un peu mythique, ici, seule dans le berceau des anciens et nue comme à l'instant où elle était venue au monde.

Impulsivement, elle leva le menton vers le ciel et lança quelques mots de défi à la Déesse :

— Tu ne m'enlèveras pas encore Michael! cria-t-elle.

Quand le jour commença à décliner, sa peau avait rosi, mais sans lui faire mal. Dans sa chambre monacale du *Sappho d'Eressie,* elle fuma l'un des joints offerts par Anna et regarda s'allumer les lumières des tavernes, une guirlande d'ampoules après l'autre. Lorsque la tête finit par lui tourner très agréablement, elle descendit d'un pas léger dans le petit hall immaculé et demanda au réceptionniste, uniquement parce que l'alliance de ces deux mots la ravissait, où elle pourrait trouver une bonne pizza lesbienne.

Par une curieuse coïncidence, on en servait au restaurant de l'hôtel. C'était quelque chose de franchement abominable, une sorte de pâte parsemée de rondelles de saucisse au goût aigre. Elle la dévora cependant avec appétit, puis se perdit dans des conjectures sur la qualité des glaces lesbiennes.

— Bonsoir, susurra alors une voix familière. Alors, vous avez trouvé ces porte-clefs ?

C'était l'Américaine de tout à l'heure, sensiblement plus bronzée qu'au début de l'après-midi. Elle était toujours en short, mais avait troqué son T-shirt contre un frais corsage blanc.

— Oui, répondit Mona. Merci beaucoup.

— Qu'est-ce que vous en avez pensé ?

— Euh... J'en ai acheté un.

La femme sourit.

— Vous ne trouverez rien de mieux, croyez-moi.

— C'est vraiment stupide, non ? observa Mona. Ils auraient quand même pu remarquer qu'il y a là... un certain intérêt.

La femme émit un petit rire ironique. Un tranquille silence s'installa entre elles, jusqu'à ce que Mona fît un geste vers le siège en face d'elle.

— Asseyez-vous, si vous voulez, proposa-t-elle.

La femme hésita un instant, puis se décida :

— Volontiers.

— Si vous êtes sur le point de dîner, je ne vous recommande pas la pizza, avertit Mona.

La femme prit place avec un sourire encore plus ironique.

— Ne me dites pas que vous avez mangé leur *pizza* !

— Je n'ai pas pu résister, avoua Mona. J'en ai vraiment assez de la cuisine grecque !

Elle tendit la main par-dessus la table.

— Mona Ramsey, se présenta-t-elle.

— Susan Futterman.

La poignée de main était ferme et amicale, dénuée de sous-entendus érotiques. Mona, de toute façon, était pour le moment si euphorique qu'elle s'en moquait. C'était agréable, voilà tout, d'avoir un peu de compagnie civilisée.

Susan Futterman habitait Oakland et enseignait les lettres classiques à l'université de Berkeley depuis quinze ans.

— Je suis surprise que votre nom ne soit pas plutôt Futter*woman*, plaisanta Mona.

— Il l'a été, répliqua la femme.

— Allons donc !

— Oh ! Seulement pour une brève période...

— Ça alors ! s'exclama Mona en riant.

Susan associa son rire au sien.

— Je sais, je sais... dit-elle.

— J'ai eu une liaison avec une fille d'Oakland, autrefois, confia Mona.

— Vraiment ?

— Oui. À présent, elle dirige un restaurant à San Francisco. *Chez D'orothea.*

— Ah, oui !

— Vous la connaissez ?

— En tout cas, je connais son restaurant.

Susan se tut quelques instants.

— Vous habitez San Francisco ? demanda-t-elle.

— Non. Je vis en Angleterre.

Susan parut surprise.

— Définitivement ?

— Je l'espère.

— Et qu'y faites-vous ?

Mona jugea préférable de rester évasive. Cela faisait presque un mois qu'elle avait cessé d'être Lady Roughton, et elle commençait à prendre goût à cet anonymat.

— Je m'occupe de propriétés foncières, répondit-elle.

Susan cligna plusieurs fois des paupières.

— Vous voulez dire que vous êtes agent immobilier ?

— En quelque sorte.

Mona tourna la tête et regarda un moment les promeneurs qui déambulaient sur le bord de mer.

— Il y a vraiment beaucoup de femmes, ici ! observa-t-elle.

— Oui, plutôt.

— C'est drôle, l'attrait que peut avoir pour elles un simple nom.

— N'est-ce pas ? Vous avez déjà fait un tour du côté des tentes ?

— Non, pas encore.

— Alors, vous comprendriez ! affirma Susan.

215

Susan était une hellénophile aguerrie et descendit cinq ou six verres de résiné sans démériter. Mona, elle, s'en tint à son ouzo-Sprite. Lorsqu'elles partirent en quête des fameuses tentes, elle se sentait parfaitement bien.

Elles se retrouvèrent bientôt de l'autre côté du bourg, dans un petit bois sombre, à quelques mètres en retrait de la plage. La plupart des tentes étaient moins des tentes à proprement parler que de simples abris pareils à ceux que les femmes des commandos anti-nucléaires avaient installés dans Greenham Common : des bâches tendues par-dessus des branchages et formant un vaste dédale de tanières rudimentaires.

Mona était ébahie.

— Mais d'où viennent-elles, toutes ces femmes ? voulut-elle savoir.

— De partout, répondit Susan. D'Allemagne pour la plupart, en ce moment. J'ai aussi vu pas mal de Néerlandaises.

— Et c'est toujours comme ça ?

— D'habitude, il y en a encore plus. C'est déjà la fin de la saison.

Comme des pèlerins dans une cathédrale, elles parlaient à voix basse en cheminant à travers le campement. Ici et là, elles apercevaient des visages de femmes qui les observaient à la lumière de leurs lanternes.

La tribu sapphique, pensa Mona. Et j'en fais partie.

Susan, apparemment, connaissait une des campeuses : une jeune Allemande prénommée Frieda, au menton carré et au visage amical, ses cheveux blonds noués en une queue-de-cheval aussi épaisse que son avant-bras. Elle servit à ses visiteuses de larges rasades de vodka et dégagea un peu de place sur son sac de couchage pour qu'elles pussent s'y asseoir. Il y eut d'abord quelques efforts balbutiants de conversation en anglais, puis Susan et son amie abandonnèrent le registre de ces tentatives et leur échange se poursuivit dans un allemand frénétique.

Incapable de suivre, Mona finit sa vodka, puis laissa errer son regard sur les objets qui jonchaient cet abri de fortune. Il y avait là une valise en cuir très usée, une bouteille d'eau minérale, quelques culottes en coton bleu séchant sur une branche. Par terre, non loin d'elle, était ouvert un prospectus en anglais, vantant une marque de cassettes au nom de *Fatale Vidéo*. Le titre — ÉJACULATION FÉMININE — lui sauta au visage.

Du coin de l'œil, elle examina la brochure, et lut ceci :

> FATALE VIDÉO — Rien que par des femmes, rien que pour des femmes.
> Tremblez de plaisir avec Greta, maîtresse de l'auto-érotisme anal optimisé par ordinateur !
> Soupirez de jouissance avec Coca Jo et Houlihan, leurs jeux de foulards et leurs cunnilingus déchaînés !
> Perdez le souffle avec Fanny et Kenni, reines de l'éjaculation du point G !

Elle ne put réprimer un rictus nerveux et leva les yeux pour voir si son indiscrétion avait été remarquée. Mais Susan et son amie continuaient à jacasser en allemand. L'adresse indiquée sur le prospectus était Castro Street, San Francisco. Pendant qu'elle devenait une simple lesbienne de la campagne anglaise, ses sœurs californiennes avaient décidément mis sur pied d'intéressantes entreprises artisanales...

La conversation de ses deux compagnes devenait moins bruyante, mais le ton était plus intense. Puis Susan dit quelque chose qui fit éclater de rire sa copine. Elles sont en train de parler de moi, pensa Mona.

— Alors, lui lança tout à coup Susan, prête pour un petit tour ?

— Pourquoi pas ?

Susan adressa de nouveau quelques mots à Frieda, puis sortit la première de sous la bâche.

La jambe de Mona s'était ankylosée, aussi se mit-elle en route d'un pas mal assuré.

L'Allemande lui sourit.

— Bye-bye ! dit-elle.

— Bye-bye, répondit Mona.

Susan et elle marchèrent en silence jusqu'au moment où elles émergèrent du petit bois et reprirent le chemin du bourg le long du sable blanchi par la lune.

— Tu la connais depuis longtemps ? demanda Mona.

— Oh, oui ! Depuis... quatre heures, à peu près, répliqua-t-elle sur un ton enjoué.

On les aurait pourtant prises pour de vieilles amies.

— Je l'ai rencontrée en revenant de la plage, tout à l'heure. Elle est peintre en bâtiment à Darmstadt.

— Pourquoi riait-elle si fort, juste avant que nous partions ?

Susan sembla hésiter un instant, puis :

— Elle croyait que nous étions ensemble. Je lui ai dit que non.

— Oh...

— Mais elle ne riait pas de toi.

Mona la crut, mais se sentit pourtant mal à l'aise : elle eut soudain le sentiment que sa présence avait été un obstacle, pour Susan.

— Écoute, si tu veux retourner là-bas... offrit-elle.

— Non, non.

Le grand sourire de Susan semblait encore plus éclatant au clair de lune.

— Elle n'avait pas particulièrement envie de moi.

Mona s'arrêta brusquement.

— Ou de moi *seulement,* en tout cas, poursuivit Susan. Elle cherchait un couple.

— Tu veux rire ?

— Pas du tout.

— Nous deux ?

— Exactement.

— Mon Dieu ! s'exclama Mona avec ahurissement.

— Bienvenue à Lesbos ! répliqua Susan, souriant plus que jamais.

Il était maintenant un peu moins de minuit, et elles buvaient une tasse d'épais café grec à la terrasse d'un bar, près de la place. La brise marine s'était faite plus fraîche, et Mona regrettait maintenant de n'avoir pas emporté un chandail.

— C'est déjà presque l'automne, observa Susan. On peut pratiquement respirer l'odeur de la pluie qui approche.

— C'est vrai.

— Je viens toujours à cette époque de l'année. J'aime me sentir en équilibre sur l'extrême limite des beaux jours. Quand les touristes s'en vont et que tout commence à fermer. Ça a quelque chose de poignant. Et de purifiant, aussi.

Elle tourna distraitement sa cuiller dans sa tasse.

— Toutes ces feuilles que le vent emporte... Comment est-ce, là où tu habites ? demanda-t-elle à Mona.

— En cette saison ?

— Oh... à n'importe quelle saison.

Mona réfléchit quelques instants :

— Je vis dans le Gloucestershire. En pleine cambrousse.

— Ce doit être magnifique.

Mona acquiesça :

— C'est déjà froid et pluvieux, en ce moment, mais ça ne me gêne vraiment pas.

— J'imagine. Ça doit être délicieux, de s'asseoir près de la cheminée avec une tasse de thé.

219

Le plus souvent, à vrai dire, Mona se tenait dans l'immense cheminée seigneuriale, pour s'y réchauffer en buvant son thé, mais il lui sembla prétentieux de le préciser. Le temps d'un éclair, elle eut une vision d'Easley House en hiver : les mortels courants d'air, le givre sur les fenêtres en losange, la fumée s'élevant doucement des cottages du village. Puis, ce fut Wilfred qui lui apparut, traînant maladroitement des branches de conifères à travers le hall immense, Wilfred et son sourire espiègle.

— Tu vis seule ? lui demanda Susan.

Elle secoua la tête.

— Non. J'ai un fils.

— De quel âge ?

— Vingt ans. Je l'ai adopté quand il en avait dix-sept.

— Une agréable compagnie, je suppose.

Mona le reconnut.

— La meilleure !

— Moi aussi, j'ai un enfant ! confia Susan. Une fille. Elle entre à Berkeley l'année prochaine.

Mona sourit et but une gorgée de son café. Si elles n'y prenaient pas garde, dans cinq minutes, elles commenceraient à se montrer des photos.

Plus tard, elle monta prendre un autre joint dans sa chambre et le partagea avec Susan, tandis qu'elles erraient dans le labyrinthe de rues désertes du petit bourg.

— Ça me fait vraiment plaisir, déclara Susan, aspirant une bouffée.

— Elle vient de Californie.

— Non, dit Susan, riant et soufflant de la fumée. Je ne parle pas de l'herbe. Ça me fait plaisir d'avoir fait ta connaissance.

— Merci... Madame Futterwoman ! répliqua-t-elle ironiquement.

Un autre silence s'étira paisiblement. Puis Susan demanda :

— Tu crois qu'elle a trouvé un couple, maintenant ?

Mona se posait en fait la même question.

— Peut-être pas.

— Pauvre chérie !

— Oui. Ça doit compliquer la vie d'avoir des goûts si... spécialisés.

Susan semblait perdue dans ses songes.

— Tu savais que les baleines font l'amour à trois ?

Mona la dévisagea, interloquée.

— Pardon ?

— C'est la vérité, affirma Susan. Certaines variétés de baleines n'accomplissent l'acte sexuel qu'à trois. Les grises, je crois. La troisième se couche contre la femelle et la soutient pendant qu'elle s'accouple avec le mâle.

Cette idée rendit Mona rêveuse.

— Et la troisième, s'enquit-elle enfin, c'est un mâle ou une femelle ?

— Je ne sais pas.

— Mais tu es nulle ! J'exige des *faits,* Futterwoman !

Susan gloussa, la tête lui tournant visiblement autant qu'à Mona.

— Ce n'était qu'une remarque... très en marge de ce dont nous parlions.

— Mais tu es sûre que tu l'as bien entendue ? demanda Mona.

— Absolument, confirma Susan.

— Pourquoi Frieda aurait-elle envie d'un couple de vieilles comme nous ?

— Parle pour toi ! se scandalisa Susan.

Mona se mit à rire.

— D'ailleurs, elle n'est pas si jeune que ça. C'est sa queue-de-cheval, qui fait illusion.

— Oui... mais...

— Mais quoi ? coupa Susan.

— Si nous retournons là-bas...

— Oui ?

— Eh bien... Je n'aurais pas envie de faire la troisième baleine.

Susan pouffa de rire à son tour.

— Qui en aurait envie ?

Elle s'arrêta à un croisement, regarda autour d'elle pour se repérer et revint sur ses pas.

— Les tentes ne sont pas par là, fit observer Mona.

— Je sais. Il faut que je prenne quelque chose dans ma chambre.

— Mais si elle ne veut pas de nous ? Je veux dire... S'il lui faut un vrai couple ?

— Nous ferons semblant, la défia Susan, accélérant le pas.

La chambre de Susan se trouvait dans une petite pension, non loin de la place. Mona l'attendit dans le vestibule, cependant que Madonna chantait sa sérénade aux clients de la gargote voisine. Susan redescendit au bout de trois minutes, un rouleau de film transparent étirable à la main.

— Un *Saran Wrap* ? interrogea Mona.

Susan lui décocha un clin d'œil.

— Il ne me quitte jamais.

— Qu'est-ce que tu veux dire ?

— Allons ! Mais d'où sors-tu ? se moqua Susan.

Mona fut\sur le point de répondre, mais dire « du Gloucestershire » ne semblait pas approprié.

— Mieux vaut prévenir que guérir, ajouta Susan.

— Oh !

Brusquement, la lumière se fit dans l'esprit de Mona.

— Je vois.

Elles partirent en trottinant bras dessus, bras dessous le long de la plage obscure, s'esclaffant comme deux adolescentes.

222

Déguisements

Dans la cour ensoleillée de l'école de Presidio Hill, Brian était agenouillé au milieu d'une petite foule d'autres parents et d'enfants, et apportait les dernières touches à la tenue de sa fille.

— Arrête de gigoter, Puppy ! J'ai presque fini.

— Dépêche-toi, s'impatienta Shawna. Il va arriver !

— Bien, Majesté ! Voilà !

Avec son index, il étala le visqueux maquillage verdâtre et fit disparaître l'ultime tache blanche du visage de la fillette.

— Le look est assez chouette, tu sais ?

— Laisse-moi voir !

— Attends un peu.

Elle avait apporté un petit miroir qui devait provenir d'une garde-robe de poupée et l'interrogeait avec une assiduité touchant à l'obsession. Elle y avait déjà eu longuement recours pour vérifier l'angle de sa « coquille » — deux boîtes en carton que Brian avait recouvertes de sacs-poubelle verts — et pour ajuster son col roulé vert.

— Où est-il passé ? trépigna-t-elle. Il va tout rater !

— Il fallait qu'il passe d'abord ouvrir la jardinerie, expliqua son père.

Il regarda sa montre et constata que Michael avait une demi-heure de retard. Il était probablement resté trop longtemps aux *Plantes adoptives* et s'était fait coincer par un client.

Shawna se mit à fourgonner dans le sac contenant ses accessoires.

— Où est mon masque de Tortue ?

— Dans ma poche. Tu n'as pas besoin de le mettre tout de suite. Le défilé ne commencera pas avant...

— Je veux le porter quand Michael arrivera ! protesta Shawna.

— Ah bon ? D'accord. Bonne idée.

Il tira de sa poche le « masque » — en fait un bandeau orange avec deux trous pour les yeux — et le lui noua derrière la tête.

— Tu y vois bien ?

— Oui.

Il se recula un peu et l'examina.

— Je crois que nous y sommes, conclut-il.

Elle saisit son petit miroir.

— Ça te plaît ? s'enquit-il.

Du coin de l'œil, il aperçut Michael qui montait les escaliers qui conduisent de Washington Street au portail.

— Ça y est, Puppy ! Il arrive.

Shawna se débarrassa de son miroir et prit une pose qui devait apparemment évoquer une Tortue Ninja.

— Où est Shawna ? demanda Michael, jouant le jeu.

Shawna gloussa et lui fit un petit croc-en-jambe façon karatéka.

— Oh, non ! s'écria Michael d'une voix terrifiée. Le terrible Michaelangelo !

Il s'agenouilla et Shawna s'agrippa à son épaule, avec un rire mauvais.

— Tu es superbe, s'exclama-t-il.

— Merci.

Michael se tourna vers Brian.

— Désolé d'être en retard.

— Pas de panique. Ça n'a pas encore commencé.

— Oui, le rassura Shawna. Pas de panique.

Elle lâcha l'épaule de Michael et fila de l'autre côté de la cour, à l'endroit où ses camarades se rassemblaient pour le défilé.

— Ça se passe comment, à la jardinerie ? demanda Brian.

— Bien.

Michael se releva.

— Polly est là, avec Nate et le nouveau.

— Tant mieux. J'avais peur que tu sois débordé.

Il espéra que ces mots témoignaient suffisamment de sa sollicitude, car il se culpabilisait déjà à la simple idée de laisser Michael en plan.

— Pas du tout! répondit son associé. C'est très tranquille. Je suis en retard parce que j'ai eu la diarrhée, c'est tout.

— Ah...

Michael sourit avec mélancolie, puis :

— Rien de tragique, ajouta-t-il. Juste une petite diarrhée banale.

— Écoute... Si tu ne te sens pas bien, tu n'es pas obligé de rester.

— Je sais.

— Si c'est trop long... insista Brian.

— Je te le dirai. Ne t'inquiète pas. C'est passé, de toute façon. Shawna est splendide.

— N'est-ce pas?

— C'est toi qui as fait son costume?

— Oui.

— Pas mal, papa!

— Elle était impatiente que tu arrives, précisa Brian. C'est pour toi qu'elle s'est donné tant de mal.

— C'est gentil.

— Tu vas lui manquer, vieux!

Bien que Michael ne répondît rien, une lueur particulière apparut dans ses yeux. Brian ne sut comment l'interpréter. De l'embarras, peut-être? De la tristesse? Du ressentiment?

— Où va le défilé? s'enquit Michael.

— Jusqu'à *Saint Anne's,* répondit Brian, content de changer de sujet. La maison de retraite.

La procession comprenait un assez prévisible déploiement de sorcières, de fantômes, de pirates, de Hulk et de Nixon. À sa grande satisfaction, Shawna était la seule Tortue Ninja. Brian et Michael accompagnèrent le groupe avec les autres adultes, se comportant comme des paparazzi lors d'un mariage royal : présents, mais pas trop.

L'idée de départ était de distraire les personnes âgées de la maison de retraite mais, quand les enfants firent leur entrée, la plupart des pensionnaires de *Saint Anne's* étaient partis pour la messe ou ailleurs. Les grands espaces désertés étaient modernes, sans âme et sentaient l'urine. Des religieuses en robe blanche — des Petites Sœurs des Pauvres, selon Michael — esquissèrent un sourire de sentinelles polies au moment où le défilé de petits païens les dépassa.

Michael toucha le bras de Brian :

— Regarde !

Un fantôme couvert d'un linceul blanc avait quitté la procession et s'était arrêté, visiblement stupéfait, pour observer une des sœurs vêtue de son habit blanc. Vus d'ici, la religieuse et l'enfant ressemblaient à deux membres du Ku Klux Klan.

— Saint Casper ! L'Apprenti fantôme, se réjouit Michael.

Brian en fut diverti.

— C'est un spectacle un peu surréaliste, tu ne trouves pas ?

— Un *peu* ?

Au cœur du bâtiment était aménagée une petite allée couverte, censée rappeler l'aspect d'une rue. On y voyait de fragiles réverbères en aluminium, des plantes vertes en plastique et un assortiment de pseudo-boutiques pour l'agrément des résidents. À la devanture du glacier, l'une des sœurs fantomatiques remplissait un cornet pour une vieille femme assise sur un fauteuil roulant et presque dépourvue de cheveux.

Michael souffla à l'oreille de Brian :

— Sœur Mary des Deux Boules...

La vieille femme entendit le babil des enfants et les fixa des yeux, bouche ouverte, sans rien comprendre.

Une des institutrices cria : « Joyeux Halloween ! », mais la vieille femme continua de lorgner ces envahisseurs étrangers d'un air désapprobateur, puis se détourna et saisit de sa main décharnée et tremblotante son cornet de glace.

— Mon Dieu !... murmura Brian, presque involontairement.

— Quoi ?

— C'est donc ça qui nous attend ?

— Oui. Si nous avons de la chance, répliqua Michael.

Brian préféra ne pas relever.

— Oh, non ! lança Michael, faisant tout à coup la grimace.

— Qu'est-ce que tu as ?

— Faut que je trouve d'urgence une bonne sœur.

— Pardon ?

— Ou des chiottes ! Ce qui se présentera en premier.

Brian regarda autour de lui, puis :

— Là-bas, il y a une infirmerie ! indiqua-t-il.

— À tout à l'heure, mec.

— Si jamais nous nous perdions, je te retrouve à l'entrée.

— D'accord.

Et Michael se précipita.

Une vingtaine de minutes plus tard, ils se retrouvaient sur la pelouse.

— Ça va ? s'enquit Brian.

Michael fit oui de la tête, mais sa pâleur était frappante.

— Je me suis fait quelques nouveaux amis, plaisanta-t-il. Où est Shawna ?

— La troupe vient de repartir, mais nous pouvons les rattraper.

Il passa un bras autour des épaules de Michael.

— Je suis désolé que ça n'aille pas bien.

— C'est gentil de ta part.

— Tu veux manger quelque chose, ensuite ? Ou tu crains que ça ne fasse qu'empirer les choses ?

— Non, au contraire, je mangerais volontiers. J'ai même l'estomac dans les talons.

— Tant mieux, s'écria Brian. J'ai découvert un truc pas mal du tout qui vient d'ouvrir dans Clement Street.

Il était temps qu'ils parlent.

De retour à l'école, alors qu'elle s'extirpait de sa coquille, Shawna déclara que le défilé avait connu un succès exceptionnel.

— Nous faisons un spectacle pour Noël, apprit-elle à Michael. Tu veux venir ?

— Bien sûr.

Michael paraissait mal à l'aise. À l'évidence, il songeait que d'ici là Shawna serait partie.

Brian, lui, nettoyait le visage de sa fille avec un Kleenex.

— Tu vas rester verte jusqu'à Noël, ironisa-t-il. Tu ferais mieux d'aller te laver à l'eau et au savon.

— Non. Je veux du démaquillant, décida Shawna.

— Oh, excellente idée. Seulement, nous n'en avons pas apporté, objecta son père.

— Nicholas en a.

— Alors, va voir si tu peux lui en emprunter.

Il lui administra une petite tape sur les fesses et elle fila vers une des salles de classe. Quand elle fut partie, Brian se tourna vers Michael.

— Nous ne lui avons pas encore parlé du déménagement, expliqua-t-il.

Michael hocha la tête, mais ne semblait pas vouloir le regarder.

— Tu crois que nous avons tort ?

— Brian...

— En tout cas, c'est ce que tu as l'air de penser.

— Ça ne me regarde pas.

Michael parlait sur un ton calme et raisonnable mais, visiblement, quelque chose le tracassait.

— Tu comprends, continua Brian, Mary Ann n'a encore rien signé avec Burke et elle a peur que Shawna mange le morceau !

— Je vois. Dans ce cas...

— Et puis, je ne veux pas que nous la perturbions avant de pouvoir lui expliquer plus précisément ce que sera sa nouvelle maison. Pour qu'elle ait le sentiment de partir *vers* quelque chose, et non de partir tout court.

Michael haussa silencieusement les épaules.

— Si tu crois que c'est une connerie, je préfère que tu me le dises, insista Brian.

— Je ne crois rien.

— Menteur !

Brian prononça ce mot de la façon la plus joviale et sourit, espérant obtenir ainsi une réaction.

— D'ailleurs, tu as sûrement raison, reprit-il. Après tout, c'est sa vie, à elle aussi. Elle a le droit de savoir ce qui se passe.

Il avait toujours eu la conviction que les enfants sentaient quand on leur cachait quelque chose. Au moins à un niveau semi-conscient. À long terme, le secret était malsain. Il en reparlerait à Mary Ann et insisterait pour qu'elle dise la vérité à sa fille.

Shawna revint soudain, hors d'haleine, serrant dans sa main un petit pot de démaquillant.

— Il faudra le rendre, avertit-elle.

— Naturellement, dit son père en faisant un clin d'œil à Michael.

Michael ne commanda que du pain grillé et le grignota lentement.

— Il y a un truc qui traîne, en ce moment ! lui assura Brian. Des tas de gens l'attrapent.

Mais son associé se contenta de hocher la tête.

Pendant un instant, avec une étrange délectation morbide, Brian laissa son imagination s'affoler. Il se représenta Michael pesant quarante kilos, comme Jon quelques années plus tôt, devenu à trente-deux ans un vieillard.

— Quelquefois, se hâta-t-il d'ajouter, quand on change sa façon de s'alimenter ou qu'on mange trop de fruits, trop de légumes...

Michael lui adressa un petit sourire indulgent qui voulait dire : « Arrête, s'il te plaît. »

— Bon, bon, acquiesça Brian.

— Quelle heure est-il ?

— Onze heures, soupira-t-il après avoir consulté sa montre.

— Alors, il est temps de partir. J'ai prévenu Polly que nous serions là pour onze heures.

— Il faut que je te dise quelque chose d'abord.

Michael, une fois de plus, eut l'air très mal à l'aise.

— Quoi ?

— Je... Je veux seulement que tu saches que ce n'est pas facile, pour moi.

— Qu'est-ce qui n'est pas facile ?

— Partir.

— Ah ?...

— Tu es mon meilleur ami, tu sais ? commença Brian. Pour moi, être ton associé signifiait beaucoup plus que...

— Brian, s'il te plaît...

— Non, attends une minute, bon sang ! Laisse-moi parler.

Michael baissa les yeux sur son pain grillé.

— Si je te gêne, reprit Brian, je suis désolé, mais...

— Tu ne me gênes pas.

— J'ai beaucoup réfléchi à tout ça, Michael. Nous avons vécu tant de choses ensemble. Je me rends parfaitement compte de... de ce que tu dois ressentir en ce moment.

— Écoute, n'exagère pas !

— Je n'exagère rien du tout. Je regarde la situation sous tous ses angles, et je me dis qu'elle deviendrait invivable si tu croyais que... que je te laisse tomber.

— Tu ne me laisses pas tomber, Brian. Je n'ai pas cru ça une minute. Arrête de toujours trop analyser.

Brian fit une tête de clown triste.

— C'est ce que me dit toujours Mary Ann.

— Eh bien, en l'occurrence, elle a raison.

— N'empêche que quelque chose te tracasse, insista Brian. Je le vois bien.

— Écoute, ce sont seulement mes putains de tripes qui...

— Non. Il ne s'agit pas de tes tripes. Écoute, je te connais ! Et je t'aime, vieux. Alors dis-moi ce que tu as sur le cœur.

Évitant son regard, Michael prit une tranche de pain grillé.

— Ça n'a rien à voir avec toi et moi, murmura-t-il.

— Je sais très bien que ce n'est pas vrai, répliqua Brian en s'obstinant.

— Si, c'est vrai. Tu ne peux pas me laisser en dehors de tout ça ?

— Pas question.

Brian lui sourit affectueusement.

— Désolé, mais tu fais partie de ma vie. Je n'y peux rien ! Alors vas-y. Dis-moi tout.

Michael soupira et reposa sa tranche de pain grillé.

En toute amitié

L'émission du jour avait eu pour thème la sorcellerie contemporaine, mais les graphiques de manches à balais et la musique d'outre-tombe qui l'avaient accompagnée n'avaient pas un rapport évident avec le genre des invités au débat : trois excitées de la boule de cristal qu'on était allé pêcher à Oakland, à la dernière minute et en désespoir de cause, pour remplacer les occultistes vraiment sérieux qui tous avaient cédé aux sirènes des chaînes nationales.

Plus tard, dans les coulisses, en croisant ce brillant trio, Mary Ann s'attendait à des protestations. Les sorcières d'aujourd'hui étant aussi une minorité opprimée, l'une ou l'autre de ces hippies vieillissantes allait inévitablement l'accuser de présenter des stéréotypes négatifs de la corporation, voire d'être une vile sorciérophobe.

Elles étaient au contraire tout sourire.

— C'était formidable ! lança la plus vieille.

Les deux autres acquiescèrent avec enthousiasme, jubilant comme des idiotes.

— Tant mieux, leur dit Mary Ann. Nous recommencerons bientôt.

Après tout, c'était bien naturel, pensa-t-elle en se dirigeant vers sa loge. Leur première dose de dope télévisuelle les avait rendues totalement euphoriques, et maintenant toutes les autres potions pâlissaient en comparaison. Les sorcières se laissaient contaminer comme n'importe qui.

Quand elle pénétra dans son repaire, le téléphone sonnait.

— Allô !... soupira-t-elle.

— Mary Ann ? C'est Burke.

— Oh, bonjour !

Elle s'affala sur le canapé et fit tomber ses chaussures.

— Tu es revenu ? Ça s'est passé comment, à Los Angeles ?

— Très bien. Utile. J'ai repéré quelques nouveaux talents.

— Félicitations.

— Je ne te dérange pas ?

— Bien sûr que non, répondit-elle.

— Bon. Tu as eu le temps de réfléchir ?

— Oui.

— Et ?

— Je crois que nous pouvons nous entendre, déclara-t-elle très calmement.

À quoi s'était-elle attendue, au juste ? Elle n'en savait rien. Peut-être à quelque chose comme des remerciements. Ou, au moins, un bon éclat de rire juvénile. Mais pour toute réaction, elle n'eut droit qu'à un bref silence, suivi d'un son qui ressemblait à un soupir de contentement.

— Bien, reprit-il. J'en suis ravi.

— Moi aussi. Je crois que nous allons au-devant d'un beau succès.

— Et comment !

— Quelle est la suite du programme ? s'enquit-elle.

Il n'hésita pas.

— J'ai besoin que tu sois à New York à la fin du mois.

Elle n'était pas vraiment surprise, mais laissa tout de même échapper un petit sifflement.

— Je sais, je sais, s'excusa Burke. Mais je tâcherai de te faciliter les choses au maximum. Pour commencer, je t'enverrai les meilleurs déménageurs du pays.

— Oh... En fait, je n'aurai pas grand-chose à déménager.

— Ah ? Tu comptes vendre tes meubles ?

— Non. Brian préfère rester ici avec Shawna.

— Oui, mais ensuite...

— Non, répéta-t-elle d'une voix ferme. Ils restent définitivement.

Un ange passa.

— Brian pense que c'est mieux comme ça, ajouta-t-elle, et je le pense aussi.

— Eh bien...

— Ce ne serait pas une bonne chose pour Shawna, de la déraciner. Quant à lui, il a sa propre affaire.

Elle s'interrompit un instant, se demandant comment Burke accueillait cette nouvelle.

— Tout ce dont j'aurai besoin, du moins provisoirement, c'est d'un appartement meublé.

Il parut déstabilisé.

— Est-ce que c'est décidé ?

— Oui.

— Irrévocablement ?

— Irrévocablement, martela-t-elle tranquillement. Cela se préparait depuis longtemps.

— Excuse-moi si je suis indiscret, mais je suis sûr que tu me comprends.

Il s'éclaircit la gorge.

— Nous sommes sur le point de signer un contrat.

— Je sais.

— Tu vas divorcer ? demanda-t-il.

— Est-ce que c'est important ?

Au bout d'un instant, il répondit :

— Non. Pas vraiment.

— Nous sommes d'accord, Burke. Tout cela est complètement amical, assura-t-elle. Tu n'as aucune raison de t'inquiéter.

— Ah oui ?... Très bien, fit-il sur un ton neutre.

— Nous nous verrons avant que tu repartes ?

— Non. Je reprends ce soir l'avion pour New York. Et il n'y a rien que nous ne puissions régler par téléphone.

On l'appelait sur une autre ligne.

— Patiente une seconde, veux-tu ?

— Pas la peine, Mary Ann. Je te laisse. Rappelons-nous en début de semaine prochaine, d'accord ? Je suis vraiment heureux que tu acceptes. J'ai le pressentiment que ça va marcher très fort.

— Moi aussi. À bientôt.

Elle appuya sur le bouton qui clignotait.

— Oui ?

— C'est la Sécurité, Mary Ann.

— J'écoute...

— Votre mari est ici.

Zut ! pensa-t-elle. Qu'est-ce que ça peut bien vouloir dire ?

— Il vient me chercher ?

— Je ne sais pas.

— Eh bien, demandez-le-lui ! ordonna-t-elle, agacée.

— Je ne peux pas. Il est déjà en train de monter.

— Bravo !

Soudain prise de panique, elle raccrocha violemment.

Elle entendit frapper à sa porte quelques secondes plus tard.

— Oui ? fit-elle d'une voix posée.

— C'est moi.

Elle ouvrit la porte et se trouva en face d'un Brian au visage ravagé et épuisé. On aurait dit un homme qui entre en titubant dans la cabane d'un bûcheron après de longues heures d'errance dans un bois désolé.

— Qu'est-ce qui t'arrive ? Qu'est-ce qui se passe ? demanda-t-elle, en faisant l'étonnée.

— C'est plutôt à toi de me le dire, tu ne crois pas ?

— Pardon ?

— Michael vient de m'annoncer que tu ne veux pas que je parte avec toi.

Sale petit mouchard, pensa-t-elle.

— Est-ce que c'est vrai ? insista-t-il.

Elle referma doucement la porte et lui désigna un fauteuil. Il s'y laissa tomber aussitôt, le choc le rendant docile, et la fixa de ses yeux cerclés de rouge.

— Il n'aurait pas dû dire ça, répondit-elle.

Brian hocha lentement la tête, considérant de toute évidence ces mots comme une confirmation.

— Mary Ann, j'ai pensé que peut-être...

Il s'interrompit, sentant des larmes lui remplir les yeux, puis couler sur ses joues.

Elle s'assit alors sur le bras de son fauteuil et posa doucement une main sur l'un de ses poignets.

— Je t'en prie, ne va pas t'imaginer que...

Quelqu'un toqua à la porte.

— Oui ! cria-t-elle avec irritation.

La tête de Raymond apparut dans l'entrebâillement.

— Pardon, Mary Ann. J'aurais besoin d'autographes pour le public du plateau.

— Revenez plus tard, s'il vous plaît.

— Mais ils partent dans...

— S'il vous plaît, Raymond !

— Bon, bon. Excusez-moi.

Et il referma la porte. Alors, elle posa son regard sur Brian.

— J'espérais que nous pourrions en parler ce soir, dit-elle calmement.

— Tu en avais envie depuis combien de temps ?

Elle ne répondit pas.

— Un mois ? Un an ? Combien ?

Elle lui caressa le bras et parla d'une voix aussi douce que possible :

— Je crois que tu ressentais la même chose que moi.

— Non !

Il secoua sa main et se leva, les joues luisantes de larmes et la voix étouffée par la colère.

— Certainement pas. Je n'ai jamais rien ressenti de pareil.

Quelques instants, elle resta silencieuse, toujours assise sur le bras du fauteuil.

— Je suis désolée que tu l'aies appris de cette façon, murmura-t-elle enfin.

— Oui, bon...

Il s'agitait, cherchant une façon de l'attaquer.

— Puis-je savoir quelles autres nouvelles on me cache? Je suis toujours le dernier informé de tout! Naturellement, je me rends compte qu'étant sur le point de devenir une vedette, tu...

— Brian!

— Mais qu'est-ce que j'ai fait de mal? Tu t'es sentie gênée à cause de moi, peut-être. Au *Stars,* c'est ça, devant ces piliers de cocktails à la con?

— Je ne me suis jamais sentie gênée à cause de toi.

— Foutaise!

Pour garder contenance, elle caressait le cuir du fauteuil.

— Si cela t'aide à te sentir mieux de me faire jouer la garce...

— Oh, oui! Tu ne peux pas savoir. Ça m'aide à me sentir formidablement bien, même! Je nage en pleine euphorie, pour le moment!

— Si seulement tu voulais bien...

— J'aimerais avoir ce salaud devant moi, tiens!

Elle s'attendait à cela, mais était décidée à garder son sang-froid.

— Tu sais parfaitement que Burke et moi...

— Quoi? cria-t-il. C'est lui qui t'emmène, non? Il te paie cher pour ton joli petit cul, et tu le suis!

— Ne parle pas si fort, s'il te plaît.

— Est-ce qu'il est au courant?

— Au courant de quoi?

— Il le sait, ça, que tu plaques ton mari et ta fille? Elle tressaillit.

— Je ne plaque personne, protesta-t-elle.

— C'est vrai! C'est même le seul luxe que tu ne t'offriras pas.

Il s'élança brusquement vers la porte.

— Arrête, Brian. Ne fais pas l'idiot. Où vas-tu?

— Qu'est-ce que ça peut te foutre?

— Assieds-toi. Allons plutôt déjeuner quelque part.

— Ton déjeuner, tu peux te le mettre où je pense! hurla-t-il.

Il ouvrit toute grande la porte, puis se retourna pour le coup de grâce.

— Tu sais ce que t'es ? Une salope sans la moindre once d'humanité !

Il claqua la porte si violemment qu'une de ses récompenses encadrées sur le mur se décrocha et s'écrasa au sol.

Elle se démaquilla, puis appela la jardinerie.

— *Les Plantes adoptives*, bonjour.

— C'est moi, Michael. Mary Ann.

— Oh... Salut.

Sa voix était déjà celle d'un coupable.

— Brian sort d'ici, commença-t-elle.

— Oui. Je m'en doutais.

— Je voulais seulement te dire ceci : j'estime que tu m'as trahie.

— Écoute, j'en suis désolé. Mais... que voulais-tu que je fasse ?

— Que tu fermes ta grande gueule. Tu m'avais promis de ne rien dire.

— Exact. Mais il y a combien de temps ? répliqua-t-il sèchement.

— Qu'est-ce que ça change ?

— Ça change que tu m'avais assuré que tu lui parlerais, répondit Michael. Il y a je ne sais combien de jours. Il était déjà en train d'échafauder toutes sortes de plans pour New York, le malheureux. Et il n'arrêtait pas de se faire des reproches à *mon* sujet ! Tu imagines un peu ? Je ne pouvais pas continuer à faire semblant de...

— Et pourquoi pas ? C'est ce que je t'avais demandé, non ?

— Oh oui, ironisa-t-il. Du moment que tu me l'avais demandé...

— Tu lui as fait horriblement mal, Michael. Et il fallait que tu le saches.

238

— *Moi,* je lui ai fait horriblement mal ?

— Quel effet crois-tu que ça lui a fait, d'apprendre ça de ta bouche ? rétorqua-t-elle. De savoir que nous avions discuté ensemble d'une chose si intime avant même qu'il sache quoi que ce soit ?

— D'accord, mais...

— Si tu avais vu dans quel état il était !

Il explosa :

— Ça alors, tu as un putain de culot !

— C'est ça, oui ! Réfléchis-y.

— C'est tout réfléchi ! Celle qui le quitte, c'est toi, ma fille. Pas moi.

Il lui raccrocha au nez.

Mary Ann s'assit devant sa coiffeuse et se mit à pleurer.

Tôt ou tard, pensa-t-elle, les hommes finissent toujours par se ressembler.

Une très longue soirée

— S'il pleut beaucoup cet hiver, pensa Thack à haute voix, le bois sera joliment patiné...

Il parlait de son treillis triangulaire, maintenant un fait accompli. Il ne restait plus qu'à planter une clématite rose, ou peut-être des roses trémières (ils n'avaient encore rien décidé), et laisser la nature faire son œuvre.

— C'est superbe, le félicita Michael, reculant pour admirer la structure encore nue. J'aime bien la façon dont tu as arrangé les angles.

— Pas mal, hein ?

Michael n'avait pas le cœur de lui dire que les fleurs — surtout si c'étaient des roses — ne seraient peut-être pas d'accord pour pousser en triangle.

Ils restèrent un moment côte à côte, en silence,

239

contemplant le travail achevé. Thack, enfin, se tourna vers son ami en disant :

— Je suis inquiet pour Brian.

— Moi aussi.

— Il n'est pas venu à la jardinerie ?

— Non.

— J'aurais pensé qu'il téléphonerait, au moins, observa Thack.

— Oh, tu sais... Mary Ann m'a expliqué qu'il était complètement retourné.

Michael était catastrophé par toute cette affaire. Après tout, songeait-il, peut-être Mary Ann avait-elle raison. Peut-être n'avait-il réussi qu'à faire empirer les choses, aggraver l'humiliation du pauvre Brian en vendant la mèche.

— Tu crois qu'il m'en veut ? demanda-t-il.

— Non. Pourquoi ? C'est ce qu'elle t'a déballé ?

— Pas du tout, mais... S'il voit en moi son allié...

— Qu'est-ce qu'il a répondu, quand tu lui as tout déballé ?

— Rien, en fait. Il avait l'air sonné, rien de plus.

— Mmm...

Thack semblait songeur.

— Tu crois que j'ai déconné ? insista Michael.

— Je ne sais pas, bébé.

— Merci pour le vote de confiance !

— De toute façon, c'est sans importance, remarqua Thack. Il fallait bien qu'il l'apprenne.

Il passa son bras autour de la taille de Michael.

— Ça va mieux, ton ventre ?

— Il est toujours là.

— Si tu te faisais couler un bon bain chaud, pour te détendre ?

Michael suivit le conseil de son compagnon et se prélassa une demi-heure dans la baignoire. Il enfilait un T-shirt quand le téléphone sonna.

— Allô ?

— C'est moi, Mikey.

— Oh... Bonsoir, maman.

Il s'affala sur le lit et prit sa « voix-pour-maman ».

— Tu vas bien ?

— Je n'avais pas de nouvelles depuis un moment, alors...

Comme toujours, elle s'interrompit. Il ne l'avait jamais entendue finir cette phrase.

— J'ai eu beaucoup de boulot. Excuse-moi.

— Je t'ai laissé un message, sur le répondeur.

— Je sais, reconnut-il.

— Est-ce que Thack ne t'a pas dit ?...

— Si, si. J'ai oublié, c'est tout. J'avais trop de choses en tête. Comment vas-tu ?

— Oh... Je n'ai pas à me plaindre.

— Tant mieux.

— Et toi, tu te sens comment ? voulut-elle savoir.

— Pas mal. L'AZT a l'air de faire son effet. Mes T4 sont stables.

Elle se tut quelques secondes, puis :

— Euh... Qu'est-ce que c'est que ça, déjà ? s'enquit-elle d'une petite voix pleurnicharde.

Il s'y attendait, mais cela ne l'en agaça pas moins.

— Maman, tu as reçu la brochure que je t'ai envoyée ?

— Oui, je l'ai reçue. Seulement, c'est affreusement compliqué, tu sais ?

— Bon.

Un long silence suivit.

— Mais tu ne l'as pas, n'est-ce pas ?

— Non, maman, expliqua-t-il pour la énième fois. J'ai seulement le virus. Pour le moment, je vais bien, mais je pourrais l'avoir plus tard. Il est même probable que je l'aurai.

Mon Dieu, qu'il détestait ce genre de propos par pronom interposé ! Comment pourrait-il jamais lui faire comprendre qu'il « l' » avait, ou qu'il s'était fait avoir par « lui », depuis l'instant où il avait su le diagnostic de Jon, sept ans plus tôt ? La plupart des gens s'imaginaient qu'on attrapait ce truc et qu'on mourait tout de suite. La vérité, c'était qu'on l'attrapait et qu'on *attendait*.

— Tu sais... Je crois que tu devrais te montrer plus positif, risqua-t-elle.

C'était bien d'elle, de proférer une chose pareille sans même se rendre compte qu'elle faisait un atroce jeu de mots !

— C'est ce que je fais, maman.

— C'est à force de se faire du souci que ton père est mort, aussi sûr que je te parle. C'est le souci qui l'a tué, beaucoup plus que le cancer.

— Je sais, maman, soupira-t-il. Je sais que c'est ce que tu penses.

— Et puis, je n'arrête pas de me dire que si tu trouvais une belle église, un pasteur avec qui tu t'entendrais bien...

Il ne lui fallait jamais très longtemps pour remettre le sujet sur le tapis.

— Maman, s'il te plaît !

— Bon, bon. Tant pis. J'ai dit ce que je pensais.

— Très bien.

Thack traversa la pièce, nu, pour se diriger vers la salle de bains, une bouteille de gel moussant Crabtree & Evelyn à la main.

— C'est maman Alice ? demanda-t-il.

Michael hocha la tête affirmativement.

— Salue-la de ma part.

— Thack te dit bonjour, annonça Michael au téléphone.

— Dis-lui bonjour aussi.

— Bonjour aussi, lança-t-il à Thack.

Thack se pencha sur le lit et lui suça un gros orteil. Michael dégagea brusquement son pied et essaya de lui donner une claque sur les fesses, mais son ami esquiva le coup et pirouetta vers la baignoire, riant sous cape.

— À part ça, quelles nouvelles ? demanda-t-il.

— Eh bien, Etta Norris et moi nous sommes allées au nouveau multiplex pour voir ce film avec Bette Midler, tu sais, celui dont tu m'avais parlé ?

— Ah oui ! Qu'est-ce que tu en as pensé ?

— J'ai trouvé qu'elle était très bien.

— C'est aussi mon avis.

— Mais elle ne m'a pas plu autant qu'à Etta. Elle était morte de rire.

Michael cria en direction de la salle de bains, où Thack faisait gicler de l'eau dans toutes les directions comme un saurien dans le bassin d'un zoo :

— Elle aime Bette Midler !

Thack éclata de rire.

— Qu'est-ce que c'est que tout ce bruit ? interrogea sa mère.

— Rien, maman. Je disais seulement à Thack que tu avais aimé Bette Midler.

— Je savais que ça arriverait quand on aurait bousillé la couche d'ozone ! hurla Thack en retour.

— Qu'est-ce qu'il dit ?

— Rien d'important, maman.

— Écoute, Mikey, on a finalement posé la pierre tombale de papa, la semaine dernière. Et c'est vraiment très joli.

— Ah ? Euh... très bien.

— J'ai pris des photos pour que tu puisses la voir.

Un instant, l'esprit de Michael fut occupé par une seule vision : celle de la composition florale devant laquelle il s'était arrêté net à l'enterrement de son père, l'année précédente. C'était une vieille bigote de tante qui l'avait envoyée de Pensacola, et sa mère, toute fière, l'avait exposée bien en évidence à l'entrée du funérarium.

Un lit d'œillets blancs formait une sorte de toile de

fond, sur laquelle se détachait un téléphone-jouet pour enfants, blanc lui aussi. Le sommet était barré d'un large ruban, sur lequel était inscrit en lettres scintillantes : JÉSUS A APPELÉ. Tout en bas, un autre ruban disait : ET HERBERT A RÉPONDU. À la grande consternation de Michael, personne, ce jour-là, pas même ses jeunes cousins, n'avait semblé trouver cela comique. Il avait fini par s'éclipser jusqu'à la cabine téléphonique la plus proche pour appeler Thack, histoire de rire un peu.

Chassant cette image, il essaya, sans y parvenir, de se représenter ce que sa mère pouvait entendre par une « jolie » pierre tombale.

— Je suis content qu'elle soit enfin installée, admit-il.

— C'est tellement charmant, là-bas !

Apparemment, elle parlait du cimetière.

— Ton père a été très malin, d'acheter cette concession, poursuivit-elle. Tu sais, elles sont devenues si chères qu'il n'y a pas grand monde qui puisse se les payer, au jour d'aujourd'hui.

— Oui, c'est ce que j'ai entendu dire.

— Et il s'est assuré qu'il y aurait de la place pour toute la famille dans le caveau.

Pour elle, c'était ce qu'on appelle une allusion subtile. Ne t'inquiète pas, cherchait-elle à lui faire comprendre, nous t'avons gardé une place. Il préféra alors s'abstenir de tout commentaire, conscient qu'au fond cette idée partait d'un bon sentiment — comme l'obstination avec laquelle, pendant des années, elle avait fait pression sur lui pour qu'il vînt passer Noël « en famille » à Orlando. Naturellement, il ne lui avait jamais traversé l'esprit que sa véritable famille, à lui, pouvait se trouver ailleurs.

Elle jacassa pendant encore une demi-heure, lui donnant des nouvelles détaillées de gens qu'il n'avait pas vus depuis au moins quinze ans. La plus grande partie de son bavardage concernait la seconde génération, car ses camarades d'école étaient maintenant les pères et les mères d'enfants assez grands pour boire, fumer de l'herbe et « se fourrer dans de sales draps » à l'égard de la loi.

Orlando n'était plus l'Orlando de jadis. Il s'en était rendu compte quand il y était retourné pour l'enterrement. Au cours des années qui avaient suivi son départ, les arbres de Disney World avaient grandi et formaient maintenant d'épais bosquets de chênes feuillus. Quant aux charmants Mickey et aux autres Goofy qui y déployaient leurs talents, ils étaient désormais faciles à trouver, une fois leur service terminé, tout le long du Parliament House (le « PH » pour les initiés) : une galerie commerciale gay aseptisée comme un couloir d'hôpital, où des boutiques proposant un vaste choix de tenues en cuir et d'accessoires divers alternaient avec des bars outrageusement BCBG.

Le cimetière, il s'en souvenait, se trouvait à deux pas de l'autoroute. On y accédait par une large allée bordée de palmiers et il offrait une vue imprenable sur le *Piggly Wiggly*...

Alors non : merci beaucoup, madame, mais c'est non.

Thack émergea de la salle de bains, enveloppé dans son peignoir en éponge.

— Comment va-t-elle ? demanda-t-il.

— Bien.

— À quoi s'occupe-t-elle ces temps-ci ?

— Eh bien... Entre autres choses, à préparer mon enterrement en Floride.

— Pardon ?

— La pierre tombale de mon père vient d'être posée, expliqua Michael, et elle prépare une réunion de famille.

Thack leva les yeux au ciel et s'assit sur le bord du lit.

— La prochaine fois, laisse-moi lui en parler, conseilla-t-il au bout d'un moment.

— Si tu la contredis là-dessus, elle t'arrachera les yeux ! avertit Michael.

— Mais non. Elle m'aime bien, ronronna Thack.

— Peut-être, mais ça n'entre pas en ligne de compte. Tu peux me croire.

Thack réfléchissait, en tripotant l'édredon.

— Tu lui as dit, ce que tu préférerais ?

— Non.

— Tu comptes le faire ?

— Je crois qu'il faudra que je le lui écrive, soupira Michael. C'est difficile, d'amener ça dans la conversation.

Thack sourit.

— Retourne-toi, dit-il à Michael.

Celui-ci se retourna sur le ventre et Thack se mit à califourchon sur son dos pour lui masser la base du cou.

— Ce sont de vrais culs bénis, tous autant qu'ils sont ! grommela Michael. Ils placeront mon cercueil béant dans la salle à manger, et ils feront un banquet funèbre tout autour.

Son compagnon éclata de rire.

— Arrête de déconner !

— Je t'assure, insista Michael. Tu ne les connais pas !

— Mais si, mais si.

— Et à côté de ma dépouille, il y aura un énorme philodendron posé sur un rouet, pour décorer...

— Détends-toi, ordonna Thack, continuant à le masser.

— Plus bas, implora Michael voluptueusement. Ah ! J'adore ça.

— Là ?

— Oui.

Thack pinça le muscle le plus contracté entre son pouce et son index.

— C'est quoi, tous ces muscles noués ?... Mary Ann ? interrogea-t-il.

— Est-ce que ça a besoin d'un nom ? répliqua Michael. Masse et tais-toi.

Quand la sonnette (nouvellement installée) retentit, elle les fit sursauter tous les deux. Ce modèle avait attiré l'œil de Michael dans la vitrine de *Pay'n Pak*, à cause de son dessin simple et élégant, et du lyrisme de son nom : le « Gazouilleur ». Malheureusement, le gazouillis escompté était en réalité une rafale de piaillements suraigus qui perçaient les oreilles aussi longtemps que le visiteur gardait le doigt sur le bouton. Seul un très bref frôlement produisait l'unique ding-dong qu'on était en droit d'attendre d'une sonnette.

Pour tout arranger, le bruit provoqua chez le chien une crise d'aboiements assourdissants.

— Harry ! Ferme-la ! cria Thack en bondissant du dos de Michael comme s'il était monté sur ressort.

— Nous attendons quelqu'un ? demanda celui-ci.

— Non. Personne.

Harry était déjà dans le living-room, jappant comme un fou. Michael le saisit et l'enferma dans la chambre d'amis. Regardant par le judas, il y vit le visage de Brian, doré comme un poisson rouge sous la lumière orangée du porche, et totalement ravagé. Rien d'étonnant, tout compte fait : c'était la seule personne de leur connaissance qui oubliait toujours qu'il ne fallait appuyer qu'un instant sur la sonnette.

Michael ouvrit la porte.

— Salut, dit-il.

— Salut, répondit Brian. Désolé de n'avoir pas téléphoné d'abord.

— Ça n'a pas d'importance.

— Je vous dérange ?

— Pas du tout, mentit Michael.

Thack laissa Harry sortir de la chambre d'amis, et le

chien vint danser une petite gigue silencieuse autour des chevilles de Brian, l'accueil qu'il réservait habituellement aux membres les plus intimes du cercle de famille.

— Comment ça va, Harry ? s'enquit Brian.

Il laissa le chien lui renifler la main un moment, puis cessa de feindre la bonne humeur : à l'évidence, toute son énergie l'avait quitté.

— Vous étiez au lit, pas vrai ?

— Sur le lit, corrigea Thack. Séance de massage.

— Ah...

— Mais assieds-toi, continua Thack avec prévenance. Veux-tu qu'on te réchauffe des lasagnes ?

— Non, merci.

Brian s'écroula dans un fauteuil comme s'il ne devait plus jamais s'en relever.

— Il y a un peu de vin, proposa Michael. Du sauvignon.

Il venait de remarquer les yeux de Brian, épuisés et rougis par les larmes.

— Mais tu préfères peut-être un scotch ? ajouta-t-il.

— Non, pas de scotch non plus.

— Du rhum, alors ? suggéra Thack.

Michael le regarda avec surprise.

— Nous avons du rhum ? Où ça ?

— Sous l'évier, près des détergents.

— Depuis quand ?

— Depuis l'année dernière. Je l'avais acheté pour faire un *eggnog*.

— Ah, oui, je me souviens.

— Un petit verre de rhum, ce ne serait pas de refus, leur accorda Brian.

En courant, ou presque, Michael alla chercher la bouteille et un verre, car il avait soudain la sensation d'accomplir une mission de la plus grande urgence, comme les saint-bernard traversant le Yukon pour apporter des doses de sérum à des blessés.

248

— Il n'y a pas grand-chose pour le mélanger, se désola-t-il en revenant. Du Coca Light ?

— Sec, ce sera parfait ! le rassura Brian.

Michael en versa une généreuse rasade, que Brian avala d'un seul coup.

— Je sais bien que c'est un cliché, avoua-t-il ensuite en essayant de sourire, mais j'en avais besoin.

Michael sourit à son tour.

— Tu en veux un autre ?

— Non, ça ira. Merci.

Brian baissa les yeux et resta un moment silencieux, fixant apparemment ses mains qui pendaient mollement entre ses jambes.

— Je lui ai parlé, déclara-t-il enfin.

— Ah oui ?

Il valait mieux, songea Michael, ne pas dire qu'elle avait appelé. Cela ne pourrait qu'aggraver les choses. Il posa la bouteille et s'installa à côté de Thack sur le canapé.

— Comment ai-je pu ne rien voir venir ? murmura Brian. Comment ai-je pu être aussi aveugle ?

Il y eut un long silence, pendant lequel Harry sauta sur le fauteuil et posa son museau sur la jambe de Brian.

— Je me faisais déjà un cinéma dans ma tête, vous savez ?

— Qu'est-ce que tu veux dire ? demanda Michael.

— New York !... expliqua Brian. Nous habitions dans une jolie maison en grès du côté de l'Upper West Side. Nous avions un chat. Shawna et moi connaissions tous les musées par cœur.

Il caressait distraitement le dos du chien.

— J'avançais les yeux fermés. Je me croyais en sécurité, invulnérable, comme un pacha dans son harem.

— Tu n'avais pas de raisons de soupçonner quoi que ce soit, observa Thack calmement.

— Oui, mais... si j'avais fait l'effort de communiquer...

— Écoute, dit Thack, tout ça n'est pas ta faute.

Michael, qui était toujours en train de se dire combien cette image du pacha dans son harem était une image d'hétéro, lui jeta un coup d'œil inquiet. La neutralité était certes de rigueur en la circonstance ; mais Thack, comme à son habitude, semblait déjà prêt à prendre parti.

— Je ne crois pas que ce soit une question de faute, objecta-t-il.

Thack lui lança un regard torve.

— Je ne peux pas retourner à l'appartement, reprit Brian. Pas tant qu'elle y sera.

Il fit une pause puis continua :

— Il faut que quelqu'un parle à Shawna, je le sais, mais...

Le visage de Brian se crispa comme un poing, tous les muscles tendus par la douleur, et il se mit à sangloter silencieusement.

Michael et Thack restèrent immobiles.

— Je suis désolé, les gars, balbutia Brian à travers ses larmes.

— Faut pas, protesta doucement Michael.

— Je ne peux pas m'en empêcher, vous comprenez ?

Brian s'essuya les yeux.

— Je pensais pourtant pouvoir me contrôler, mais...

La sonnette retentit alors, les faisant tous sursauter comme un seul homme. Harry sauta des genoux de Brian, lançant à l'adresse du nouvel intrus des aboiements coléreux.

— Merde ! Qui ça peut être, encore ? grommela Thack en dévisageant Michael d'un air interrogateur.

— Aucune idée.

Michael prit Harry dans ses bras, et les aboiements du chien se réduisirent bientôt à un grondement sourd.

Brian lança à son associé un coup d'œil plein d'appréhension, comme s'il craignait que la personne derrière la porte fût Mary Ann elle-même.

Thack alla regarder par le judas.

— Zut, zut et zut !

— Quoi ? demanda Michael.

— Quel jour sommes-nous ? Réfléchis !

Il fallut à Michael plusieurs secondes. Mais la lumière se fit très vite dans son esprit :

— Oh, merde !

Michael se creusa la tête. Il n'y avait pas eu de bonbons ou de chocolats dans la maison depuis des mois. Aucun n'avait survécu à la dernière soirée où ils avaient envoyé promener leur régime. Il n'y avait même pas de pommes. C'était la deuxième année d'affilée qu'ils oubliaient les friandises pour les enfants. Dans le quartier, il n'y avait pas que les grandes personnes qui fêtaient Halloween.

La sonnette leur vrilla les tympans une seconde fois.

— Si nous ne répondons pas, peut-être qu'ils s'en iront ? suggéra Thack.

— Nous ne pouvons pas faire ça, dit Michael.

Il fila à la cuisine et y trouva une boîte d'abricots secs au fond d'un placard.

— Ils sont combien ? cria-t-il.

— Un seul, répondit Thack. Pour le moment, du moins.

Michael revint avec les abricots et ouvrit la porte à un Roger Rabbit d'un mètre de haut.

— Bonsoir !

Le gamin lui tendit un sac Gump sans un mot. D'un geste rapide, honteux, Michael y déposa les abricots, espérant qu'ils feraient en tombant le même bruit que des pralines. « Merci », dit l'enfant, avant de courir rejoindre un groupe de compagnons plus âgés qui l'attendaient sur le trottoir. Michael referma la porte et s'y appuya un moment, reprenant son souffle et se sentant pire qu'un escroc.

— Si tu m'avais fait un coup pareil, se scandalisa Brian, j'aurais tagué toute ta maison !

D'autres enfants allaient passer pour crier « *Trick or treat !* », c'était inévitable ; aussi Michael fila-t-il en catastrophe jusqu'au supermarché de Noe Hill pour en rapporter un assortiment géant de sucreries. S'il y en avait trop, il pourrait toujours les jeter le lendemain.

Quand il fut de retour, laissant Brian jouer mélancoliquement avec Harry dans le living-room, Thack l'attira dans la cuisine.

— Tu ne crois pas que nous devrions lui proposer la chambre d'amis ?

— J'en sais rien, mon grand, répondit Michael.

— Nous ne pouvons pas le... le renvoyer comme ça !

— D'accord, mais ça peut donner l'impression que nous prenons son parti...

— Et alors ? On s'en fout, non ?

— Pas moi, objecta Michael. Mary Ann est aussi mon amie.

— Tu parles d'une amie ! railla Thack. Elle t'a appelé pour te dire que tout ce gâchis était de ta faute.

Michael lui décocha un regard noir.

— S'il reste ici, ça ne fera que jeter de l'huile sur le feu, lâcha-t-il sèchement.

— Mais, bordel de merde, c'est ton associé ! s'emporta Thack.

— Ah, pas de sermons, s'il te plaît ! Je n'ai pas besoin de toi pour savoir qui il est.

— Bon, bon, comme tu veux ! Alors, appelle le Motel 6 !

— Ça ne pose aucun problème, affirma Michael. Je t'assure.

Thack et lui étaient de retour dans le living-room. Brian était toujours par terre avec Harry.

— Vous êtes sûrs ? demanda-t-il en levant les yeux. Je peux dormir à l'hôtel, vous savez.

— Mais non. C'est ridicule.

Brian haussa les épaules.

— Ça m'est déjà arrivé, va...

— Eh bien, je... Vraiment ?

— Oui, bien sûr. Deux ou trois fois.

— Quand ?

— Je ne sais plus. L'année dernière.

Il les regarda avec l'air candide d'un mouton.

— Il vaut beaucoup mieux que tu restes ici, intervint Thack.

— Oui. Hors de question que tu couches à l'hôtel, renchérit Michael en hochant vigoureusement la tête.

— D'accord, puisque vous y tenez... Merci.

Thack regarda Michael et l'interrogea :

— Est-ce qu'il y a des draps, dans la chambre d'amis ?

— Non, mais je...

— Je serai très bien sur le canapé, protesta Brian.

— Allez, inutile de poser au stoïcien, plaisanta Michael. Si nous avons une chambre d'amis, c'est bien pour ce genre de circonstances.

Il se mordit les lèvres.

— Enfin, pas *exactement* ce genre de circonstances, non...

La sonnette retentit de nouveau.

— Merde !

Michael regarda aussitôt par le judas. Cette fois ils étaient cinq ! Cinq longues capes et cinq masques.

— Je crois que la soirée va être très longue, commenta Thack.

Brian aida Michael à préparer son lit dans la chambre d'amis.

— Et Shawna ? demanda celui-ci. Qui va l'emmener à l'école ?

— Nguyet peut s'en charger.

— Tu es sûr? Tu sais, je serais très content de...

— Non. Ce n'est pas la peine. Merci.

Il lança à Michael un regard grave.

— Dis... Est-ce que nous pourrions ne plus parler de tout ça pendant un moment?

— Bien sûr.

Michael acheva de border le lit et lissa l'oreiller de plumes.

— Il y a des petites brosses à dents d'hôtel en haut de l'armoire à pharmacie, indiqua-t-il.

— Merci.

Brian sourit faiblement.

— Les brosses pour « petits mecs de passage » !

— Pardon?

— Ce n'est pas comme ça que tu les appelais?

Michael étouffa un petit rire.

— Quelle mémoire! apprécia-t-il.

Brian soupira.

— Michael... Je suis vraiment désolé de vous imposer tout ça.

— Je t'en prie!

— Je ne peux pas retourner là-bas, tu comprends? Je ne peux pas... être là et attendre qu'elle parte.

— Je comprends très bien.

Brian le fixa encore avec des yeux débordants de gratitude :

— Je savais que je pouvais compter sur toi, avoua-t-il pour finir.

Le kastro et la fidélité

Quand la voiture prit le dernier virage et s'engagea sur la promenade du bord de mer, le village de Molivos apparut soudain devant les yeux de Mona et elle sentit en elle un élan d'émotion — l'émotion qu'on éprouve en revenant chez soi après une longue absence. Le vert vif des persiennes, les terrasses de pierre nue, la cheminée fumante de la vieille manufacture d'huile d'olive, le château génois couronnant la colline... Tout cela avait perdu son exotisme et lui était devenu presque ancestralement familier. Elle avait déjà vécu ici, et à présent elle était de retour, Amazone revenant des guerres Sapphiques.

Un bruit provenait de l'esplanade, et cela la comblait d'aise de savoir le reconnaître : c'était le fourgon de la blanchisserie, lequel annonçait son passage au moyen d'un engin qui ressemblait à un vieux gramophone à pavillon, et, une ou deux fois la semaine, transportait le linge sale des touristes jusqu'à Mytilène, à soixante kilomètres à travers les montagnes. Les habitants de Molivos étaient des gens fiers, qui faisaient leur propre lessive, mais certainement pas celle des autres.

La première fois qu'elle avait entendu le vacarme de cet antique porte-voix, elle avait retenu son souffle, s'attendant à apprendre qu'un coup d'État venait d'avoir lieu. Même à présent, alors que presque trois semaines s'étaient écoulées, elle le soupçonnait encore vaguement de propager des messages fascistes. Qui pouvait dire ce qu'il racontait, de toute façon ? Peut-être ce tacot n'était-il pas *seulement* un fourgon de blanchisserie. Peut-être se faisait-il le héraut de quelque décret ou avis à la population...

Attention, attention, lesbiennes de tous les pays. La saison est officiellement terminée ! Veuillez évacuer les rues sans délai et retourner dans vos pays respectifs. Cette annonce constitue un dernier avertissement. Je répète : cette annonce constitue un dernier avertissement...

Elle sourit et regarda par la fenêtre. La plupart des tavernes et des boutiques avaient fermé, en son absence ; leurs portes et leurs fenêtres étaient couvertes de planches, et c'étaient maintenant des citadelles élevées contre la pluie. Dans la minuscule rue principale, la grotte verdâtre du restaurant *Chez Melinda* abritait les derniers touristes. Les hommes attablés au « Café des Papis » — le nom qu'elle avait donné à l'établissement où Stratos prenait la plupart de ses repas — semblaient euphoriques à la pensée que Molivos allait leur être enfin rendu.

Comment leur en vouloir ? Si ce village avait été le sien, pensa-t-elle, elle non plus n'aurait voulu le partager avec personne.

Elle descendit de voiture à l'extrémité couverte de glycines de la « grand-rue » et paya le chauffeur. Pour le seul plaisir, en parfaite exploratrice, d'arriver à se repérer dans le dense labyrinthe des venelles pavées, elle avait choisi de regagner la villa par ce chemin et non par celui — plus facile, pourtant — qui partait de l'esplanade. Elle savourait la sensation de savoir où elle allait dans un lieu aussi parfaitement étranger.

Quand elle parvint devant la fontaine turque édifiée sous leur terrasse, elle s'arrêta et, levant les yeux, perçut un flottement de soie colorée sous le soleil.

Anna modula une exclamation de bienvenue :

— Enfin, te revoilà !

— Oui. Me revoilà, répondit Mona en lui souriant, telle une voyageuse chevronnée retrouvant l'une de ses semblables.

— C'étaient vraiment les éléments en furie !

Elles étaient maintenant assises sur la terrasse, protégées par de grands chapeaux. Sous le soleil déjà pâlissant, la mer virait au vert émeraude, et une légère brise soufflait. Les fleurs des glycines avaient perdu leur épaisse couche de poussière dans un orage torrentiel, expliquait Anna.

— Pas possible ? s'étonna Mona. C'est à peine s'il y a eu un peu de bruine, à Skala Eressou.

— Un peu de bruine, c'est tout?

— Oui. Combien de temps cela a-t-il duré?

— Toute la nuit. Nous avions le vertige, tellement l'air était chargé d'ozone. Nous avons ouvert les persiennes toutes grandes, et nous avons laissé la tempête se déchaîner dans la maison.

Anna sourit gracieusement.

— J'étais excitée comme une folle!

— L'électricité a sauté? demanda Mona.

— Non. Pourquoi?

— Il y a des bougies partout.

— Oh...

Anna baissa pudiquement les yeux.

— C'était seulement pour... pour l'ambiance.

— L'ambiance?

— Oui.

Mona préféra ne pas demander de détails, mais l'image qui se forma dans son esprit fut celle d'Anna toute nue sous l'orage, la tête couronnée de lauriers, les bras en l'air, telle une espèce d'Evita transcendantale.

— Tu as bien profité de la maison? s'enquit-elle.

Anna fit oui de la tête.

— J'espère que tu ne l'as pas mis dehors uniquement parce que je...

— Mais non, ma chérie. Nous avions tous les deux envie de prendre un peu de distance pour un petit moment.

— Histoire de souffler, en somme, ironisa Mona.

Le visage de sa mère s'empourpra.

— Il a l'air vraiment gentil.

— Il l'est, affirma Anna. Très, très gentil.

— Et le village natal de la famille Dukakis, c'était comment?

— Ravissant.

Mona repoussa son chapeau et dévisagea sa mère avec une mimique complice.

— Je parie que vous n'y êtes même pas allés, la taquina-t-elle.

— Mais si ! protesta Anna.

— Combien de temps ?

Elle n'allait pas la laisser s'en tirer à si bon compte.

Anna hésita un instant, puis répondit :

— Oh... La plus grande partie d'une journée, au moins.

— Tu aurais pu me demander tout simplement de partir, tu sais ? Ça ne m'aurait pas gênée ! risqua Mona.

— Chérie, je t'*assure*...

Mona l'interrompit par un rire.

— Et le village natal de Sappho, c'était comment ?

— Très plaisant.

— Tu as rencontré des gens sympathiques ?

— Oui, quelques personnes ! avoua Mona.

Mais elle n'entra pas dans les détails.

Quand Mona fut réveillée à trois heures par les cloches des vêpres, l'air était beaucoup plus frais, et de lourds nuages tachés de bleu comme une peau contusionnée se balançaient dans le ciel. C'était sa dernière sieste : demain, à cette heure-ci, elle serait à l'aéroport d'Athènes, assise sur ses bagages, attendant son vol pour Gatwick. Wilfred avait insisté pour venir l'attendre à sa descente d'avion, aussi se sentait-elle tenue de respecter strictement l'horaire prévu.

— Ma chérie, y a-t-il des choses que tu n'aies pas encore faites ? lui demanda Anna alors qu'elles prenaient le thé.

Mona leva les yeux au ciel.

— Ne me pose pas ce genre de questions, par pitié !

— Je veux dire, pas encore faites *ici,* précisa Anna en souriant. Par exemple, as-tu visité le *kastro* ?

— Il y a un quartier gay ici ?

— Le château, philistine que tu es !

— Je sais. Je plaisantais.

— C'est un endroit extraordinaire, si tu ne l'as pas encore vu, insista Anna. Du XIVe siècle.

— Très bien. Allons-y.

— Seulement, il y a un bon bout de chemin à pied...

— Ça, je m'en doutais un peu, grogna Mona.

Elles cheminèrent laborieusement à travers le dédale des ruelles pavées, toujours plus haut vers le sommet du bourg, jusqu'au moment où il n'y eut plus de maisons alentour et où les énormes portes du château fort se dressèrent au-dessus d'elles. Deux vieilles femmes en chandail noir, aux visages de poupées joufflus comme des pommes, en sortaient et redescendaient vers le village ; aussi Anna pépia-t-elle un joyeux « *Kalispéra* », avant de prendre Mona par le bras et de lui désigner au-dessus des grilles l'inscription en caractères incurvés.

— Les Turcs ont exercé leur domination sur cette île pendant plus de quatre siècles, expliqua-t-elle. Ils ne sont partis qu'en 1923.

Mona imagina Stratos exactement au même endroit, fournissant à Anna exactement la même explication... sans oublier l'expression béatement niaise des yeux d'Anna tandis qu'il parlait.

— Le *kastro* lui-même est génois, poursuivit celle-ci. Il a été bâti par une famille d'aristocrates italiens.

Mona émit un borborygme approbateur et la suivit de l'autre côté des grilles. Elles gravirent un raidillon broussailleux, qui les conduisit à une autre entrée, plus colossale encore que la première. À dix mètres au-dessus de leurs têtes, un figuier noueux poussait, plongeant ses racines dans la pierre même. Le sol, au pied du mur, était collant tant l'arbre l'avait récemment bombardé de ses fruits.

La porte du donjon était bardée de fer à l'extérieur, mais le bois nu de la face intérieure, hélas, montrait qu'il n'avait pu opposer aucune résistance à la rage de graffiti des touristes. En grec, pour la plupart — si bien que le pittoresque et presque fraternel alphabet des anciens réduisait quelque peu leur agressivité. Le seul mot anglais qu'elle reconnut était « AIDS », posé comme un blason rouge sur le bois séculaire.

Elle détourna son regard et reprit sa marche, les tempes soudain battantes cependant qu'elle avançait dans le plein air des fortifications intérieures.

Sa mère, elle, n'avait pas l'air frappée.

— On utilise cette partie comme théâtre, expliqua-t-elle. Stratos m'a dit qu'on y a monté *Les Troyennes,* il y a quelques années.

— Ah oui ?

Anna, peu soucieuse de cette réponse indifférente, prit de l'avance et continua de grimper, jusqu'au moment où le château commença à ressembler à un décor d'opéra : tout en tourelles, éboulis moussus, niches de pierre et créneaux encadrant des fragments de mer. Même les nuages, dignes d'évoquer un décor idéal pour l'un des opéras de Wagner, s'étaient mis à l'unisson, et le vent soufflait beaucoup plus fort, soulevant la chevelure d'Anna et lui faisant ainsi la tête de Méduse, l'antique Gorgone.

Elle regarda Mona, puis étendit le bras en direction des côtes turques, qu'on devinait au loin.

— Troie ! soupira-t-elle, exaltée. Imagine un peu !

— C'est là-bas ? demanda Mona.

— C'est là-bas.

Mona s'appuya au rebord du rempart crénelé et observa le visage de sa mère. Brusquement, elle fut frappée de la voir si rayonnante.

— Tu as pris du bon temps, pas vrai ?

— Oh, oui ! répondit Anna, baissant les yeux.

— Je suis contente.

— Je n'ai jamais connu quelqu'un qui lui ressemblât, confessa sa mère dans un murmure.

Mona hésita un instant, surprise par la soudaine irruption de ce « lui ».

— Pour ne rien te cacher... il m'a demandé de rester, continua Anna.

— Ah oui ? Combien de temps ?

La regardant du coin de l'œil, Anna fit un geste vague en direction des côtes de la ville mythique.

— Aussi longtemps qu'il a fallu à l'humanité pour aller de l'époque d'Homère à celle de notre XXe siècle !

Mona se mit à rire, tout à coup émoustillée.

— Vraiment ?

Anna fit oui de la tête.

Mona se fit taquine.

— Nous devons nous préparer à un mariage lesbien, alors ?

— Oh mon Dieu, non ! s'exclama Anna.

— Bon. Dans ce cas, un concubinage lesbien !

Elles rirent toutes les deux, complices dans une même défiance à l'égard des institutions.

— Est-ce qu'il est riche ?

— Mona, voyons ! se récria sa mère, choquée.

— Oh, je voulais seulement dire...

— Il est à l'aise. À nous deux, nous aurions bien plus qu'il nous faut. Son beau-frère est un Dukakis.

Ces mots arrachèrent un sourire à Mona.

— J'ai oublié de te dire, reprit Anna. Il a perdu.

— Qui ?

— Michael Dukakis. C'est Stratos qui me l'a appris ce matin.

— Oh...

Mona n'était pas le moins du monde surprise. L'Amérique était de toute façon pourrie.

— Stratos en est très attristé, poursuivit sa mère.

— Qu'est-ce que tu lui as dit ? questionna Mona.

— Au sujet de la présidentielle ?

— Mais non. De toi !

Elle sourit.

— Ne fais pas ta sainte nitouche.

Anna passa la main dans sa toison méduséenne.

— Je ne lui ai encore rien dit pour le moment, répondit-elle.

— Est-ce qu'il est... important, pour toi ?

Anna fit oui de la tête.

— Assez pour que ?...

— Oh, oui. Plus qu'assez, dit Anna.

— Que ferais-tu ? demanda Mona. Tu vendrais la maison ?

— Je suppose que oui.

— Tu pourrais faire ça ?

Mona était incrédule.

— Je ne sais pas. Les Treacher m'ont fait une offre.

— Les Treacher ? Qui est-ce ?

— Les locataires du troisième. Un jeune couple, très sympathique. Ils cherchent une maison à acheter. Je suis sûre qu'ils en prendraient bien soin.

— Tu pourrais probablement la vendre une fortune, remarqua Mona.

— Ça ne m'intéresse pas, la fortune.

— Je sais, mais... ça ne peut pas faire de mal. Tu pourrais écumer toute l'Europe, venir me voir à Easley. Oh, et puis je viendrais te voir ici. Je crois que je pourrais faire ce sacrifice !

Anna pouffa, puis saisit Mona par un bras et contempla en contrebas le port pour bateaux miniatures, avec, contre la colline, le village pour petits trains électriques.

— Je te vois très bien ici, reconnut Mona.

— J'y suis déjà, fit observer Anna.

Mona sourit :

— Tu m'as très bien comprise.

— Oui.

— Tu as peur qu'il ne soit pas sincère ?

— Oh, non. Pas du tout, répondit Anna avec force.

— Tu as envie d'un compagnon ?

— Pour mes vieux jours?

Une fine expression de malice se dessina sur les lèvres d'Anna.

— J'ai des tas de compagnons, tu sais? Des compagnons merveilleux. Autant que toi.

— Mais tu as envie de rester, dit Mona. Je le vois bien.

Anna lissa distraitement la manche de son caftan.

— Les enfants ne comprendraient jamais, objecta-t-elle.

— Si c'est à Michael que tu penses, il a sa vie à lui. Pourquoi pas toi?

— Il y a aussi Mary Ann et Brian...

— Écoute, ils sont tous partis depuis longtemps! protesta Mona.

— N'empêche que... j'ai des responsabilités! murmura sa mère avec un air songeur.

En esprit, Mona revit le graffiti rouge sur la porte du château. Elle savait exactement ce qu'Anna pensait en cet instant.

— Tu sais, dit-elle, Michael ne te le pardonnerait jamais s'il apprenait que tu laisses passer cette chance à cause de lui.

— Chérie...

— Si c'est ce qui te retient, je lui parlerai.

— Je te le défends bien! s'insurgea Anna.

— Tu as passé ta vie à dire aux gens qu'ils devaient vivre comme ils l'entendaient et se sentir libres. Mais en ce qui te concerne, ce ne sont que des mots! Pourquoi ne suivrais-tu pas un peu tes propres conseils au lieu de parler dans le vide?

— Ça suffit, Mona.

— Tu sais très bien que j'ai raison, insista Mona.

— Il commence à pleuvoir...

— Rentre à San Francisco et parle-leur. Tu verras au moins comment ils réagiront.

Sans répondre, fuyant l'averse, sa mère dévalait déjà la pente, le long des créneaux.

Histoires à dormir debout

Quand Brian s'arrêta devant le Summit, Shawna l'attendait assise en bas des marches, comme convenu, et gribouillait furieusement sur un album de coloriage.

— Ça va, monsieur Hawkins ? demanda le portier, ouvrant la portière de la Jeep et se penchant à l'intérieur.

Ce type semblait curieux de savoir la raison des changements dans la routine quotidienne. Cela faisait maintenant quatre jours d'affilée qu'il voyait Brian venir chercher sa fille en arrivant d'une direction qui n'était pas la même que d'habitude.

— Pas mal, pas mal, répondit Brian.

Il mettait un point d'honneur à donner tous les signes de la jovialité.

— Dites, c'est vrai, ce bruit qui court ?

— Quel bruit ? demanda Brian, feignant la surprise.

— Eh bien, on dit que votre femme va bientôt partir présenter une émission à New York.

— Oh, ça ?

Il haussa les épaules.

— Il semblerait, oui.

Il ouvrit la portière pour laisser monter Shawna.

— Où est le sac de ton déjeuner, Puppy ?

— J'en ai pas besoin, marmonna la fillette. La mère de Solange nous prépare des burritos.

— Alors, nous allons vous perdre ? questionna le portier, qui de toute évidence n'allait pas laisser Brian s'en tirer à si bon compte.

— Oh, vous savez, ce n'est pas vraiment...

— Nous ne sommes pas obligés de partir avec elle, intervint Shawna avec à-propos.

— Puppy !

Brian jeta à sa fille un regard sévère avant de se tourner de nouveau vers le portier.

— Rien n'est encore définitif.

Il démarra vivement, forçant son interlocuteur à claquer la portière en criant : « Accrochez-vous ! » Il y avait eu quelque chose de compatissant dans ses propos, une espèce de complicité d'homme à homme — au point que Brian se demanda s'il n'avait pas déjà tout compris.

— Qu'est-ce que j'ai fait de mal ? demanda sa fille.

— Rien, rien.

Il ne pouvait tout de même pas la gronder parce qu'elle avait dit la vérité, ou du moins ce qu'elle en percevait.

— Quand part-elle ?

— La semaine prochaine, Puppy.

— Et tu reviendras, ensuite ?

— Bien sûr. Je te l'ai déjà dit.

Il tendit la main et tordit une des petites nattes que lui avait tressées Nguyet.

— Où veux-tu que j'aille sinon, hein, bécasse ?

— Je ne sais pas.

Shawna baissa les yeux.

— Tu es encore en colère contre Mary Ann ?

— Non, je suis seulement... Je n'ai jamais été en colère contre elle, Puppy. Nous ne nous sommes pas bien compris, c'est tout. Et ça me rend triste, quand je suis avec elle. C'est pour ça que je préfère habiter chez Michael et Thack jusqu'à ce qu'elle parte.

— Et tu seras triste quand elle sera partie ?

Il hésita quelques secondes puis :

— Oui, sans doute. Un peu.

— Je ne veux pas que tu sois triste ! s'écria Shawna.

Il la regarda et répondit :

— J'essaierai de l'être le moins possible. Promis !

Elle fut distraite un instant par un gros break qui les doublait. Un labrador noir se trouvait à l'intérieur, et passait son museau caoutchouteux par la fente de la fenêtre. Elle agita la main dans sa direction, puis se retourna vers son père.

265

— Est-ce que Michael a le sida, maintenant ? s'enquit-elle soudain.

— Mais non, Puppy. Michael est seulement séropositif. Tu te souviens de ce qu'il t'a expliqué ?

— Oui, fit Shawna gravement.

— Alors pourquoi me demandes-tu ça ?

La fillette haussa les épaules.

— Mary Ann m'a dit qu'il était malade. Que tu n'étais pas là parce que tu t'occupais de lui.

— Oh...

Alors, c'était là l'excuse qu'elle avait inventée !...

— Michael a eu mal au ventre quelques jours, mais c'est passé, à présent.

— Mal au ventre ?

— Oui. Mais seulement un petit mal au ventre banal, pas grave du tout. Comme ça t'arrive quelquefois.

De nouveau, elle regarda par la fenêtre, apparemment plongée dans ses pensées.

— Michael te le dirait s'il était vraiment malade, ajouta Brian. Ne t'inquiète pas pour ça.

— OK, conclut-elle.

Cet après-midi-là, tandis qu'ils taillaient les tiges brunes des yuccas, Brian parla à Michael du désarroi de Shawna.

— Elle était si perdue, la pauvre ! se récria-t-il.

— Ce n'est pas surprenant, observa Michael.

— Qu'est-ce que tu veux dire ?

— Eh bien... il me semble qu'on ne lui explique pas grand-chose, au sujet de cette histoire.

Ces mots semblaient lui reprocher une certaine négligence, et Brian en fut agacé.

— Écoute, j'ai été absolument honnête avec elle, protesta-t-il. Ce n'est pas moi qui lui ai raconté des histoires à dormir debout, en prétendant que tu avais besoin que je m'occupe de toi !

— Je sais, admit Michael.

— Pourtant, j'ai eu comme l'impression que tu m'accusais !

— Excuse-moi.

— C'est tout d'elle, ce manque de franchise avec la petite, cette façon d'aggraver les choses en...

— Il faut bien qu'elle lui dise quelque chose, Brian.

— Alors, qu'elle lui dise la vérité ! Qu'elle lui dise que je suis malheureux et dégoûté. Est-ce que c'est si difficile ?

— C'est ce que tu t'es risqué à lui raconter ? demanda Michael.

— Non, bien sûr. Enfin... pas exactement.

— Alors ! Tu vois bien ? Elle essaie simplement de ne pas trop perturber Shawna.

— Parce que moi, je la perturbe, c'est ça ? s'énerva Brian.

— Écoute...

— C'est *ma* faute si sa mère met les voiles pour aller faire la vedette à New York dans cette espèce de cirque... D'accord !

— Je ne parle pas de faute, Brian. Si seulement tu voulais prendre le temps de t'expliquer calmement avec elle...

— Tu lui as parlé, c'est ça ? C'est Mary Ann qui t'a suggéré de me dire ça ?

— Non.

— Elle t'a sonné les cloches, pas vrai ? Qu'est-ce qu'elle t'a balancé ? Elle t'a accusé de passer à l'ennemi ? s'emporta Brian.

Michael leva les yeux au ciel, exaspéré.

— Je ne lui ai pas parlé une seule fois depuis que tu es parti !

— Dans ce cas...

— Mais je pense qu'il serait temps que tu te conduises un peu en adulte et que tu discutes avec elle, poursuivit fermement Michael. Tu ne fais que pourrir davantage la situation.

— Ah vraiment ? ironisa Brian.

— Oui. Plus longtemps tu repousseras le moment...

— Merci, Michael. J'ai compris. Exactement ce dont j'avais besoin : une deuxième épouse pour m'engueuler !

Michael glissa son sécateur dans sa ceinture et s'éloigna sans un mot.

— Attends ! cria Brian. Excuse-moi, Michael. Je ne pense pas un mot de toutes ces conneries...

— C'est au-dessus de mes forces, Brian, vraiment, soupira Michael en se retournant. Je ne sais plus comment je dois te parler.

— Tu n'es pas obligé de me parler. Je ne te le demande pas.

— Mon cul ! Tu n'as pas arrêté de me cuisiner tout au long de la semaine. Je ne peux pas continuer à jouer les intermédiaires...

— Michael, protesta Brian, y a-t-il une fois, une seule fois où ?...

— Une seule fois ? Ça fait des années et des années que ça dure ! Je voudrais qu'on m'ait donné une pièce de 10 cents à chaque fois que tu m'as demandé ce qu'elle pensait vraiment au sujet de ceci ou de cela... J'aurais déjà un joli petit magot !

— Oui ! Toi, elle te parle, mon vieux, objecta Brian. Alors que moi, que dalle ! Tu dois savoir des choses sur ma vie dont je n'ai même pas idée.

Michael le regarda longuement et durement.

— Ça aide si on sait gagner d'abord sa confiance, tu sais ? lança-t-il sur un ton glacial.

— Qu'est-ce que je suis censé comprendre par là ?

— Oh, Brian...

— Non, dis-le-moi : je veux savoir.

Michael lui opposa un petit sourire las.

— Tu t'es si peu gêné pour baiser à droite et à gauche... commença-t-il.

— Si c'est de Geordie que tu veux parler...

— Non. Pas seulement de Geordie. Cette femme de Philadelphie, par exemple ?

Brian fronça les sourcils, perplexe.

— Quelle femme de Philadelphie ?

— Tu sais très bien. Brigid Quelquechose. Avec les gros seins et les bottes de cheval. Même que tu prétendais que c'était ta cousine !... Et puis quoi encore !

Brian se souvint. C'était quelques années plus tôt. Il l'avait amenée un jour à la jardinerie, bien avant de devenir l'associé de Michael. Il avait dragué cette inconnue — une nana à tomber à la renverse — et il avait eu envie de l'exhiber un peu. Michael était encore célibataire, à l'époque, et encore un complice fiable en matière de polissonneries.

— Et tu as raconté ça à Mary Ann ? s'indigna-t-il.

— Non, évidemment. C'est elle qui m'en a parlé. Moi, je n'y croyais pas. Il me semblait justement que cette histoire de cousine, c'était un peu trop gros pour être un pur mensonge.

— Alors, comment a-t-elle pu ?...

— Elle a des yeux pour voir, Brian ! Tu n'es pas aussi subtil que tu l'imagines.

Brian digéra ce sarcasme, quoiqu'un peu piqué tout de même.

— Elle t'en a parlé récemment ? voulut-il savoir.

— Non. Il y a des années, répondit Michael.

— Alors, pourquoi m'envoies-tu ça à la figure maintenant ?

Son associé poussa un lourd soupir.

— Parce que tu n'arrêtes pas de te poser en victime, explosa-t-il.

— Je *suis* une victime !

— C'est ça : si tu veux.

— D'ailleurs, peut-on savoir depuis quand tu es devenu si puritain ? ironisa Brian.

— Je ne suis pas en train de parler de sexe. Je te parle de mensonges.

— Je ne drague plus depuis des lustres, et tu le sais très bien.

— Depuis Geordie, pas vrai ? Depuis que tu as eu la frousse de ta vie ! C'est ça, ta fidélité ? À d'autres ! railla Michael.

Le visage de Brian était rouge de fureur.

— C'est plutôt comique, venant de toi, ce genre de sermon, rétorqua-t-il.

— Venant de moi ? Et pourquoi ?

— Parce que, à la même époque, Michael, tu battais sur son terrain la Grande Prostituée de Babylone !

— Peut-être. Mais je n'étais pas marié.

— Seulement parce que tu ne pouvais pas. Jon et toi, vous viviez bien en couple, non ? S'il était toujours vivant...

Mais il s'interrompit, horrifié par la facilité et la désinvolture avec lesquelles il s'était aventuré dans ces eaux.

— Quoi, s'il était toujours vivant ? interrogea sèchement Michael.

— Rien. Désolé. Je n'aurais pas dû dire ça.

Michael le dévisagea avec des yeux mélancoliques, puis retourna vers le bureau sans desserrer les dents.

Ils s'évitèrent tout le reste de la journée.

Souvenirs, souvenirs...

— Inutile de l'attendre, dit Michael ce soir-là à Thack. Pas pour dîner, en tout cas.

Thack leva les yeux des blancs de poulet qu'il était en train de paner. Derrière lui, par la fenêtre, on apercevait le brouillard qui se répandait dans la vallée comme une lave blanche.

— Qu'est-ce qui s'est passé ? demanda-t-il.

— Nous nous sommes disputés.

— À quel sujet ?

— Oh... Pas grand-chose. Nous nous sommes mutuellement traités de tous les noms.

Thack disposa les morceaux de volaille sur un plat en terre.

— Très original, ironisa-t-il.

— Je sais, je sais.

— C'était à cause de Mary Ann ?

Michael se tut quelques secondes.

— Plus ou moins, lâcha-t-il enfin.

— Je m'en doutais !

— Il devenait... tellement moralisateur, tu comprends ? Il n'a pourtant rien d'un saint. Elle avait toutes sortes de bonnes raisons pour...

Le téléphone sonna.

Michael décrocha.

— Allô...

— C'est moi, Mouse, fit la voix de Mary Ann.

— Salut.

— Est-ce qu'il est là ?

— Non.

— C'est elle ? s'enquit Thack à voix haute, ce qui agaça Michael.

Il lui fit signe que oui, agacé, et tourna le dos.

— Je lui dirai que tu as appelé, Mary Ann, OK ?

— Non. Ne lui dis rien. C'est à toi que je voulais parler, répondit-elle.

— Pourquoi ?

— Elle va encore t'avoir ! intervint Thack.

Il devenait franchement impossible. Michael lui jeta un regard noir avant de sortir de la cuisine. C'était finalement pratique d'avoir un téléphone sans fil, quelquefois.

— Si nous nous voyions, Mouse ?

Arrivé dans le living-room, il se laissa tomber sur le canapé et envoya promener ses chaussures.

— On prend les mêmes et on recommence ? plaisanta-t-il.

— Ne me rends pas les choses plus difficiles, le supplia-t-elle.

— Mmm... Et on se retrouverait où ?

— J'ai des invitations pour un cocktail, ce soir.

Elle se ménagea une pause théâtrale.

— Tu acceptes de venir avec moi ?

— Babycakes... Écoute...

— J'ai tellement l'impression que tout le monde m'en veut, Mouse !

Sa voix était toute petite, plaintive.

— Tu sais bien que ce n'est pas vrai, protesta-t-il, fondant déjà.

— Comment veux-tu que je le sache ?

On sentait qu'elle était au bord des larmes.

— Viens avec moi, Mouse. Uniquement pour discuter un peu... Nous ne sommes pas obligés de rester longtemps.

— Si tu veux juste discuter, est-ce qu'on ne pourrait pas seulement ?...

— Je suis obligée d'y aller. Je l'ai promis. Quand j'ai accepté, je pensais que Brian m'accompagnerait...

— Oh, je vois ! Tu as besoin d'une escorte.

Il avait dit cette phrase sur un ton grave et blessé.

— Tu sais bien que ce n'est pas vrai, se défendit-elle. Je pensais que nous pourrions seulement...

— Faire d'une pierre deux coups ?

Le silence qui suivit fut si long qu'il se demanda si elle n'avait pas raccroché.

— Est-ce que je suis odieuse à ce point ? reprit-elle enfin. Qu'est-ce qu'il t'a dit ?

— Rien.

— Alors, pourquoi me parles-tu comme ça ?

Michael poussa un soupir de résignation.

— J'ai pensé que ça te plairait, ajouta-t-elle. La tenue de soirée est de rigueur, et ça se passe dans une maison magnifique, à Sea Cliff.

Thack, évidemment, considéra l'accord de Michael comme une forme de trahison.

— Fiche-moi la paix, lui lança Michael. Je ne peux pas cesser de la voir uniquement parce qu'ils...

— Et pourquoi pas ? C'est elle qui l'a plaqué, non ? Ça me semble assez clair.

— Et nous, les hommes, nous devons nous serrer les coudes, c'est ça ?

Thack fronça les sourcils.

— Qu'est-ce que vient faire là ce que nous avons ou non entre les jambes ? s'étonna-t-il.

— Beaucoup, si tu veux mon avis.

— Tu me trouves sexiste ?

Michael haussa les épaules.

— Peut-être, oui, inconsciemment, répondit-il.

— Alors tu raisonnes comme un connard ! explosa Thack, piqué au vif.

— Écoute, j'ai seulement...

— C'est ce qu'elle t'a dit ? l'interrompit-il. Que nous étions une bande de mecs ligués contre une pauvre petite femme ?

— Non.

— Elle te mène par le bout du nez, Michael. Exactement comme ce pauvre Brian. Elle dira et elle fera n'importe quoi pour obtenir de toi ce qu'elle veut.

— Et les femmes n'en ont pas le droit, peut-être ?

— Personne n'en a le droit ! Ça n'a rien à voir avec du sexisme. Tu sais très bien que je ne suis pas sexiste. Comment peux-tu être aussi aveugle ? Je ne te comprends pas.

Michael se tut un moment, le laissant se calmer.

— Tu ne la connais pas depuis aussi longtemps que moi, argua-t-il.

— Non. C'est peut-être pour ça que je suis plus lucide sur ce qu'elle est.

— C'est possible.

Michael soupira.

— Tu veux que je me décommande ?

Thack se montra de nouveau cassant.

— Fais comme tu veux, répliqua-t-il.

— Très bien.

— Mais ne compte pas sur moi pour raconter des fables à Brian !

— Je ne te le demande pas, dit Michael sur un ton glacial. Moi-même, je n'en avais pas l'intention.

Et il sortit de la pièce.

Son smoking était plutôt poussiéreux et avait besoin d'un bon nettoyage. Sa chemise la plus habillée était propre, mais il dut agrafer les manchettes, faute de pouvoir retrouver ses boutons. Il n'allait sûrement pas demander à Thack de lui prêter les siens. Son bipeur retentit au moment où il avait l'agrafeuse à la main, et il la laissa tomber pour se mettre en quête d'un verre d'eau.

Quand il revint dans la chambre, il s'assit sur le lit et acheva de s'habiller. C'est en enfilant ses chaussettes qu'il remarqua quelque chose sur sa cheville — au bas de son mollet, plutôt — qu'il n'avait pas vu jusque-là. Il se pencha pour l'examiner.

— Si tu veux porter ma ceinture de smoking, tu peux, concéda Thack en entrant dans la chambre.

Michael ne répondit pas.

— Qu'est-ce qu'il y a ?

— Viens une seconde. Regarde ça.

Son ami s'approcha du lit.

— Où ?

— Ici.

Thack étudia la petite tache pourpre, l'effleurant légèrement du bout de son index.

— Tu trouves que ça y ressemble ? murmura Michael.

Il n'obtint pas de réponse.

— Moi, je trouve, reprit-il.

— Non, je ne crois pas, le rassura Thack. On dirait plutôt un bouton. Déjà en train de sécher, même. Regarde les bords.

Chez qui avait-il déjà vu un bouton à cet endroit ?

— Pourtant, la couleur... On dirait que c'est ça.

— Va voir August, si ça t'inquiète. Ce n'est pas demain, ton jour pour la pentamidine ?

— Si.

— Je suis sûr que ce n'est rien, insista Thack. Je t'apporte la ceinture.

L'émission de Mary Ann ce matin-là avait eu pour thème les enfants évangélistes, et ce fut ce dont ils parlèrent tout au long du trajet jusqu'à Sea Cliff. Michael supposait que les sujets plus douloureux seraient abordés plus tard, quand ils se sentiraient tous les deux en confiance.

Il avait rarement vu un brouillard aussi dense que celui qui enveloppait Sea Cliff dans son écrin de ténèbres. La maison était moderne, dans le style en vogue une quinzaine d'années plus tôt : une imbrication de boîtes métalliques à plusieurs niveaux, avec des parois de verre épais donnant sur l'océan. « Cubes de flash pour les dieux marins », pensa Michael au moment où Mary Ann confiait la Mercedes au voiturier.

— Qu'est-ce qui est organisé, exactement ? s'enquit-il.

Dans la brume, les lumières qui éclairaient l'allée brillaient d'un éclat amorti et ouaté. Au loin, dans la plaine assombrie du Golden Gate, des klaxons résonnaient comme les plaintes de moutons égarés.

— Seulement une visite de la maison, répondit Mary Ann. La soirée se déroulera au profit de la troupe de ballet.

— Et la maison appartient à qui ?

— Je ne sais pas, en fait. À un type qui est mort

récemment. Il a indiqué dans son testament que sa maison pouvait être ouverte au public après sa mort.

— C'est bizarre...

— Je crois que c'était un agent immobilier assez connu, expliqua-t-elle.

Soudain, il devina.

— Arch Gidde ! C'était ce nom-là, n'est-ce pas ?

— Oui, je me rappelle, maintenant.

— Ça alors ! murmura-t-il.

— Tu le connaissais ? demanda Mary Ann.

— Pas bien, non. Mais Jon l'a connu. Il venait ici très souvent.

— Cet Arch Gidde était gay ?

— De quoi crois-tu qu'il est mort ? rétorqua Michael.

— Prue Giroux m'a dit que c'était d'un cancer du foie, quelque chose comme ça...

— Précisément, apprécia Michael, sarcastique.

— Mmm... Il avait le droit d'avoir une vie privée, tu ne crois pas ?

Michael savait trop bien ce que Thack aurait répondu à cela.

À l'intérieur, la maison lui parut plus séduisante qu'il ne l'avait imaginé, mais la soirée ne se prêtait guère à admirer la vue. Le brouillard se pressait contre les baies vitrées comme une grosse femme enveloppée d'hermine. Tandis que Mary Ann se mettait à la recherche de l'un des organisateurs, il rôda un moment de pièce en pièce et s'attarda dans le grand salon, un peu gêné. Il y avait, pensait-il, une certaine forme de désinvolture à fureter au domicile d'un mort, fût-ce avec la bénédiction posthume de celui-ci.

Il se rappela le jour où l'agent immobilier lui avait fait des avances à la jardinerie — au temps où elle s'appelait encore *Les Verts Pâturages*. Arch était venu acheter des primevères, et avait reconnu en Michael un

276

amant de Jon. Profitant de l'occasion, l'homme avait glissé sa carte dans la poche de sa salopette et avait fait une allusion non déguisée et plutôt maladroite au fait qu'il possédait une Betamax.

Aujourd'hui, le mot « Betamax » évoquait quelque chose d'aussi dépassé que celui de « Gramophone », de même que les vastes dalles de travertin de son salon paraissaient aussi curieusement démodées qu'un intérieur de maison victorienne transformée en musée. Ce qui attirait surtout le regard était une rutilante cheminée en chrome (avec un coffre assorti pour les bûches). Deux énormes sofas italiens faisaient face au foyer, deux courbes de cuir beurre frais polies au cours des ans par l'incessant frottement de fessiers surmusclés à grand renfort de gymnastique. La seule chose qui manquait pour parfaire le tableau était un anthurium solitaire planté dans un vase en cristal.

Il n'avait aucune peine à se représenter Jon étendu là sous la lumière dorée, comme un athlète aux airs avantageux et arrogants sorti tout droit des pages de *GQ*. Il était assez insupportable à l'époque, mais avait énormément changé vers la fin de sa vie ; et c'était ce Jon-là, plus chaleureux, plus indulgent envers ses semblables que Michael préférait se rappeler.

— Attends de voir la chambre !

Mary Ann était de retour et le prenait par le bras pour l'entraîner vers le bar, où il commanda une Calistoga.

— Elle est belle ? demanda-t-il.

— Les murs sont recouverts de daim marron. Et capitonnés. On s'y sent comme dans le ventre de sa mère !

— Qu'est-ce que tu bois ?

— Rien. Oh, et puis zut ! Un verre de vin blanc !

— Eh bien ! plaisanta Michael. Tu te déchaînes, on dirait.

Elle lui sourit.

— Je suis contente que tu sois là, ronronna-t-elle.

Quand on leur apporta leurs verres, il leva le sien :

— À la réconciliation générale, risqua-t-il.

Elle but une gorgée, puis murmura :

— Pourquoi suis-je si nulle, Mouse ?

— Nulle pour quoi ?

— Pour mettre un terme à quelque chose.

Il ne sut lui opposer qu'un silence.

— J'aurais tellement voulu ne pas le blesser, reprit-elle. Le quitter de la bonne façon...

— Tu crois qu'il y a une bonne façon ?

— Je ne sais pas.

Elle but une autre gorgée de vin.

— Je suppose que si je lui avais parlé plus tôt...

— Oui, probablement.

— Je sais que je fais ce que je dois faire. Et pourtant... j'ai l'impression de me conduire comme une vraie salope, tu comprends ?

Elle le regarda presque respectueusement, comme si elle attendait son absolution.

— Ne parle pas comme ça. Tu n'as rien d'une salope, déclara Michael.

La pièce commençait à se remplir de monde, et cela semblait la mettre mal à l'aise.

— Si nous nous éloignions du bar ? proposa-t-elle.

— Comme tu veux.

Ils trouvèrent un endroit plus tranquille, une sorte de bureau à l'étage inférieur.

— Tu vois, continua-t-elle, reprenant là où ils s'étaient interrompus, je n'arrive même pas à me rappeler comment c'était quand j'éprouvais encore des sentiments pour lui. Je me réveille certains matins, je le dévisage et je me dis : « Comment cela a-t-il pu arriver ? »

Qu'espérait-elle qu'il répondît à cela ?

— Je veux dire... Je me souviens d'avoir ressenti

quelque chose, mais je ne sais plus du tout ce qu'était ce sentiment. Comme la nuit de cette veillée aux chandelles...

— Pour Harvey Milk?

— Non, pour John Lennon.

Il sourit, s'en souvenant aussi. Brian avait apporté des bougies parfumées à la fraise pour évoquer *Strawberry Fields*. Mary Ann et lui étaient restés des heures sur la pelouse de Marina Green, pour rendre hommage au musicien, le père au foyer le plus fêté du monde; puis ils étaient revenus à Barbary Lane, larmoyants mais exultants.

— Il était tellement gentil, continua Mary Ann. Plus tard, il avait laissé un mot sur ma porte : « *Help me if you can, I'm feeling down, and I do appreciate your being 'round.* » C'était tout lui. Expansif, sentimental, et tellement gentil !

Elle sourit mélancoliquement.

— Si seulement je pouvais retrouver la même émotion aujourd'hui...

— Tu la retrouves sûrement, puisque tu m'en parles.

— Je te parle de souvenirs, c'est tout. Quand on se souvient, ce n'est pas la même chose.

— Mais tu dois pourtant éprouver...

— Honnêtement, rien du tout.

Elle se tut et considéra tristement le brouillard par la fenêtre.

— Je le plains seulement un peu, quelquefois.

Elle se retourna et, cette fois, le fixa droit dans les yeux. Les siens se remplissaient de larmes.

— Si ça veut dire que je suis une salope, je n'y peux rien, ajouta-t-elle.

Et elle se mit à pleurer en silence. Il voulut la prendre dans ses bras, mais elle le repoussa.

— Non, Mouse. Laisse-moi. Sinon, je vais me transformer en fontaine.

— Ne te gêne pas.

— Non. Pas ici.

Une femme aux airs mondains apparut dans l'encadrement de la porte.

— Oh, que c'est ravissant ! s'exclama-t-elle. C'est le bureau ?

— Non, le baisodrome, répliqua Michael. Pour les partouzes...

La femme gloussa nerveusement, puis son visage s'affaissa comme un soufflé manqué et elle ressortit.

— Tu es infernal, déclara Mary Ann en s'essuyant les yeux.

— Oh... C'est probablement la vérité.

— Allons-nous-en d'ici, tu veux bien ?

— D'accord, répondit Michael. Tu veux prendre un café en ville ?

— Excellente idée.

— Je connais un endroit parfait, ajouta-t-il.

— Tu ne m'étonnes pas, dit-elle en lui serrant le bras.

Ils étaient sur le point de sortir lorsque Mary Ann aperçut les visages sculpturaux, éclatants, de Russell et Chloe Rand, flottant à travers la foule tels deux fanaux. Elle s'immobilisa.

— Mouse, souffla-t-elle, regarde...

— Je vois.

— Nous devrions les saluer, tu ne crois pas ?

— Mais je croyais que nous allions...

— Ils arrivent probablement de Los Angeles, continua Mary Ann sans l'écouter.

— Oui, je suppose.

Il la suivit docilement tandis qu'elle se frayait un chemin dans la foule. Un bref instant, quand elle tendit la main derrière elle pour saisir la sienne, il pensa avoir deviné ce qu'on devait éprouver en étant son mari.

De la petite bière

C'était une vallée ordinaire, dépouvue de signes dis-
tinctifs, une tranchée sombre entre les collines, où
scintillaient les lumières sous les porches. Il n'y avait
ni pont, ni baie, ni pyramide pour vous souffler qu'on
était à San Francisco ; mais pour Brian, il était impen-
sable qu'elle pût se trouver ailleurs en ce monde.

Thack le rejoignit sur la terrasse pour contempler
avec lui le brouillard moutonneux.

— À Sea Cliff, commenta-t-il, ils ne doivent pas y
voir à dix mètres.

— Sûrement, répondit Brian, mais il avait l'air distrait.

— Il y a de la Häagen-Dazs, dans le congélateur,
reprit Thack. Tu en veux ?

— Tout à l'heure, peut-être.

Thack se tourna vers lui.

— Tu ne devrais pas t'inquiéter, Brian. Il n'était pas
du tout en colère.

— Tu es sûr ? Je sais que je n'aurais jamais dû parler de Jon de cette façon.

— Pourquoi ?

— Eh bien... Quelqu'un qui est mort...

Thack sourit :

— Lui et moi, nous parlons tout le temps de gens
qui sont morts, tu sais ?

Brian hocha la tête, mais il semblait absent.

— C'est comme ça, voilà tout, ajouta Thack avec
un soupir.

— Oui, je suppose.

— Il prenait la défense de Mary Ann, non ? Et le
ton est monté, je comprends.

— C'est à peu près ça, acquiesça Brian.

— Alors, c'est bien fait pour lui. Il n'avait qu'à éviter de prendre son parti.

Brian fut étonné de cette réaction désinvolte.

— Ils se connaissent depuis très longtemps, argua-t-il pour défendre Michael.

— Oui, et alors ?

— Je n'attends pas de lui qu'il soit de mon côté sous prétexte que...

— Il le sait, plaida Thack. Il sait aussi qu'elle se conduit de façon odieuse avec toi. L'ennui, c'est qu'il veut que tout le monde lui ressemble. Il se donne un mal de chien pour le croire. Il est tellement soucieux de se montrer gentil avec tout le monde qu'il ne conçoit même pas que certaines personnes puissent en être indignes.

Brian jugea que ces mots n'étaient destinés qu'à le réconforter. À le convaincre que ce qu'il perdait ne valait pas grand-chose, ne méritait pas qu'il versât des larmes. Mais cela, il n'y croyait pas.

Thack scrutait toujours la nappe de brouillard.

— Où es-tu allé, après le boulot ? demanda-t-il. Nous étions un peu inquiets.

— Oh, je suis seulement allé boire quelques bières.

— Tu te sens comment ? Pas trop abattu ?

— Non, ça va.

Il jeta à Thack un regard en coin.

— Vous devez en avoir jusque-là, de m'entendre geindre...

— Mais non.

— Pourtant, mes malheurs, à moi, c'est de la petite bière à côté de ce que vous devez endurer, Michael et toi.

Thack haussa les épaules.

— Nous avons tous quelque chose à endurer.

— Peut-être, mais...

— Et puis, si Michael me quittait, je ne dirais pas que c'est de la petite bière.

Il se tourna vers Brian, avec un sourire un peu ensommeillé.

— Tu as parfaitement le droit d'être malheureux.

Il y eut un autre long silence, puis Brian demanda :

— Est-ce que ça ne te fait pas peur ?

— Quoi ? La santé de Michael ?

— Oui.

Thack sembla réfléchir un moment, puis :

— Quelquefois, je le regarde jouer avec Harry ou travailler au jardin, et je pense : « Voilà, c'est lui. C'est le garçon que j'ai attendu toute ma vie. » Et puis, une autre petite voix me dit de ne pas trop m'y habituer, que je n'en souffrirai plus tard que davantage. C'est drôle. On est conscient de cette formidable chance qu'on a, et en même temps on s'attend à ce que tout finisse du jour au lendemain...

— Tu as pourtant l'air heureux, hasarda Brian.

— Je le suis.

— C'est déjà énorme. Je t'envie, tu sais ?

Thack secoua la tête d'un air fataliste :

— Nous ne pouvons compter que sur le moment présent, évidemment. Mais c'est la même chose pour tout le monde. Alors, si nous gaspillons ce temps précieux à avoir peur...

— Je te comprends, Thack.

— Alors, un peu de glace, maintenant ?

Confidences aux toilettes

Les Rand, ces deux bonnes âmes, l'avaient accueillie comme une vieille amie, visiblement ravis de rencontrer un visage familier dans une autre de leurs soirées de bienfaisance parmi de parfaits inconnus. Ils ne se rappelèrent pas tout de suite le nom de Michael, aussi Mary Ann les tira-t-elle promptement d'embarras.

— ... Et vous vous souvenez sûrement de Michael.

— Bien sûr, roucoula Chloe.

Russell lui tendit la main :

— Content de vous revoir. Comment ça va ?

— Très bien, répondit Michael.

— Vous partiez ? demanda Chloe.

— Eh bien...

— Oh, ne partez pas tout de suite ! Je suis sûre que nous ne connaissons pas un chat dans cette foule.

— Oui, tenez-nous un peu compagnie ! ajouta Russell à l'adresse de Michael.

— Volontiers, s'exclama Mary Ann.

— Génial ! Vous êtes adorables.

— Comment s'est passé le gala ?

Le grand front d'ivoire de Chloe se plissa.

— Vous ne deviez pas présider un gala pour les malades du sida à Los Angeles ? insista Mary Ann.

— Oh si, bien sûr ! se souvint Russell. C'était très bien. Très émouvant.

— Évidemment ! Excusez-moi, pendant une seconde je n'y étais plus, ajouta Chloe.

Elle promena son regard dans le hall bondé.

— Est-ce qu'il y a autant de monde dans toute la maison ?

— Moins une fois qu'on a dépassé le bar, précisa Michael.

— En fait, j'ai une furieuse envie de faire pipi, avoua Chloe. Vous savez où sont les toilettes ?

— Venez, je vais vous montrer ! chuchota Mary Ann.

Elle la prit par la main, se sentant tout à coup fraternelle et complice.

Chloe jeta une œillade par-dessus son épaule en direction de son mari et de Michael, puis leur lança :

— Vous pouvez jouer tout seuls un moment, les garçons ?

— Bien sûr, répliqua Russell.

Michael, lui, adressa à Mary Ann un de ces regards de toutou abandonné qu'affectionnait tant Brian.

— Nous ne serons pas longues, fit-elle en s'éloignant.

Les toilettes des dames étaient immenses, toutes d'onyx noir et luisant.

— Alors ? demanda Chloe. Je grille d'envie de savoir, mais je ne voulais pas vous poser de questions devant votre mari.

Mary Ann resta interloquée un instant, puis :

— Oh ! s'écria-t-elle, Michael n'est pas mon mari.

— Zut. C'était l'autre, alors ?...

— Oui.

— Je suis vraiment désolée.

— Ça n'a pas d'importance. Je vous assure.

— Donc... pour le nouveau talk-show, quel est le verdict ?

Mary Ann haussa les épaules, d'un air plutôt penaud :

— J'ai accepté.

Chloe poussa un petit cri d'enthousiasme et la serra dans ses bras. Bien qu'elle n'eût jamais subi ce genre d'épreuve, Mary Ann eut l'impression d'être adoubée après un bizutage :

— Dites-moi que je ne le regretterai pas, implora-t-elle.

— Bien sûr que non, vous ne le regretterez pas. Pour quelle raison ?

Pour toute réponse, Mary Ann lui sourit avec un courage forcé.

— Est-ce que... Comment s'appelle votre mari, déjà ?

— Brian.

— Est-ce qu'il est d'accord ?

Mary Ann hésita un instant, puis décida de ne rien cacher. Chloe s'était comportée en alliée dès leur première poignée de main.

— Il ne vient pas avec moi, laissa-t-elle tomber. Nous allons divorcer.

Chloe hocha lentement la tête, ne sachant visiblement que répondre.

— Cela couvait depuis pas mal de temps, ajouta Mary Ann.

— C'est vous qui l'avez voulu, ou c'est lui ?

— Nous l'avons voulu tous les deux, en fait.

— Dans ce cas, tout va bien.

— J'avoue que tout ça m'effraie, pourtant. Je veux dire... Je sais que j'ai raison de le faire, mais c'est beaucoup de changements à la fois.

— Tout se passera très bien, la rassura Chloe. Regardez-vous ! Vous retomberez sur vos pattes comme un chat.

— Vous croyez ?

— Absolument.

— Vous comprenez, il n'y a pas que lui que je quitte, expliqua Mary Ann. C'est toute ma vie, ici. Mes amis... Michael, que vous venez de voir...

— Ils pourront vous rendre visite ! Vous ne partez pas vous installer à Zanzibar, quand même !

— Oh, si !

— Écoutez, la sermonna Chloe d'un ton ferme, n'oubliez pas que vous parlez à quelqu'un qui est sorti d'un trou comme Akron. Si moi, j'ai pu le faire...

— Mais vous l'avez fait avec quelqu'un que vous aimiez, objecta Mary Ann.

— Certes... Pourtant...

— Si vous saviez comme je vous envie, pour ça ! soupira Mary Ann, Vivre avec quelqu'un qui est sur la même longueur d'onde que vous. Qui aime ce que vous aimez, qui rit des mêmes blagues. Qui vous accompagne quand vous avez envie d'aller quelque part.

Chloe la regardait comme si elle ne comprenait pas bien.

— Ça n'a jamais été ainsi entre Brian et moi, ajouta-t-elle.

— Alors qu'est-ce qui vous liait, tous les deux ?

— Je ne sais pas. Si... Le sexe, principalement.

Chloe se regarda dans le miroir et sortit son tube de rouge à lèvres.

— Pauvre petite ! compatit-elle.

Mary Ann, mal à l'aise, émit un petit rire faux.

— Je ne veux pas dire que nous faisions l'amour sans arrêt. Mais c'est ça qui... enfin, qui nous aidait à rester ensemble.

— C'est pour ça que vous l'avez épousé ? questionna Chloe.

— Non, pas seulement.

— Pour quoi d'autre, alors ?

— Il était aussi... très gentil, très doux.

Mary Ann se tut quelques secondes, songeuse.

— Enfin, lui, au moins, il n'avait pas donné de surnom à son sexe.

— Pardon ?

Mary Ann prit un air excédé.

— Pendant des années, tous les garçons avec qui je suis sortie avaient baptisé leur sexe avec un surnom.

— Vous plaisantez ?

— Pas du tout.

— Quel genre de surnom ?

— Je ne sais plus. « Mon pote Henry », des choses comme ça.

— « Mon pote Henry » ? s'étrangla Chloe. C'était ici ou dans l'Ohio ?

— Ici ! Ce que ça pouvait être déprimant...

Elles pouffèrent de rire.

— Donc, reprit Chloe, votre pote Brian, lui, est arrivé avec cette merveille sans nom entre les jambes...

Mais on frappa à la porte, et, étouffant leur fou rire, elles durent reprendre contenance.

— Entrez, chantonna Chloe d'une voix sucrée.

La porte s'ouvrit lentement et un visage apparut. Mary Ann reconnut sans peine l'importune : c'était l'un des piliers du conseil d'administration du Ballet de San Francisco.

— Oh, excusez-moi, bredouilla la femme. Je croyais que...

— Je vous en prie, dit Chloe. Nous vous cédons la place.

Elle nous a reconnues, songea Mary Ann en sortant. Eh bien, elle aura quelque chose à raconter aux petites du corps de ballet...

Elles se trouvaient à présent dans une sorte de belvédère vitré qui surplombait la mer.

— Nous devrions peut-être chercher nos hommes, suggéra Mary Ann.

— Pfff... Laissez tomber. Qu'ils nous cherchent eux-mêmes !

Mary Ann éprouva de nouveau l'envie de rire. Elle se sentait un peu coupable d'avoir abandonné Michael, mais elle savait qu'il pouvait fort bien se débrouiller sans elle. De surcroît, cela devait l'exciter comme une puce, de tenir compagnie à Russell Rand.

— Cette maison est bizarre, remarqua Chloe. Tellement dans le goût des années 70 !

Mary Ann acquiesça, bien qu'elle ne fût pas sûre de ce que Chloe voulait dire.

— On se croirait dans un des ascenseurs du Hyatt Regency. Vous ne trouvez pas ?

— Si, c'est vrai, opina Mary Ann.

— Il paraît que d'ordinaire l'ambiance était plutôt chaude, ici, dans le temps. Enfin, c'est ce que Russell m'a dit.

— Dans cette maison ? Il la connaissait ?

— Il connaissait son propriétaire, laissa échapper Chloe.

— Ah ?

— Pas... très bien, mais enfin, il a participé à quelques soirées.

Mary Ann hocha la tête, un peu déconcertée.

— Si vous voyez ce que je veux dire, ajouta Chloe d'un air entendu.

De l'éternité de l'amitié

— Dites, ce n'est pas d'ici que nous étions partis ? demanda Russell Rand avec un sourire gamin.

Ils erraient depuis un moment déjà d'un étage grouillant de monde à l'autre, à la recherche de Mary Ann et Chloe. Jusqu'alors, ils n'avaient trouvé personne à qui parler, hormis des fanatiques de la mode qui restaient bouche bée lorsque paraissait le fameux styliste new-yorkais.

— Je crois que vous avez raison, dit Michael.

— Celle-là, je sais que je l'ai déjà vue tout à l'heure, ajouta Rand en désignant du menton une matrone d'un blond platiné en pantalon lamé or.

— Exact. Mais elle a pu bouger depuis tout à l'heure, observa Michael.

— Non. Elle est restée plantée ici comme un gros phare. J'en suis sûr.

— Ah bon...

— Zut !

Le styliste tourna brusquement les talons et baissa la tête.

— Vous avez vu quelqu'un que vous connaissez ?

Rand prit Michael par le coude et l'entraîna loin de la menace, tout en mimant la surprise enthousiaste d'une rencontre avec une personne imaginaire dans la pièce voisine. Michael joua le jeu, faisant un vague signe de la main à l'adresse du même fantôme.

Quand ils se furent frayé un chemin jusqu'à un étage moins bondé, Michael éclata de rire et se renseigna :

— Qui était cette terreur ?

— Prue Giroux, répondit Russell. Vous la connaissez ?

— De nom, seulement.

— Alors, débrouillez-vous pour ne jamais la connaître davantage. Vous le regretteriez.

Michael rit encore plus volontiers.

— Elle est assez bavarde, à ce qu'on m'a dit...

— Si vous saviez ! Bon sang, je pensais que nous pourrions nous en tirer sans la rencontrer une nouvelle fois.

Il fixa Michael avec des yeux implorants.

— Allons prendre un peu l'air, vous voulez bien ?

Sans attendre de réponse, le styliste ouvrit une porte donnant sur un jardin de rocaille au bord de la falaise. Dans le brouillard, un projecteur rose éclairait un massif de plantes grasses et un banc de pierre installé au bout de l'allée. Rand alla s'y asseoir avec un soupir de soulagement.

— Les gens de cette ville sont des carnassiers, se plaignit-il.

Michael s'installa à côté de lui :

— Pas tous, rectifia-t-il.

— En tout cas, tous ceux qui sont ici.

Sur ce point, Michael ne pouvait discuter.

— Qu'est-ce que vous faites, dans la vie ? s'enquit soudain Russell, changeant de sujet.

— Je suis pépiniériste.

— Ah oui ? Joli métier. Qui vous fait garder les pieds sur terre, au moins.

— Mmm, fit Michael. Ça, je n'en suis pas sûr.

— Il y a longtemps que vous connaissez Mary Ann ?

— Oui, de longues années.

— Elle vous a parlé de sa nouvelle émission ?

— Oui.

— Pourquoi son mari n'est-il pas là ce soir ? demanda le styliste.

Michael préféra rester évasif.

— Il n'aime pas beaucoup ce genre de mondanités.

Rand hocha la tête mélancoliquement, puis :

— Mais vous, vous les aimez, reprit-il.

— Pas spécialement. Mary Ann m'a demandé de l'accompagner pour lui rendre service.

Il espérait cependant qu'on ne l'avait pas pris pour une simple potiche.

Après un moment de silence, Rand se fit encore plus direct :

— Vous n'êtes pas marié ?

— À une femme ? répondit Michael en souriant.

De toute évidence, son interlocuteur ne s'attendait pas à cette réplique.

— Je vis avec quelqu'un. Depuis trois ans, ajouta Michael.

Il n'était guère nécessaire de préciser le sexe de ce quelqu'un.

— Ah ? Bien.

Le silence qui suivit fut lourd de non-dits.

— Et vous vivez en couple... librement ? osa bientôt Russell.

— Oh oui... Tout le monde est au courant, répondit Michael en souriant.

— Ce n'est pas ce que je voulais dire.

— Pardon...

— J'ai une suite au Méridien. Vous pourriez être rentré chez vous pour minuit.

Tiens, tiens... se dit Michael. Intéressant !

— Et votre femme ?

Les lèvres de Rand dessinèrent un gracieux sourire.

— Elle a sa propre suite. Et elle est parfaitement compréhensive.

— Ah...

— Ça te tente ?

— Non, merci, répondit Michael.

— Tu es sûr ?

— Oui.

— Ce serait... sans risques, naturellement, ajouta Rand. J'y tiens.

— Il fait froid ici, remarqua Michael. Je retourne chercher Mary Ann.

— Allons, sois sympa ! Reste un peu.

Michael garda les yeux fixés sur le sol un moment, puis se tourna vers le styliste.

— Vous êtes incroyable ! s'étonna-t-il.

Les sourcils de Rand se froncèrent :

— Pourquoi cela ? demanda-t-il.

— Vous n'avez jamais honte de vous ?

— Écoute, si c'est à cause de Chloe...

— Non, coupa Michael. Je parle d'amour-propre. Que disent vos amis, quand vous dégoisez toutes vos conneries ?

— Quelles conneries ?

— Vous savez bien : votre passion pour les femmes, les joies de l'amour hétérosexuel. Je vous ai vu à la télé, la semaine dernière, dans *Today*. Jamais entendu autant de sinistres mensonges en si peu de temps ! Vous ne trompez pas autant de gens que vous le croyez, vous savez...

Malgré le brouillard et la lumière rose, Michael vit qu'il rougissait.

— Écoute, tu ne me connais pas...

— C'est vrai, je sais seulement que vous êtes un sale hypocrite, pour le moment.

Rand prit son temps avant de réagir :

— Tu es pépiniériste, toi, Michael. Tout le monde s'en fout si tu préfères les mecs...

— Et c'est très différent, pour un styliste ? répliqua Michael, sur un mode sarcastique.

Rand hocha la tête d'un air malheureux.

— Les gens ne veulent pas savoir. Crois-moi.

— Et alors ? Est-ce que ça compte ?

— Pour moi, oui. Bien obligé.

— Vous n'êtes obligé à rien du tout. Pure cupidité. Bon Dieu ! Mais ça ne vous gêne pas, de présenter cette façade pendant que vos semblables sont en train de crever !

Rand lui jeta un regard dur.

— J'ai fait cracher plus d'argent pour le sida que tu n'en verras jamais.

— Et ça suffit pour vous innocenter ? Ça vous autorise à mentir ?

— Je pense que ça m'autorise à...

— Un type comme vous a la chance de pouvoir faire évoluer les choses, et vous le savez très bien ! l'interrompit Michael. Vous pourriez montrer aux gens que les gays sont partout, et qu'ils ne sont pas différents du reste du monde...

— Allons, sois un peu réaliste ! protesta Russell.

— Pourquoi ? Vous avez donc un si grand dégoût de vous-même ?

— Pourquoi ma vie privée devrait-elle être connue du public ?

— Pourquoi ? Le public connaît bien l'existence de Chloe, je me trompe ?

Rand émit un grognement et se leva, préférant de toute évidence battre en retraite.

— Vous êtes un dinosaure, lança Michael. Le monde a changé, et vous ne vous en êtes même pas rendu compte !

Rand ralentit et se retourna de nouveau vers lui avec un regard hargneux.

— Qu'est-ce que tu connais du monde, en vivant dans ce trou ?

— C'est là que je vis, oui, Dieu merci ! Allez... salut et bonne baise ! lui cria Michael.

Quand Rand eut disparu, Michael resta assis dans le brouillard teinté de rose, respirant profondément pour se calmer. Puis, soudain rappelé au sens d'autres réalités, il se pencha, releva la jambe de son pantalon et examina de nouveau la tache pourpre au bas de son mollet.

Lorsqu'il retrouva Mary Ann, elle était en train de signer une serviette en papier pour un fan en extase.

— Prête à partir ? demanda-t-il.

Elle tendit la serviette à son adorateur, lequel la dévisagea avec des yeux incrédules avant de reculer en une courbette déférente, tel un serviteur de cour.

— Si tu veux, répondit-elle. Tu t'ennuies ?

— Non. Mais j'en ai un peu ma claque.

— OK.

Elle promena son regard sur la foule.

— Il faudrait d'abord que nous disions au revoir à Russell et à Chloe.

— Non. Vaut mieux pas.

Elle fronça les sourcils.

— Pourquoi ? Il s'est passé quelque chose de ?...

— Une simple prise de bec. Je te raconterai plus tard.

— Mouse...

— Je vais chercher la voiture.

Elle le suivit dans l'allée.

— Mais pourquoi une prise de bec ? insista-t-elle.

— Il m'a fait des propositions, imagine-toi.

— Comment ça ?

— Il voulait que je rentre avec lui à son hôtel.

— Écoute, c'était peut-être pour tout autre chose que...

— Écoute, la coupa-t-il, dans ce domaine, je pense avoir suffisamment d'expérience pour ne pas courir le risque de prendre des vessies pour des lanternes !

Dans la voiture, après un moment de silence pesant, elle remit la question sur le tapis :

— Qu'est-ce que tu lui as dit ?

— Oh, pas grand-chose : qu'il était un sale hypocrite, et qu'il pouvait aller se faire foutre... mais par un autre.

— Tu n'as pas dit ça !

— Si. Exactement.

— Mouse...

— Qu'est-ce que j'aurais dû lui répondre, selon toi ?

— En l'occurrence, ce n'est pas ce que tu dis qui compte... c'est la façon. Tu t'es montré à ce point agressif ?

— Est-ce que ça a de l'importance ? répliqua Michael.

— Pour moi, oui.

— Pourquoi ?

— Parce qu'ils sont particulièrement gentils avec moi. Chloe va m'aider à m'installer, et...

Il eut un rire amer.

— Je suis sérieuse, insista-t-elle.

— Alors qu'est-ce que j'étais censé faire ? Lui tailler une petite pipe pour lui prouver *ta* gratitude ?

— Ne me fais pas dire ce que je n'ai pas dit.

— Ce type est répugnant ! lâcha-t-il. Visqueux !

— Mais ce n'est pas la première fois qu'on te drague, que je sache. Tu sais comment éconduire quelqu'un en restant aimable, je suppose.

— Et puis quoi encore ? Non, mais je rêve ! siffla-t-il entre ses dents.

— Depuis quand es-tu devenu si moralisateur ? Tu as ramené chez toi des mecs par dizaines avant de rencontrer Thack !

Une fois de plus, pensa-t-il, elle n'a rien compris.

— Je ne lui reproche pas de draguer, dit-il. Ça n'a strictement rien à voir.

— Où est le problème, alors ?

— Le problème, c'est qu'il ment, Mary Ann.

— C'est un personnage public, objecta-t-elle.

— Oh, je vois. Pas question que toute l'Amérique sache qu'il est pédé. Tout sauf ça, pour l'amour du Ciel !

— Il y a des considérations pratiques à prendre en compte, Michael. Sois un peu raisonnable !

— Ces gens qui détestent ce qu'ils sont me font horreur !

Il détourna son visage vers la vitre de sa portière, exaspéré. De pâles façades ornées de stuc défilaient dans l'obscurité. Cela l'attristait profondément, de constater qu'elle n'avait pas compris cette notion fondamentale et que cela continuerait de lui échapper encore longtemps, alors qu'ils se connaissaient depuis tant d'années. Si *elle* ne comprenait pas, que pouvait-on espérer des intolérants purs et durs ?

Elle le regarda.

— Tu t'exprimes d'une façon tellement virulente ! gémit-elle. Ça ne te va pas, tu sais ?

Il garda le silence.

— Pourtant, tu as trouvé Russell sympathique, le premier soir ! C'est Thack qui t'a dit du mal de lui ?

— Non.

— Alors qu'est-ce qui t'a pris ?

Son bipeur se mit à sonner, lui fournissant une réponse plus éloquente que tout ce qu'il aurait pu ajouter.

Mary Ann se troubla.

— Tu veux que je m'arrête pour trouver de l'eau ?

— Non.

— Tu es sûr ?

— Oui. Je prendrai mes comprimés à la maison.

— Tu sais, rien ne m'empêche de...

Il la coupa d'un ton rogue :

— Ça ira comme ça, OK ?

Ils restèrent ensuite silencieux, mais quand ils s'engagèrent dans la descente de Cow Hollow, il se tourna vers elle et laissa tomber :

— C'est toi qui as changé, tu sais ?

— Tu trouves ?

La voix de Mary Ann était soudain étrangement douce.

— Oui.

— Je suis désolée si c'est mon départ qui...

— Ton départ n'a rien à voir là-dedans. Ça dure depuis quelque temps déjà.

— Ah ?

— Oui. J'aimerais connaître le moyen de te persuader que je ne suis pas encore mort, Mary Ann.

Elle le regarda, perplexe.

— C'est comme ça que tu te conduis, ajouta-t-il. Depuis le jour où je t'ai dit que j'étais séropositif, en fait.

Elle fit semblant de ne pas comprendre.

— Qu'est-ce que tu veux dire ? Je me suis conduite comment ?

— Je ne sais pas. De façon trop prévenante et trop distante, trop polie. Entre nous, ce n'est plus du tout comme avant. Maintenant, tu me parles comme si j'étais Shawna ou un gamin de son âge.

— Mouse...

— Ce n'est pas un reproche, continua-t-il. Tu n'as pas envie de revivre la même chose qu'avec Jon, et je ne peux pas t'en vouloir.

— Mais si je t'ai demandé de venir ce soir, c'était pour quoi, selon toi ? Et le jour où nous sommes allés voir l'Orgue des vagues ?

Il haussa les épaules.

— Rien qu'un peu de détresse, lâcha-t-il.

— Ne dis pas de bêtises.

— Tu avais besoin de quelqu'un pour te tenir la main, voilà. De quelqu'un qui t'écoute. C'est tout.

— Ce n'est pas très gentil de ta part, observa Mary Ann.

— Peut-être, répliqua-t-il froidement. Mais c'est la vérité.

— Si je ne peux même pas compter sur toi, Mouse...

— Ça vaut dans un sens comme dans l'autre, figure-toi.

Elle parut blessée.

— Je le sais bien, admit-elle.

— Ce n'est pas un seul homme que tu quittes, Mary Ann.

Elle sembla composer sa phrase avant de la prononcer :

— Mouse... Toi et moi serons toujours...

— Foutaises ! Ce soir, tu as fichu nos projets en l'air dès l'instant où cette espèce de pédale honteuse a montré le bout de son sale museau. Alors, n'essaie pas de me refourguer ces conneries sur l'amitié éternelle. Tu as de nouveaux amis, maintenant, et les autres ne sont plus là que pour assurer l'intérim.

— Tu ne penses pas ce que tu dis.

— Oh que si ! Je préférerais de beaucoup ne pas le penser, Dieu sait ! Mais je le pense. Tu n'as plus rien à foutre de qui que ce soit.

Il détourna les yeux et regarda de nouveau le paysage nocturne par sa vitre.

— J'ai du mal à croire qu'il m'ait fallu si longtemps pour m'en apercevoir.

— Je n'en crois pas mes oreilles.

— Si, si... crois-les.

— Mouse, si j'ai dit quelque chose que...

— Bon sang, mais comment peux-tu être aussi inconsciente ?

— Écoute, si tu me disais plutôt où est ce café...

— Je me fous de ce putain de café ! Arrête-toi au coin de la rue : je descends !

— Oh, je t'en prie ! s'écria-t-elle avec agacement.

Il se retourna et la regarda durement pour lui faire comprendre qu'il était sérieux.

— Je répète, Mary Ann : « Arrête-toi, s'il te plaît. »

298

— Comment comptes-tu rentrer ?

— Je prendrai le bus. Ou un taxi. Ça m'est égal.

Elle arrêta sa Mercedes après l'intersection entre Union Street et Octavia Street.

— C'est vraiment ridicule ! s'indigna-t-elle.

Il ouvrit la portière et sortit de la voiture sans se retourner. Tandis qu'elle redémarrait et s'éloignait rapidement dans le brouillard duveteux de la rue, il resta immobile sur le trottoir, se demandant sombrement si elle attachait la moindre importance à ce qui venait de se passer... Si elle ressentait quoi que ce fût...

Embrassades sur le répondeur

Le lendemain, Michael se réveilla à l'aube. Le seul rêve qu'il parvenait à se rappeler avait été aussi désordonné que possible : un délire en stéréo et cinémascope, où étaient intervenus des avions d'avant-guerre, des tortues mortes et une brève (mais émouvante) figuration de la princesse de Galles. Conformément à sa vieille habitude, respectueusement immobile à la manière d'un fervent cinéphile qui ne bouge pas de son fauteuil avant la dernière ligne du générique de fin, il resta un long moment allongé pour essayer de reconstituer à l'état de veille cette flamboyante épopée.

Laissant Thack dormir, il enfila rapidement un jeans, une chemise, et emmena Harry faire sa promenade du matin — version abrégée — avant de trier le linge sale et de se préparer un petit déjeuner à base de pommes et de yaourt. Son rendez-vous pour la séance de pentamidine avait été fixé à neuf heures, mais le centre médical ouvrait à huit et il savait par expérience qu'August ne refuserait pas de l'examiner même s'il arrivait à l'improviste.

Au moment où il partait, Thack, encore mal réveillé, se dirigeait d'un pas hésitant vers la salle de bains.

— Tu veux que je t'accompagne ?

Michael déclina son offre.

— Tu reviens ici, ensuite ?

Il parut difficile à Michael de fournir une réponse simple.

— Je ne sais pas.

Son ami l'embrassa sur l'épaule.

— Appelle-moi, au moins ? Ou alors, je t'appellerai, moi, à la jardinerie.

— D'accord.

— Et ne t'inquiète pas trop, recommanda Thack.

Le cabinet d'August se trouvait dans un bâtiment de verre noir de Parnassus Street, en face de l'hôpital universitaire. Michael se gara dans le parking du sous-sol, puis monta dans un ascenseur, lequel sentait toujours le désinfectant et les hot dogs qu'on servait à la cafétéria du quatrième étage. Au cinquième, une femme noire à la silhouette massive monta à son tour, souriant d'un air pathétique et tenant levé un doigt profondément entaillé. Il lui adressa quelques mots compatissants, puis la quitta au septième étage.

Dans la salle d'attente d'August, la secrétaire se retenait de trop sourire pour ne pas montrer son appareil dentaire, qu'il avait pourtant vu maintes fois.

— Bonjour, Michael.

— Bonjour, Lacey.

— Vous êtes en avance, non ?

— J'ai mon rendez-vous pour la pentamidine à neuf heures, mais je voudrais montrer d'abord quelque chose à August.

Elle secoua la tête.

— Il ne sera pas là avant midi, lui opposa-t-elle alors. Il est à Sacramento. On avait besoin d'un expert pour une histoire de subventions ou je ne sais plus quoi d'autre.

— Ah...

— Mais Joy est ici. Vous voulez la voir ?

Joy était l'infirmière qui assistait August.

— Volontiers, acquiesça Michael. Il s'agit seulement d'un truc sur ma jambe.

— D'accord.

La fille esquissa un autre sourire-camouflage.

— Asseyez-vous. Elle sera libre dans quelques minutes.

Il s'assit, prit un numéro de *Maisons et Jardins* et le feuilleta machinalement. Une des photos représentait la propriété d'Arch Gidde à Sea Cliff, presque méconnaissable au milieu de la jungle de fleurs exotiques apportées pour le photographe. Il vérifia la date sur la couverture du magazine : la parution remontait à deux mois. L'agent immobilier devait être mourant lorsque la revue était arrivée dans les kiosques.

— Dites, demanda Lacey, avez-vous entendu parler de la dernière vidéo de Jessica Hahn ?

Michael se força à lui faire bon visage.

— Oui, vaguement.

— Ça doit être quelque chose, hein ?

— Plutôt, oui !

— On dit qu'elle s'est fait faire des implants mammaires.

— Ça ne m'étonnerait pas, répondit Michael.

Il se replongea dans son magazine, et, sentant ses mains devenir moites, se concentra sur les uniformes de cavalerie qui décoraient la chambre d'Arch Gidde.

Cinq minutes plus tard, Joy l'appela depuis le seuil de la porte et l'escorta dans une vaste pièce ensoleillée où August avait accroché sa collection d'affiches de Broadway.

— Au fait, commença-t-elle, c'est moi qui vous ai klaxonné, hier.

Il ne comprit pas tout de suite.

— Dans Clement Street! précisa-t-elle. Vous quittiez votre jardinerie, je crois.

— Ah, oui...

Michael fit semblant de se rappeler mais, pour le moment, il était incapable de réfléchir à quoi que ce soit, et sûrement pas à un coup de klaxon donné la veille.

— Je vous le dis, parce que ça m'énerve, moi, quand on klaxonne pour me dire bonjour et que je ne reconnais pas la personne, expliqua-t-elle. Ça ne me sort plus de la tête de toute la journée.

— Je connais ça, fit-il.

Quand ils pénétrèrent dans le cabinet, elle lui demanda :

— Alors ? Que puis-je faire pour vous ?

Il s'assit sur le lit et remonta son pantalon sur l'une de ses jambes.

— Cette tache, là... Est-ce que c'est ce que je pense ?

Elle examina le petit cercle pourpre en silence, puis se redressa :

— Vous avez ça depuis combien de temps ?

— Je ne sais pas. Je ne l'avais pas remarqué jusqu'à hier.

Elle hocha la tête.

— Alors ? insista-t-il.

— Oui, on dirait bien.

Il se força à respirer profondément.

— Mais je n'en suis pas certaine à cent pour cent, ajouta-t-elle.

— Ah...

— August sera là vers midi. Il vaudrait mieux le lui montrer. Nous pourrions faire une biopsie.

— Comme vous voudrez.

— Vous vous sentez bien, sinon ? demanda-t-elle.

— Très bien.

— Je vous le répète : je ne suis pas complètement sûre.

— Je comprends.

Et il lui adressa un faible sourire pour lui montrer que, de toute façon, il ne lui en voudrait pas si elle se trompait.

Il fit les cent pas dans la salle d'attente jusqu'à neuf heures, puis descendit au labo du troisième étage pour sa séance de pentamidine. Tandis qu'il suçait l'embout de plastique de forme quelque peu phallique, l'infirmière qui s'occupait de lui monologuait comme à son habitude.

— Donc, George est allé à Washington à cette grande fête costumée gay et lesbienne, mais il n'a pas trouvé sa valise à l'aéroport. Perdue! Avec tout son attirail en cuir. Alors, vous imaginez... Il a été forcé d'y aller en caleçon de laine et chemise de nuit...

Michael, la bouche pleine, sourit faiblement.

— Le pauvre s'est fait voler la vedette par une lesbienne sado-maso qui a fait son entrée en robe 1900 très décolletée, avec de *véritables* traces de coups de cravache dans le dos! C'est la dernière mode ou quoi?

Michael émit un rire étouffé.

— Ça va? demanda l'infirmière.

— Oui, oui.

— Est-ce que je parle trop? Dites-le-moi, surtout, hein!

— Non, non. Pas du tout.

La vapeur, comme à chaque fois, laissait dans sa bouche un goût de papier d'aluminium.

Michael ressortit du bâtiment un peu avant dix heures et descendit la rue jusqu'au parc, où il erra parmi des gens qui jouaient avec leurs chiens ou au Frisbee. Trois ans d'angoisse quotidienne l'avaient amené à s'attendre à cet instant — c'était d'ailleurs presque trop —, mais ce qu'il venait d'apprendre lui semblait pourtant complètement improbable. Il s'était de toute façon promis de ne pas maudire tout l'univers quand le moment serait venu. Trop de gens étaient morts, trop de gens qu'il avait aimés, pour qu'il pût raisonnablement se révolter et crier : « Pourquoi moi ? » Non, la réaction la plus juste lui paraissait plutôt pouvoir se résumer en cette simple petite question : « Pourquoi pas moi ? »

Il y avait des tas de maladies bien pires que le Kaposi. Comme la pneumocystose, qui pouvait vous envoyer *ad patres* en quelques jours. August, heureusement, lui avait assuré que la pentamidine l'en protégerait pourvu qu'il suivît le traitement régulièrement. Et, avec des soins appropriés, il y avait même pas mal de cas où le Kaposi disparaissait complètement. Sauf s'il se développait, il est vrai, sauf s'il se propageait à l'intérieur du corps.

Il se rappela Charlie Rubin quand les lésions avaient atteint son visage, la façon dont il se moquait de la grosse tache du bout de son nez qui le faisait ressembler au chien Pluto. Elles avaient fini par envahir tout son corps, formant de grands continents violacés sur sa peau. Mais Charlie était déjà aveugle, à ce stade, ce qui lui avait au moins épargné de se voir...

Il s'assit sur un banc et fondit en larmes. Non qu'il souffrît terriblement : ce qui se produisait n'était en somme qu'une nouvelle étape dans le Grand Rallye du VIH. Il se sentait toujours en forme, pas vrai ? Et puis il avait Thack. Et Brian, et Shawna. Et Mme Madrigal, même s'il ne savait pas trop où elle se trouvait.

Il pencha la tête en arrière et laissa le soleil sécher ses larmes. L'air sentait l'herbe fraîchement tondue, et ce qu'il voyait du ciel était presque absurdement bleu. Les oiseaux dans les arbres étaient aussi dodus et babillards que dans les dessins animés.

Dès qu'il rentra dans la salle d'attente, le visage de Lacey s'affaissa douloureusement. À l'évidence, elle était déjà au courant.

— August est arrivé, lui annonça-t-elle. Il vous attend.

Il trouva le médecin dans son cabinet, en train de se laver les mains.

— Salut, jeune homme ! lança-t-il en souriant. Désolé de t'avoir fait attendre.

August approchait de la cinquantaine, ce qui voulait dire qu'il n'était pas beaucoup plus vieux que bon nombre de ses patients, mais il les appelait tous « jeune homme ». D'année en année, il avait vu son tranquille cabinet de dermatologie se transformer en quelque chose qui tenait plus du club que du centre de soins.

— Comment va ton beau mari ?

— Très bien, répondit Michael.

— Parfait, parfait. Assieds-toi sur le lit, si tu veux bien.

Pendant que Michael prenait place, il s'essuya les mains.

— Alors, c'est où ?

Pour toute réponse, Michael tendit la jambe et désigna la tache. August se pencha et l'examina de près.

— C'est douloureux ?

— Pas vraiment.

August secoua la tête.

— Moi, je dirais que non, déclara-t-il.

— Non quoi ?

— Je ne pense pas que ce soit une lésion.

Il sortit de la pièce et revint un instant plus tard avec son assistante.

— Rebonjour, dit Joy.

Michael était sûr qu'on pouvait à distance entendre battre son cœur.

— Il y a une sorte de cercle autour, expliqua Joy, s'adressant à August. C'est pourquoi il m'a semblé...

Elle laissa sa phrase en suspens.

— Je comprends pourquoi vous l'avez pensé, répliqua August, mais il n'y a qu'une seule tache. Et une lésion n'apparaît presque jamais toute seule.

— Mmm... Je vois.

Elle leva la tête et posa sur Michael un regard lourd d'excuses.

— Pas la peine de faire une biopsie, décida le médecin. Si c'est encore visible dans une semaine, nous pourrons en reparler. Mais je serais très surpris si ça ne disparaissait pas tout seul.

Michael hocha la tête.

— Inutile que je fasse quoi que ce soit, alors ?

— Oh... peut-être un peu de Clearasil, suggéra August.

Comme toutes les autres fausses alertes qu'il avait connues au fil des années, celle-ci le fit repartir d'un pas presque bondissant. Il se sentit une irrésistible envie d'acheter quelque chose. Des vêtements, par exemple, ou un meuble. Ou bien, pourquoi pas ? de se promener sur les escalators circulaires du nouveau centre commercial de Nordstrom et voir ce qui attirerait son regard. Rien de trop dispendieux : seulement quelque chose d'utile et qui aurait valeur de souvenir.

Il connaissait déjà cette sensation. Quand ses T4 étaient montés à six cents après sa première semaine d'AZT, l'orgie de consommation qui s'était ensuivie avait été délirante. Même en se refrénant, il avait utilisé sa carte Visa jusqu'à la limite de son crédit dans le rayon habillement de Macy's avant de claquer tout son argent liquide à la foire à la brocante de Fair Oaks Street.

Il appela Thack de la cabine à l'entrée du parking.

— C'est moi.

— Ah, enfin !

— D'après August, c'est seulement un bouton.

— C'est une bonne nouvelle.

La voix de Thack trahissait son soulagement.

— Je te l'avais bien dit !

— Tu travailles, aujourd'hui ? demanda Michael.

— Non.

— Je me disais comme ça que je pourrais peut-être appeler Brian et lui dire que j'ai besoin de prendre un jour de congé.

— Excellente idée, se réjouit Thack. Fais-le vite.

— On déjeune ensemble ?

— Volontiers. Choisis l'endroit.

— Peu importe. Un endroit où on mange bien et confortablement. Je pense à un truc tenu par deux lesbiennes...

Son ami émit un petit gloussement puis :

— J'ai comme l'impression que t'as dans la tête de claquer un peu de pognon ! se moqua-t-il.

Michael rit à son tour.

— Ça se pourrait bien.

— Ça t'ennuie si on le claque ensemble ? proposa gaiement Thack.

— Allons-y !

— Qu'est-ce qu'on s'offre ?

— Je ne sais pas, répondit Michael. Je pensais à des chaises, peut-être.

— Des chaises ?

— Tu sais bien, pour la table de la cuisine ? Ce que nous avions décidé ?

— Ah oui !

— Nous pourrions aller d'abord à la Mission, puis fouiner chez les brocanteurs.

— OK.

— Mme Madrigal ne jure que par celui de la 20e Rue, à côté de la boutique de produits biologiques...

— Oh... à propos : elle a téléphoné ! l'interrompit Thack.

— Mme Madrigal ?

— Oui.

— Qu'est-ce qu'elle a dit ?

— Rien de particulier. C'était sur le répondeur. Elle nous embrasse. Elle appelait d'Athènes, je crois.

— Sur le chemin du retour, alors ?

— Oui, je suppose, dit Thack.

Le restaurant *Chez D'orothea* était ce jour-là peu fourni en célébrités, aussi l'attention des deux amis se concentra-t-elle sur le petit cul rond du garçon qui leur apporta leurs salades chinoises au poulet. DeDe émergea de la cuisine alors qu'ils avaient presque terminé et vint les embrasser.

— Bonjour, vous deux. Vous aimez la nouvelle déco ?

— C'est pas mal, approuva Michael.

— Ce n'est pas encore fini. Il reste à abattre ce mur, là, dans le fond, pour tout dégager. Mon Dieu, ça me fatigue rien que d'y penser ! Les salades vous ont plu ?

— Elles étaient excellentes, la rassura Thack.

— Vous auriez dû venir plus tôt. Vous auriez vu Chloe Rand.

Thack grogna alors quelque chose d'inintelligible.

— Tu la connais ? demanda DeDe.

— Non, mais son mari a voulu baiser avec le mien pas plus tard qu'hier soir.

DeDe se tourna vers Michael et ouvrit comiquement la bouche.

— Non !...

Michael pouffa de rire pour toute réponse.

— Et tu l'as fait ? demanda-t-elle.

Michael la fixa sans piper mot en prenant des airs de sphinx.

DeDe s'adressa donc à Thack :

— À mon avis, chuchota-t-elle, il l'a fait. Qu'est-ce que tu en penses, toi ?

Thack s'esclaffa.

— Et ça s'est passé où, cette cour pressante ?

— Dans la maison d'Arch Gidde.

— Nous devions les rencontrer à je ne sais quel brunch chez Prue Giroux, il n'y a pas longtemps, expliqua DeDe, mais D'or a décrété qu'elle ne pourrait pas supporter de le revoir : elle a été mannequin pour lui, vous saviez ? Aux temps lointains où il était encore gay !

À ces mots, Thack hurla de rire.

Une heure plus tard, ils trouvèrent leur bonheur chez un brocanteur de Valencia Street : deux petites chaises pour coin-repas, recouvertes d'un vinyle blanc effroyablement laid mais à la silhouette indiscutablement Art déco. Ils les payèrent vingt dollars au vieil homme qui tenait la boutique et les attachèrent sur la Volkswagen, frétillants comme deux bonnes sœurs chargeant sur leur minibus un lot tout neuf d'orphelins.

Sitôt rentrés, ils saisirent marteaux et pinces et se mirent à l'ouvrage, arrachant une, deux, trois, quatre couches de plastique et de rembourrage, jusqu'au moment où les chaises leur apparurent dans leur état d'origine. Leurs dossiers pointus et leurs bras recourbés faisaient un peu maison des Sept Nains, ce que Michael trouva parfaitement approprié à leur petit *home*.

Alors que le brouillard envahissait de nouveau la vallée, le crépuscule les trouva étendus sur la terrasse et complètement épuisés. Ils contemplaient leur nouveau trésor.

— De quelle couleur allons-nous les peindre ? demanda Michael. En jaune, peut-être ?

— Pourquoi pas en turquoise ?

— Excellente idée. Tu as vu combien de clous il a fallu arracher ? Elles doivent se sentir mieux.

— Qui ?

— Les chaises. Maintenant qu'elles sont débarrassées de tous ces clous !

— Tu crois ?

— Évidemment. Réfléchis un peu. C'était comme une crucifixion !

Thack esquissa un sourire ensommeillé, puis réagit :

— Tu sais que tu as des idées bizarres, quelque-fois ?

Michael posa une main sur le sexe de son ami, moelleux et tiède sous son pantalon de survêtement. Sans le lâcher, il se rapprocha et embrassa Thack dou-cement sur les lèvres.

— Alors, tu te sens mieux ? demanda celui-ci.

— Beaucoup mieux.

— Je n'ai aucune envie que tu m'échappes, Michael. Je te l'interdis, même. Compris ?

— Compris.

Ils entendirent un bruit de capsule qui sautait dans la cuisine et surent sans avoir besoin d'aller vérifier que Brian était rentré.

La malle aux souvenirs

Avant de repartir pour New York le lendemain matin, Chloe avait laissé un message plein d'entrain sur le répondeur de Mary Ann pour lui dire à bientôt, lui prouvant ainsi que les paroles désobligeantes échangées par Michael et Russell n'étaient pas parve-nues à ses oreilles. Dieu merci ! pensa Mary Ann. Quatre jours après la débâcle de Sea Cliff, Mary Ann n'avait toujours reçu aucune nouvelle de Michael et, le connaissant, se doutait que sa rancœur ne s'apaiserait pas de sitôt. Les colères de son ami étaient durables.

Même chose pour Brian, d'ailleurs. La veille, elle avait laissé un message sur le répondeur de Michael, pour annoncer à son mari qu'elle partirait à la fin de la semaine et qu'il ne fallait pas que Shawna fût privée de son père trop longtemps ; pourtant, il n'avait pas rap-pelé. Elle commençait à se demander s'il n'avait pas décidé de l'empêcher de partir, sachant qu'elle ne pourrait en conscience s'envoler pour New York avant de lui avoir dûment confié leur enfant.

Shawna, heureusement, supportait ces enfantillages entre adultes avec une facilité déconcertante. Si quelque chose l'attristait, c'était davantage l'absence provisoire de son père que le départ imminent de Mary Ann. On ne pouvait en dire autant des patrons de la jeune femme aux studios. Leur ressentiment mal déguisé depuis qu'ils connaissaient ses intentions était certes gratifiant, mais seulement dans la mesure où il confirmait (ou plutôt trahissait, car ils n'en avaient jusque-là jamais rien manifesté) l'importance qu'ils attachaient à sa présence sur la chaîne.

Assise dans le bureau de Larry Kenan pour lui expliquer les nouvelles fonctions qu'elle allait exercer et voyant tout à coup une veine battre à sa tempe, elle avait dû se faire violence pour réprimer une moue à la Sally Field et laisser échapper la phrase qui lui montait aux lèvres devant cette soudaine et tardive révélation :

Vous tenez à moi... Vous tenez donc vraiment à moi...

Elle venait d'endurer l'épreuve d'un ultime numéro de *Mary Ann le matin* : « La Vérité sur les implants mammaires ». Et elle était chez elle, à présent, dans son dressing-room, tirant de sous une étagère une malle qui n'avait pas été ouverte depuis des années. Le coffre bourré d'objets provenait de l'appartement de Connie à la Marina. Wally, le petit frère de Connie, l'avait apporté à Barbary Lane quelques jours seulement après être apparu avec dans les bras Shawna nouveau-née. « Peut-être en voudra-t-elle un jour », c'est ce qu'il avait gravement déclaré alors, conférant un statut d'héritage sacré à ce fouillis de vieux machins que sa sentimentalité l'avait empêché de jeter.

Quand Mary Ann souleva le couvercle, Shawna faillit plonger tête première dans ce bric-à-brac à l'odeur de moisi.

— Allons, Puppy, du calme ! se fâcha-t-elle.

— Qu'est-ce que c'est que ça ?

C'était un python en tissu éponge, tout crasseux, avec de gros yeux en plastique qu'on pouvait faire rouler. Mary Ann ne se le rappelait que trop bien. Connie avait toujours tenu à installer cette horreur sur son lit, posée à côté de son Snoopy géant.

— C'est un serpent. Tu vois ? dit-elle en faisant rouler les yeux pour Shawna.

— C'était à elle ? demanda la fillette.

— Oui. Tout ce qui est dans cette malle était à elle.

— Aââh !

Visiblement impressionnée, l'enfant se pencha de nouveau sur la malle et en sortit une petite boîte en carton que Mary Ann reconnut immédiatement.

— Et ça, c'est quoi ?

— Ouvre, tu verras.

Shawna s'exécuta et fronça les sourcils.

— C'est seulement un gros caillou, ronchonna-t-elle, déçue.

— Oui, mais c'est ce qu'on appelait un « Caillou domestique », un genre de pierre porte-bonheur.

— Et ça sert à quoi ?

— C'est un peu difficile à expliquer, Puppy. Mais toutes les filles en avaient, à mon époque. Regarde plutôt ça.

Elle prit un coussin de satin, dont la couleur bistre avait passé, viré au rosâtre, et en lut à haute voix l'inscription brodée :

— *School Spirit Day, Central High, 1967.*

— C'est quoi ?

— C'est là que ta... ta maman naturelle et moi sommes allées au lycée ensemble, à Cleveland. Elle était majorette en chef. Tu comprends ce que ça veut dire ?

Shawna fit non de la tête.

— Elle marchait en tête de la fanfare, les jours de

défilé. Avec un bâton qu'elle faisait voltiger en l'air et un très joli uniforme. Tout le monde la regardait. Tu sais, je crois que peut-être...

Mary Ann se mit à fouiller dans la malle, espérant que Wally avait sauvé de la destruction le *Boucanier* de Connie.

Il était effectivement là, coincé derrière une affreuse petite peinture représentant un torero sur fond de velours noir. Le blason en relief, sur la couverture, avait pris un aspect médiéval dû à la moisissure.

— Je vais te montrer une photo, continua Mary Ann.

C'était un portrait en pleine page, au début de la section consacrée au sport : on y voyait Connie se pavanant dans son uniforme, boutons luisants, dents blanches et poitrine en avant. À l'époque, Mary Ann l'avait trouvée horrible, grossièrement aguicheuse... mais sans doute n'était-ce que de l'envie : aujourd'hui, ce portrait lui semblait presque virginal.

Assise en tailleur sur le sol, Shawna prit l'album de classe sur ses genoux et examina un moment la photo en silence.

— Elle était jolie, prononça-t-elle enfin.

— Oui. Très, dit Mary Ann. Je trouve qu'elle te ressemble un peu. Pas toi ?

Shawna haussa les épaules avec indifférence.

— Vous êtes venues à San Francisco ensemble ? interrogea-t-elle.

— Non. Elle est arrivée ici bien avant moi. Mais j'ai habité quelque temps chez elle, quand j'ai débarqué de Cleveland.

— Combien de temps ?

— Oh... Une semaine.

Et quelle interminable semaine ç'avait été, avec Connie qui ramenait tous les soirs des mecs rencontrés

313

au *Thomas Lord's* ou au *Dance Your Ass Off*, ses boîtes préférées ! Elle était partie avec un sentiment de profond soulagement, laissant à jamais derrière elle toute cette vulgarité. Ou, du moins, c'était ce qu'elle avait cru, à l'époque. Qui aurait pu imaginer qu'un jour elle serait la gardienne du souvenir de Connie Bradshaw ?

— Tu ne l'aimais pas ? lâcha soudain Shawna.

Cette question la prit au dépourvu.

— Bien sûr que si, Puppy. Je l'aimais beaucoup. Pourquoi me demandes-tu ça ?

— Parce que tu es partie de chez elle ! expliqua Shawna.

— Je ne suis pas partie de chez elle.

— Mais tu viens de dire qu'au bout d'une semaine...

— Au bout d'une semaine, j'ai emménagé dans la maison d'Anna. Je voulais avoir mon appartement à moi. J'étais venue habiter avec ta maman naturelle, mais seulement en attendant. Elle le savait.

Shawna sembla peser ces mots, fermant à demi ses yeux bleus, puis elle se replongea dans l'album. Bientôt, elle voulut savoir autre chose.

— Est-ce qu'il y a une photo de toi, là-dedans ?

Mary Ann retrouva la ridicule photo de classe où elle apparaissait avec les cheveux frisés au fer et la montra à sa fille, avec une furtive grimace en relisant la liste maigrichonne de ses récompenses et, surtout, l'épigramme condescendante : « Méfiez-vous des eaux dormantes. »

— C'est tout ? demanda Shawna.

— C'est tout.

Que pouvait-elle dire d'autre ? C'était vrai, qu'elle faisait figure de nunuche au lycée.

Shawna referma l'album et le posa à côté d'elle.

— Je peux jouer avec tout ça ?

314

— Bien sûr, Puppy. C'est à toi. C'est pour ça que...
ta maman te l'a laissé.

Elle avait failli dire « maman naturelle » encore une
fois, mais sentit vaguement que cela aurait eu quelque
chose de mesquin.

Pendant quelques instants, s'abandonnant à ses souvenirs, Mary Ann fut envahie par un flot d'affection
sans réserve pour Connie — un sentiment qu'elle
n'avait jamais éprouvé pour son ancienne compagne
de classe aussi longtemps qu'elle avait été en vie. Elle
revit Connie radieuse dans son T-shirt marqué BABY,
avec une flèche désignant son ventre rebondi, et elle
comprit tout à coup combien le statut de mère célibataire aurait convenu à Connie.

Quand Shawna fut retournée dans sa chambre, le
python de Connie sous le bras, Mary Ann sortit ses
valises du dressing-room et prit quelques décisions
concernant les affaires qu'elle devait emporter. Burke
lui avait réservé une suite au Plaza, et Lillie Rubin
s'occupait de renouveler sa garde-robe : aussi résolut-
elle de voyager avec un bagage minimal et de faire
transporter le reste de ses affaires par la suite. De toute
façon, Chloe lui avait promis de la guider pour ses
emplettes dès qu'elle arriverait.

Il ferait froid, bien sûr, aussi choisit-elle principalement des vêtements en tweed ou en cachemire, privilé-
giant des tenues d'une neutralité professionnelle. Ainsi
verrait-on qu'elle était encore une toile vierge, un produit inachevé. Elle travaillerait son look plus tard,
après avoir bien identifié le style du cadre dans lequel
elle devrait évoluer.

Shawna sembla deviner que le moment était bien
choisi pour demander la lune. Ce fut donc sur ses instances que, ce soir-là, elles prirent la voiture pour aller
déguster des milk-shakes au *Mel's Drive-In,* emprun-
tant pour s'y rendre un itinéraire tenant des montagnes

russes et qui comprenait entre autres la pente vertigineuse de Leavenworth.

— Regarde ! s'écria Shawna, désignant l'escalier de Barbary Lane au moment où la voiture passait devant. C'est papa et Michael !

— Reste assise, Puppy.

— Mais regarde ! Là... Tu les vois ?

— Oui, je les ai vus.

Ils montaient les marches, tournant le dos à la rue. Elle aperçut aussi tout en haut la tête blonde et duveteuse de Thack, éclairée par le réverbère. Mme Madrigal doit être rentrée de Grèce, pensa-t-elle.

Elle eut un bref accès de paranoïa à l'idée que ce soir, immanquablement, on parlerait beaucoup d'elle chez Mme Madrigal — en déformant les faits, bien entendu, et en la faisant apparaître comme un monstre sans cœur. Que tout cela était injuste...

Shawna tendit les bras vers le volant.

— Klaxonne-les ! hurla-t-elle.

— Non. Ce n'est pas le moment, répliqua Mary Ann d'un ton ferme. Remets ta ceinture.

La fillette se rassit avec humeur et avança une lippe boudeuse.

— Nous les appellerons en rentrant, décida Mary Ann. D'accord ?

Elle n'obtint d'abord qu'un silence.

— D'accord ? insista-t-elle.

— Oui. Mais il revient quand ?

— Bientôt, Puppy.

Shawna, alors, se détourna et regarda par la vitre de sa portière :

— Je veux un double milk-shake.

316

Décalage horaire ?

— Je lui ai trouvé une voix un peu bizarre, au télé-phone ! dit Michael en marchant sur les gravillons tout au bout de Barbary Lane. Tu n'as pas remarqué ?

— Non, pas particulièrement, répondit Thack.

— Moi, si. Elle n'était pas comme d'habitude.

— C'est probablement le décalage horaire, suggéra Brian. À moins que tu veuilles dire qu'elle a réagi bizarrement à... ?

— Non, l'interrompit Michael, sachant qu'il voulait faire allusion au départ de Mary Ann. Il ne s'agit pas de ça. Je suis sûr qu'il y a autre chose.

Lorsqu'ils franchirent la grille du numéro 28, un chat sauta du toit moussu du petit porche et s'élança en haut d'un arbre enveloppé de lierre pour se mettre à l'abri. Les fenêtres de la vieille maison semblaient tout exprès resplendir pour saluer avec reconnaissance le retour de la maîtresse des lieux.

De l'ancien appartement de Michael, au deuxième étage, provenait de la musique, une sorte de ragtime new age assez plaisant. Il n'avait jamais rencontré ses successeurs et n'en avait aucune envie. Il espérait que ce soir ils resteraient en famille. Il ne voulait pas parta-ger Mme Madrigal avec des gens qu'il ne connaissait pas.

Quand la logeuse leur ouvrit la porte, la première chose qui les frappa fut sa peau bronzée. Ses yeux de porcelaine Wedgwood s'ouvrirent tout grand et théâ-tralement tandis qu'elle les serrait l'un après l'autre dans ses bras, par ordre d'apparition : d'abord Michael, puis Thack, enfin Brian.

— Vous avez tous les trois une mine splendide ! s'écria-t-elle en les escortant jusqu'au salon. Asseyez-vous. Il y a des joints sur la table, et aussi du sherry si vous en voulez. J'ai quelques trucs à faire dans la cuisine, mais je vais vous rejoindre en moins de temps qu'il n'en faut pour le dire !

Brian et Thack prirent place sur le sofa. Michael resta debout, peu convaincu et même un peu troublé par cette démonstration fiévreuse d'hospitalité.

— Je peux vous donner un coup de main ? proposa-t-il.

Son ancienne propriétaire parut hésiter un instant puis :

— Si tu veux, accorda-t-elle.

Dans la cuisine, après avoir mis au four plusieurs tourtes, elle le serra de nouveau contre sa poitrine et lui dit :

— Ça, c'est de la part de Mona ! Elle m'a fait promettre de t'embrasser pour elle.

— Comment va-t-elle ? s'enquit Michael.

— Oh, le mieux du monde ! C'est devenu une femme tout à fait charmante, très équilibrée.

— *Mona ?*

Mme Madrigal sourit et referma la porte du four.

— J'ai essayé de la convaincre de venir nous voir mais, comme d'habitude, tout son temps est occupé par son manoir à la noix !

— Telle mère, telle fille !

Son sourire s'attrista quelque peu.

— Tu m'as manqué, chéri ! reprit-elle.

— Je suis désolé de ne pas vous avoir appelée avant votre départ.

— Ne dis pas de sottises.

— Je vous l'avais promis...

— Voyons, il y avait tellement de choses auxquelles tu devais penser... Oh... attends, avant que j'oublie !

Elle fila jusqu'à sa chambre, en revint avec une petite boîte et déclara solennellement :

— Lady Roughton me charge de te dire que ceci est la dernière trace de Sappho sur l'île de Lesbos.

318

C'était un porte-clefs, avec un petit médaillon en émail vert orné du profil de la poétesse. Michael sourit et prit plaisir à passer son pouce sur la surface de l'objet, douce au toucher.

— Est-ce qu'elle est tombée amoureuse ?

— Elle ne m'en a rien dit, répondit Mme Madrigal.

— Il fallait s'y attendre.

— On ne peut pas lui en vouloir, franchement !

— Et vous ? s'enquit Michael.

— Quoi, « et moi » ?

Elle fit battre ses paupières d'une manière qui laissait entendre qu'il se montrait un peu trop impertinent.

— J'ai fait de merveilleuses promenades dans les collines, répondit-elle enfin.

Cela parut l'amuser.

— Tant mieux, fit-il.

Elle se détourna et commença à rincer des branches d'épinards sous le robinet.

— J'aurai des photos à vous montrer tout à l'heure, annonça-t-elle.

— Génial !

Après un silence, elle demanda :

— Est-ce qu'elle part définitivement ?

— Il semblerait, répondit Michael.

Elle murmura alors quelque chose et continua de rincer ses épinards.

— Pour elle, c'est une occasion difficile à laisser passer...

— Et lui, il prend ça bien ? s'enquit Mme Madrigal.

— Non. Pas particulièrement.

— Quand part-elle ?

— Après-demain, je crois.

Mme Madrigal s'essuya les mains à un torchon orné de l'image de l'Acropole. Il se dégageait d'elle une telle impression de compétence imperturbable que, l'espace d'un instant, il s'imagina qu'elle allait faire le nécessaire pour tout arranger entre Brian et Mary Ann.

Comme un médecin à qui on a décrit tous les symptômes et qui se dispose à prescrire le traitement approprié.

Au lieu de cela, elle ouvrit son antique réfrigérateur et en sortit un plat de feuilles de vigne farcies, disant :

— Apporte ça sur la table, tu veux bien, chéri ?

Instantanés

— ... Et à Petra, qui est le village voisin, il existe une sorte d'association, qu'on appelle « collectif touristique », et qui est composée uniquement de femmes. Elles vendent des produits de l'artisanat local, louent des maisons, etc. Auparavant, les femmes de la région n'avaient jamais gagné un sou par elles-mêmes — ou une drachme, comme vous voudrez. Rien indépendamment de leurs maris. Elles se contentaient de rester assises derrière leurs petites tables à dentelle, avec ces grands sourires jusqu'aux oreilles...

Après plusieurs joints et un copieux dîner, l'esprit de Brian avait commencé à vagabonder ; mais cette partie du récit de leur hôtesse de retour de son voyage le ramenait à l'improviste à ses préoccupations ; elle semblait même, d'une certaine manière, avoir un rapport mystérieux avec son désarroi. Il se demanda alors si Mme Madrigal ne l'avait pas fait exprès.

— Je croyais que vous aviez des photos ? lui rappela Michael.

— Écoute, chéri... Tu es sûr que tu veux vraiment ?...

— Absolument ! insista Thack en secouant vigoureusement les perles de son collier porte-chance.

La logeuse leur en avait offert un à chacun, s'en servant pour leur attribuer leur place autour de la table :

céramique bleue pour Brian, orange pour Thack, et en bois d'olivier pour Michael. Quelque part, c'était certain, il y en avait aussi un pour Mary Ann.

Elle quitta la pièce, apparemment pour aller chercher ses photos.

À l'autre bout de la table, Michael sourit, mais avec l'air quelque peu endormi :

— Elle a l'air très en forme, vous ne trouvez pas ?

Brian acquiesça de la tête.

— Quelque chose a dû particulièrement lui réussir, là-bas, opina Thack.

Mme Madrigal revint avec une boîte pleine de photographies, qu'elle disposa soigneusement sur la desserte drapée de velours comme des cartes à jouer.

— Je vous laisse regarder par vous-mêmes, décida-t-elle. Vous pouvez vous dispenser de mes commentaires.

Tous trois s'approchèrent de la desserte.

— Je ne savais pas que vous aviez un appareil photo, remarqua Michael.

— Je n'en ai pas. C'est quelqu'un d'autre qui les a prises.

Les photos étaient pour l'essentiel telles que Brian les avait imaginées, à ceci près que les murs n'étaient pas blanchis à la chaux. Des montagnes desséchées par le soleil au-dessus d'une mer d'un bleu vibrant ; des ânes par-ci par-là ; des bateaux de pêche peints avec des couleurs vives... Anna en compagnie de Mona, plissant les yeux sous le soleil, avec cette ressemblance désormais plus évidente que jamais, à présent que Mona n'était plus si jeune et Anna pas encore vieille.

— La villa a l'air merveilleuse, commenta Thack. C'est bien celle-ci, n'est-ce pas ? Avec la terrasse ?

— Oui.

— Voilà Mona, annonça Michael, en désignant l'une des photos à Thack.

— Oui, je l'avais reconnue.

321

— Comment peux-tu la reconnaître ? s'étonna Michael.

— Elle nous a envoyé une photo, à Noël.

— Ah oui, je me rappelle.

Les pensées de Brian dérivaient de nouveau. L'expression de ce réconfort qui passait par ce simple « nous » l'avait touché au cœur, et il pensait, douloureusement, que ce mot ne ferait bientôt plus partie de son vocabulaire usuel. Le regard souriant de Mme Madrigal rencontra le sien, tout plein d'une tendresse qui le mettait au supplice.

Michael saisit une autre des photos, puis :

— C'est lui, qui avait un appareil ? demanda-t-il.

— Qui ? voulut savoir la logeuse.

— Ce type, là, qui ressemble à Cesar Romero.

Brian fut instantanément sûr d'avoir vu les joues de leur hôtesse soudain se colorer.

— Oui, répondit-elle pudiquement. C'est Stratos. Il nous a fait visiter beaucoup de choses.

Michael hocha la tête, lui lançant un regard espiègle.

— Qui veut du sherry ? demanda Mme Madrigal, soulevant la bouteille et regardant dans toutes les directions sauf dans celle de Michael.

— Moi ! s'exclama Thack, s'approchant avec son verre.

Il avait remarqué l'air taquin de Michael, semblait-il, et aidait leur amie à changer de sujet.

— Il est vraiment délicieux : il a un goût de noisette.

— N'est-ce pas ? C'est une nouvelle marque que j'ai trouvée chez Molinari...

Brian se joignit à eux :

— Je vais en prendre aussi.

— Parfait.

Tout en le servant, elle le regarda droit dans les yeux et lui glissa à voix basse, calmement :

— Allons le siroter dans la cour, tu veux ?

322

Brian eut vaguement l'impression d'être convoqué dans le bureau du proviseur.

— Vous nous excusez un moment, les garçons ?

— Bien sûr ! répondirent à l'unisson Michael et Thack.

On avait coutume d'appeler le banc où ils s'assirent le « banc de Jon », car ses cendres avaient été enterrées juste à côté dans le massif de fleurs. Pour le moment, le sol à cet endroit était nu, mais vers la fin de l'hiver l'air y serait chargé de l'odeur entêtante des jacinthes.

— Michael m'a tout expliqué, commença Mme Madrigal.

— Je sais.

Brian la regarda, avec sur les lèvres une ombre de sourire.

— Il me l'a dit.

— Et... ça va ?

Il se contenta de hausser les épaules.

Elle se tut quelques instants, puis reprit :

— Inutile que je te dise que ça ira mieux avec le temps...

Il finit sa phrase à sa place :

— ... parce que vous savez que je le sais déjà !

Elle eut un petit rire mélancolique.

— Oh, mon Dieu... Je suis donc si prévisible ?

— Non. Pas vraiment.

— Tant mieux. Je déteste les vieilles femmes qui ont toujours un sermon tout prêt.

— Ne vous inquiétez pas, la rassura Brian. Vous n'êtes pas comme ça.

— J'espère bien !

Il lui sourit d'un air las.

— Tu lui as parlé ? demanda-t-elle.

— Pas récemment, non.

Un ange passa. Elle semblait réfléchir.

— Vous pensez que je devrais, n'est-ce pas ?

Mme Madrigal croisa ses longs doigts sur ses genoux.

— J'ai la conviction qu'il y a des scènes qu'on ne peut pas se dispenser de jouer. Si nous n'y consentons pas, je crois que nous nous condamnons à l'insensibilité.

— Oh, je ne suis pas insensible, soupira Brian.

— Je sais.

Il ramassa sur le sol une petite pomme de pin et la jeta dans les buissons.

— Elle part après-demain. À ce moment-là, je serai retourné à l'appartement.

— Et Shawna, dans tout ça ?

— Je continue à l'emmener à l'école tous les jours.

— Mais je veux dire : ensuite ?

— Ensuite ? Je me débrouillerai. Ce n'est pas un problème.

— Si je peux t'être utile pendant la journée, tu sais que je ne demanderai pas mieux que de la garder.

— Merci.

La logeuse laissa errer son regard sur la cour et le jardin :

— Elle adore venir ici, tu sais.

— Oui, je sais.

— C'est une petite fille intelligente.

Mme Madrigal le regarda.

— Je suis sûre qu'elle saura réagir.

Brian fit oui de la tête.

— Elle y arrive déjà mieux que moi, confessa-t-il.

Au bout d'un moment, son embarras prit le dessus.

— J'ai honte que nous ayons cessé de vous l'amener, s'excusa-t-il.

— Ne dis pas de sottises.

— Non, je vous assure. Je suis sincère.

Ils restèrent un moment assis en silence, le regard perdu dans la pénombre. Puis Brian parla de nouveau :

— Vous pensez qu'il faut que je le fasse, n'est-ce pas ?

— Que tu fasses quoi?

— Que je prenne mon courage à deux mains et que j'aille lui faire mes adieux.

Elle hocha la tête affirmativement.

— Ce n'est pas facile, murmura-t-il.

— Je sais.

Elle poussa un petit soupir.

— J'ai dû faire la même chose, tout récemment.

Brian fut interloqué.

— Vous avez vu Mary Ann?

— Non. Je parle de mon voyage à Lesbos...

Il réfléchit quelques instants, puis s'enquit délicatement :

— Cet homme, sur la photo?...

De nouveau, elle hocha la tête.

— Alors, vous avez eu une petite...

— Oui.

— Et... il vous manque?

Elle partit d'un rire douloureux.

— Oh!... S'il me manque, le salaud!...

Comment lui dire ?

« Pas d'émission demain » : cela voulait dire pas de devoirs à la maison ce soir. Shawna couchée, ses valises prêtes, Mary Ann ressentait bizarrement ce que ressent une écolière le samedi matin. Résolue à en profiter, elle se prélassa dans son bain puis paressa en robe de chambre sur le sofa avec le dernier livre de Linda Ellerbee qu'elle essayait en vain de finir depuis un an.

Quand elle entendit une clef tourner dans la serrure, elle sut immédiatement que Brian rentrait.

— Bonjour, réussit-elle à dire.

— Bonjour.

Elle posa son livre sur son ventre et se mit à bâiller de façon si parfaitement incoercible que, par réflexe, elle balbutia : « Excuse-moi. » Aussitôt, elle se sentit idiote.

Il passa devant elle et se dirigea vers la salle de bains. Elle l'entendit bientôt uriner, puis s'asperger le visage au-dessus du lavabo. Elle se redressa sur le sofa, mais sans se lever. S'il avait envie de lui parler, il viendrait bien tout seul.

Il revint en effet et s'assit dans le fauteuil en face d'elle.

— J'arrive de chez Mme Madrigal, commença-t-il.

— Elle est de retour, alors ?

— Oui.

— Tu as dîné ? Sinon, il y a de la salade au poulet dans...

— Non, merci. Je suis complètement rassasié.

Il se ménagea une pause, puis continua :

— Je ne vais pas rester.

Un silence s'ensuivit. Puis :

— J'aimerais bien, pourtant, hasarda-t-elle.

Il secoua la tête.

— Ça me désole que tout ça se passe si mal, ajouta-t-elle.

Il haussa les épaules sans répondre.

Elle l'enveloppa de son regard le plus câlin.

— S'il te plaît, ne sois pas en colère, murmura-t-elle doucement.

— Je ne suis pas en colère.

— Alors, tu pourrais rester...

— Je trouve qu'il vaut mieux pas. Ça te suffit ?

Visiblement, il souffrait. Aussi préféra-t-elle ne pas insister et parler d'autre chose.

— Je suis passée prendre le linge, lança-t-elle tout à trac.

— Merci.

— J'ai pensé que tu pourrais manquer de chemises.
Nerveusement, il hocha la tête.

— Comment va Shawna? demanda-t-il.

— Très bien. Elle t'a dit qu'on lui avait donné un rôle dans le spectacle de Noël, à Presidio Hill?

— Oui.

— Pas un des rôles principaux, je crois, mais quand même...

Elle ouvrit de grands yeux charmeurs.

— Elle joue un atome, précisa Brian.

Elle fronça les sourcils.

— Anatole? C'est un nom d'homme, s'étonna-t-elle.

— Non : un *atome*! Comme une... particule nucléaire.

Cette école! pensa-t-elle.

— Ça ne fait pas très Noël, je trouve.

Il lui sourit, ou du moins essaya.

— C'est l'histoire du sauvetage de la planète, si j'ai bien compris.

— Brian, quel jour puis-je lui dire que tu seras de retour?

— Vendredi.

Après qu'elle serait partie, en d'autres termes.

— Elle le sait déjà, ajouta-t-il.

— Ah?... Très bien.

— Elle ne m'attendra pas seule? demanda-t-il.

— Non, Nguyet sera là. J'ai tout expliqué à Shawna. Elle l'a très bien pris.

Brian se surprit de nouveau à hocher la tête.

— Tout est au point, pour mon voyage, continua-t-elle.

— Je n'en doute pas. À quelle heure pars-tu?

— Une limousine passe me prendre à six heures, répondit-elle.

— Du soir?

— Du matin.

Il fit la grimace : apparemment, il compatissait.

— Encore un boulot qui va te faire te lever aux aurores, commenta-t-il.

— J'ai l'habitude, tu sais? dit-elle en souriant.

Leurs regards se rencontrèrent un moment, puis se détournèrent et prirent des directions plus sûres.

— Je suis vraiment désolée, marmonna-t-elle.

Il leva la main.

— S'il te plaît... épargne-moi ça !

— Pour moi, tu es un type tellement formidable...

— Mary Ann, je t'en prie !

— Je ne sais plus quoi dire, soupira-t-elle. Je me sens si coupable...

— Laisse tomber, répliqua-t-il calmement. Je suis remis, maintenant.

Le moins qu'on pût dire, c'est qu'il n'en avait pas l'air.

— C'est à Michael qu'il faudrait que tu parles, reprit-il.

— Michael? Qu'est-ce que tu veux dire?

— Eh bien... Ça pourrait bien être fini aussi entre vous deux, non?

— Quoi?

— Je veux dire, s'il tombait malade... Tu y as pensé, je suppose?

— Comment? Qu'est-ce que tu es en train de me dire? Je ne devrais pas partir parce qu'il pourrait tomber malade et qu'alors il faudrait que je sois là pour?...

— Ce n'est pas ce que j'ai dit.

— Tant mieux, parce que Mouse ne voudrait jamais...

— Je le sais.

— Laisse-moi finir. Jamais, jamais il ne m'accuse-rait de...

Elle se sentit tout à coup au bord des larmes et se reprit.

— Il sait parfaitement ce que je fais, pourquoi je le

fais, et il espère pour moi que tout se passera pour le mieux. Je suis heureuse de savoir que je lui manquerai, si c'est ce que tu voulais dire, parce que lui aussi me manquera. Mais c'est ainsi, Brian. La vie vous place dans ce genre de situations, quelquefois.

Il la regarda d'un œil noir.

— *Ta* vie, rétorqua-t-il.

— D'accord. Ma vie. Si tu veux. Simplement, ne m'accuse pas de tourner le dos à... sa maladie.

— Ce n'est pas ce que j'ai fait.

— Je serais à ses côtés en une seconde si jamais...

— Tu ne pourrais pas. Comment ferais-tu ?

Remuer ces pensées lui faisait horreur. Il le savait aussi bien qu'elle. Michael était sa dernière carte, et il était décidé à la jouer.

— C'est infect, Brian. Si Michael savait que tu te sers de lui pour...

— Parle-lui. Je n'ai rien dit d'autre.

— Oh, que si ! Tu emploies les plus basses méthodes pour me culpabiliser.

— Je n'y peux vraiment rien si tu veux absolument le prendre comme ça.

— Tu ne sais pas ce qu'il y a entre Mouse et moi. Tu ne sais pas combien nous nous comprenons tous les deux.

Il la regarda avec un petit sourire plein de tristesse.

— Non, murmura-t-il. Forcément, je n'en sais rien.

Elle vit l'effet que ses mots avaient eu sur lui, et tenta de revenir en arrière.

— Je ne disais pas cela par rapport à toi.

— Peu importe. Appelle-le, d'accord ?

— Promis.

Il se leva.

— Ne pars pas encore, pria-t-elle.

Il esquissa timidement un sourire.

— Je vais chercher mes chemises, annonça-t-il.

Elle resta debout près de la fenêtre, regardant distraitement la baie. Il revint moins d'une minute plus tard, son linge jeté sur son épaule comme la cape d'un mousquetaire.

— Tu pourrais dormir sur le sofa si tu ne veux pas coucher dans le lit, hasarda-t-elle.

Il se pencha et l'embrassa légèrement sur le front.

— Non, non. C'est très bien comme ça.

À la porte, pour une raison stupide qu'elle s'expliqua mal ensuite, elle posa la main sur son bras et lui dit :

— Sois prudent, en conduisant...

Lettre à maman

Chère Maman,

Quand tu as parlé de la pierre tombale de papa, je me souviens que tu m'as fait remarquer qu'il y avait de la place pour toute la famille dans le caveau.

Non. Trop maladroit. On recommence.

Chère Maman,

J'ai été très heureux de t'avoir au téléphone l'autre jour. Thack me répète souvent que nous devrions nous parler davantage, et je crois qu'il a raison, car après une bonne conversation avec toi je me sens toujours beaucoup mieux.

Arrête de raconter des bobards. Entre tout de suite dans le vif du sujet.

Chère Maman,

Je suis content que nous nous soyons longuement parlé l'autre jour. Toutefois, tu as fait allusion à quelque chose qui me concerne. Tu sembles penser qu'un jour tous les membres de la famille devraient être enterrés ensemble au cimetière où repose papa. Je comprends très bien que ce soit ton désir, mais pour ma part, très franchement, l'idée d'un enterrement chrétien me semble inutile et quelque peu morbide.

Oh, vraiment très subtil, Tolliver ! Mais continue, tu pourras corriger plus tard.

Je ne sais pas combien de temps il me reste — deux, cinq, ou cinquante ans — mais je ne veux pas qu'on me ramène à Orlando quand tout sera fini. Chez moi, maintenant, c'est ici, et j'ai demandé à Thack de prendre le moment venu toutes les dispositions nécessaires pour mon incinération à San Francisco.

Je n'y attacherais pas autant d'importance si je ne croyais pas à la famille tout autant que toi. Mais j'ai une famille à moi, elle est ici, et pour moi elle compte par-dessus tout. S'il doit y avoir des adieux, je veux qu'ils aient lieu ici, et que ce soit Thack qui s'occupe de tout. J'espère que tu peux me comprendre.

Si malgré tout tu tiens à ce qu'un service commémoratif soit célébré à Orlando (à supposer que tu ne puisses pas venir à San Francisco), Thack pourra t'envoyer une partie des cendres. Tu sais déjà, je pense, que je préférerais une cérémonie sans pasteur, mais fais comme tu l'entends, si cela peut te réconforter. Veille seulement à ce que ce pasteur s'abstienne de prier pour le repos de mon âme, le pardon de mes fautes, ou quelque chose dans ce genre.

Surtout, ne va pas t'effrayer et ne te méprends pas sur le sens de ma lettre. Pour le moment, je me sens en parfaite santé. Simplement, je préfère t'expliquer tout cela clairement et une fois pour toutes, de manière à ce que nous n'ayons plus à y penser à l'avenir. Comme je connais ton amitié pour Thack, je ne suis pas trop inquiet : je sais que tu ne t'offusqueras pas. À propos : il t'embrasse et te promet de t'envoyer une photo des nouvelles chaises dès qu'elles seront peintes.

J'essaierai désormais de t'appeler plus souvent.

Ton fils qui t'aime,
Michael

P.-S. : Mon amie Mary Ann Singleton (que tu as rencontrée une fois ici, il y a quelques années) va animer un nouveau talk-show du matin sur un réseau national. L'émission commence en mars, donc surveille les programmes. C'est une de mes amies les plus chères, et nous sommes tous très heureux pour elle.

L'espoir fait vivre

L'hiver amena quelques averses, mais pas en quantité suffisante, bien loin de là : ce fut à peine si les maigres pluies et les brumes humides venues de l'océan mouillèrent les réservoirs desséchés de l'East Bay. Michael regardait les bulletins météo chaque soir et pensait à sa jardinerie avec une angoisse croissante. Ce fut pire lorsque, fin février, le présentateur se mit de nouveau à jouer les oiseaux de mauvais augure et reparla sombrement d'un prochain et sévère rationnement de l'eau.

Mais le lendemain de la Saint-Patrick, d'énormes nuages gris anthracite apparurent au-dessus de la ville comme des ballons dirigeables. Ils restèrent suspendus dans les airs pendant des heures qui parurent interminables, avant de laisser tomber leur charge liquide.

La pluie, diluvienne, tomba comme une douce vengeance, nettoyant toute la ville et dévalant le long des rues pour emporter les crottes de chiens comme des troncs d'arbre sur un fleuve.

Le phénomène dura toute une semaine ; à la fin, la pelouse où aimait à s'ébattre Harry dans Dolores Park n'était plus qu'un marécage boueux, aussi impraticable pour les humains que pour les bêtes. Lorsque, un samedi, le ciel s'éclaircit temporairement, Michael emmena le chien pour sa première vraie promenade depuis plusieurs jours, mais remonta Cumberland Street sans jamais s'écarter de la chaussée asphaltée. Il serait vite remédié à cette déchirure bleue dans la grisaille des nuages, aussi devraient-ils faire vite — ce que Harry lui-même sembla comprendre.

En haut des marches de Cumberland Street, tandis que le chien s'accroupissait tout penaud dans l'herbe détrempée, Michael alla s'asseoir sur le parapet et contempla la vallée luisante de pluie. Des mares se formaient sur les toits en terrasse, seules les demeures victoriennes coiffées de tuiles pentues échappaient à cet inconvénient.

Un homme grand et maigre, portant un petit sac à dos bleu marine, montait les marches dans sa direction, sans se hâter. Quand il atteignit le sommet, Michael reconnut en lui le type qu'ils avaient rencontré au *Rawhide II*, le fils d'Eula. L'homme aux six T4.

— Bonjour ! Comment ça va ? demanda-t-il, reconnaissant lui aussi Michael.

— Plutôt bien. C'est délicieux, non, cet air frais ?

L'homme s'arrêta près de lui et remplit ses poumons :

— Oui. Meilleur que la pentamidine, dit-il.

— N'est-ce pas ?

Michael sourit.

— Comment va ta mère ?

— Oh, formidablement bien. On lui a demandé de

faire partie du jury pour le Concours des plus beaux pectoraux.

Michael éclata de rire.

— Elle doit être au septième ciel.

— Et comment !

— Tu habites dans le coin ? voulut savoir Michael.

L'homme secoua la tête :

— J'ai seulement fait un saut au *Buyer's Club*, expliqua-t-il.

— Celui de Church Street ?

— Oui.

— Et qu'est-ce que tu rapportes ?

— Du Dextran. C'est à base d'herbes lyophilisées.

— Je connais, risqua Michael. J'en ai pris quelque temps.

— Et alors ? Aucun effet ?

— On m'a expliqué que le corps ne pouvait pas en absorber suffisamment pour que ça puisse changer quoi que ce soit.

— Oui, c'est ce qu'on m'a dit aussi.

L'homme haussa les épaules.

— En tout cas, ça ne peut pas faire de mal. Les Japonais en prennent comme de l'aspirine, il paraît.

— Possible.

— Et ce nouveau truc, là, le Composé Q ? Tu en as entendu parler ?

Non, ce nom ne lui disait rien.

— C'est un nouveau remède, continua l'homme, qui a tué le virus lors des tests en laboratoire. Sans endommager les autres cellules.

— Ah oui ?

— On ne l'a pas encore essayé sur des humains, mais il y a un certain... Enfin, tu vois.

— Un certain optimisme prudent, compléta Michael.

— Exactement.

Michael soupira.

— Ce serait une sacrée nouvelle, non ?

— Plutôt !

— Qu'est-ce que c'est ? Une substance chimique ?

— C'est le plus stupéfiant de l'affaire. Ça provient de la racine d'une sorte de concombre chinois.

— Tu plaisantes ? s'exclama Michael avec incrédulité.

— Pas du tout. C'est un produit parfaitement naturel. Un légume banal, qui pousse à l'autre bout de cette bonne vieille terre.

L'homme laissa un moment son regard se promener sur la vallée, puis se tourna de nouveau vers Michael.

— J'essaie de ne pas trop y croire...

— Pourquoi, bon sang, s'il y a un véritable espoir ? protesta Michael.

— Mmm... Oui. C'est toi qui dois avoir raison, conclut l'homme.

Une nouvelle fois, ils échangèrent leurs noms. Le sien était Larry DeTreaux, et il était en route pour le Metro Video Club.

— Mon ami m'a dit de prendre *Mère Teresa* et *Humongous II*. Est-ce que ça t'en révèle beaucoup sur ma vie ? plaisanta-t-il.

— Mmm, voyons, fit Michael en souriant. Lequel as-tu l'intention de regarder en premier ?

— Bonne question.

— *Humongous II* n'est pas mal du tout.

— En général, nous coupons le son et gardons les images en toile de fond.

— Je fais pareil, avoua Michael.

— Le plus épouvantable, c'est les voix.

Harry adressa quelques coups de patte impatients aux jambes de Michael. Larry le regarda et parut amusé :

— Il est à toi ?

— Oui. C'est difficile de trouver un moment pour le promener, avec cette pluie. Du calme, Harry !

— Les caniches ne connaissent pas le sens du mot
« calme », observa Larry.

Michael raccrocha la laisse au collier de Harry, puis
leva les yeux.

— Tu n'es pas canichophobe, j'espère ?

— Non. Mais je connais bien ces chiens. Eula en a
eu plusieurs, dans le temps.

M'étonne pas d'elle ! pensa Michael.

— Je t'accompagne un bout de chemin ? proposa-
t-il. Ma maison se trouve un peu plus loin.

Quand ils arrivèrent, Thack était dans le jardin près
de son treillis, penché sur le sol et examinant les nouvelles pousses. Il faisait cela toutes les heures, semblait-il.

— Thack, tu te souviens de Larry, que nous avons
rencontré au *Rawhide II* ?...

— Bien sûr.

Thack gratifia le visiteur d'un grand sourire et lui
serra la main.

— Thack Sweeney.

— C'est une nouvelle treille ? s'enquit Larry.

— Toute récente.

— La forme est originale.

— Nous y faisons grimper une clématite rose,
expliqua Michael, pour qu'elle dessine cet été un
triangle rose.

Il était de plus en plus certain que les fleurs ne
s'adapteraient jamais à ce triangle, mais il ne voulait
pas décourager Thack.

— C'est une idée de génie ! s'exclama Larry. Qui
l'a eue ?

Thack se rengorgea.

— Moi ! déclara-t-il, tout fier.

Larry leva les yeux vers les nuages, redevenus noirs
et menaçants.

— Je ferais mieux de me grouiller, dit-il.

336

— Tu veux un parapluie ? offrit Michael.

— J'en ai un là-dedans.

Il désignait son sac à dos.

— À un de ces jours, les gars ! Portez-vous bien.

— Toi aussi, dit Thack amicalement.

— Passe le bonjour à Eula, ajouta Michael.

— Promis.

— Eula, répéta Thack lorsque Larry se fut éloigné. Alors c'était *ça,* son prénom !...

Michael laissa Harry entrer dans la maison, puis referma la porte.

— Comment as-tu pu l'oublier ? ironisa-t-il.

— Nous devrions lui arranger une rencontre avec ta mère, conseilla Thack. Quand elle nous rendra visite.

— Si jamais tu fais ça...

— Pourquoi ? Elle pourrait l'emmener faire la tournée des pianos-bars.

— T'as pas intérêt !...

Son ami éclata de rire.

— Écoute... Je vais te dire : tu as seulement peur que ça lui plaise !

— Exactement !

— Tu imagines ? Elle viendrait s'installer ici, et tous les dimanches après-midi nous serions obligés de l'arracher de force au comptoir du *Galion,* continua Thack, toujours hilare.

Michael ouvrit la boîte aux lettres.

— Le courrier n'est pas encore arrivé ? s'enquit-il.

— Je l'ai emporté à l'intérieur, répondit Thack.

— Des choses intéressantes ?

— Une carte postale de Mona. Elle veut que nous allions la voir cet été, figure-toi.

— Vraiment ? À Easley House ? s'étonna Michael.

— Oui.

Michael retint son souffle à cette idée.

— Tu crois que nous devrions y aller ? demanda Thack.

— Bien sûr ! Tu n'en croiras pas tes yeux quand tu verras cette maison.

— Et que ferons-nous de tu-sais-qui ?

Michael sentit au fond de lui un brusque accès de culpabilité vaguement paternel.

— Ah, oui...

— En Angleterre, les chiens doivent passer six mois en quarantaine avant qu'on les y laisse courir à leur gré, poursuivit Thack.

— Alors ça, jamais ! se récria Michael.

— Sais-tu ce que faisait Liz Taylor dans ce cas ? Elle gardait le sien sur une péniche au milieu de la Tamise. De cette façon, il n'était assujetti qu'aux lois maritimes.

Michael leva les yeux au ciel.

— Oh ! Je me souviendrai de ça. Voilà un truc idéal pour voyager en toute simplicité.

— Et Polly ? dit Thack.

— Quoi, Polly ?

— Elle nous a déjà proposé de garder la maison, non ?

— C'est vrai, se rappela Michael. En plus, Harry l'adore.

— Tu crois qu'elle serait d'accord pour s'installer ici ?

— Tu veux rire ? Elle pourrait ramener toutes les nanas qu'elle veut de *Chez Francine* !

— Judicieuse remarque, apprécia Thack, avec un grand sourire.

La pluie les força bientôt à rentrer. Ils se préparèrent du thé et regardèrent tomber l'averse, assis à la table de la cuisine. Michael se remémora son très pluvieux printemps à Easley House, il y avait déjà presque six ans. C'était là, devant la gloriette, cette étonnante *folly* sur la colline au bout du domaine, qu'il avait finalement appris à Mona la mort de Jon. Maintenant plus que jamais, il voulait lui faire rencontrer l'homme qui lui avait rendu le bonheur.

Il saisit la carte postale de Mona et l'observa de nouveau. C'était une vue de la grande demeure, prise du jardin. Une flèche au stylo à bille était pointée sur l'un des pignons, avec ces mots : « Votre chambre, gentlemen. »

— Vraiment, je trouve que ce serait une bêtise de ne pas y aller, murmura-t-il, rêveur.

— Alors, nous irons, décida Thack.

— Je suis sûr que tu trouveras Mona formidable. Une nana qui ne s'en laisse conter par personne, tu peux me croire.

Thack trouva ce portrait divertissant et lui resservit du thé.

Amour, y es-tu ?

— Maintenant, roule-le très fort... Très serré... Comme ça... Prends un élastique et mets-le au bout... Là... Voilà. C'est bien, ma chérie...

C'était un beau dimanche de mai ensoleillé, dans la cour de Mme Madrigal. Étendu sur les briques dans son maillot Speedo, Brian écoutait la logeuse enseigner à Shawna l'art de teindre des T-shirts en les nouant. À sa grande stupeur, c'était sa fille elle-même qui le lui avait demandé : le *tie-and-dye* était de nouveau à la mode, avait-elle dit... Rien que d'y penser, il se sentait fatigué.

— Bon. Maintenant, ajoute des élastiques ! continuait Mme Madrigal.

— Où ?

— N'importe où.

— Montrez-moi, supplia Shawna.

— Non, ma chérie. Je te dis de les mettre où tu veux uniquement parce que le résultat sera plus joli. Les dessins seront tous différents.

— Je veux le même que celui que vous avez fait !

— Mais voyons, quel intérêt ? Ce ne serait plus le tien, s'il était pareil.

Un silence se fit, mais de courte durée.

— Vas-y ! Tu vas voir, l'encouragea Mme Madrigal.

Se redressant, Brian abrita d'une main ses yeux du soleil et observa sa fillette qui glissait avec peine les élastiques autour du T-shirt enroulé.

— Elle se débrouille ? demanda-t-il à la logeuse.

— Oh, parfaitement !

Shawna roula des yeux comme Drew Barrymore.

— Je n'ai encore rien fait, grogna-t-elle.

— Applique-toi, alors.

La fille enfila des gants de caoutchouc beaucoup trop grands pour elle, puis plongea le T-shirt ligoté dans la grande cuve en faïence de Mme Madrigal.

— C'est pour Michael et Thack, déclara-t-elle.

— Excellente idée.

— Ils pourront les porter pour la fête de Mai.

— Sûrement ! approuva son père. Vas-y, continue !

— Est-ce que la taille médium leur ira à tous les deux ? s'inquiéta Shawna.

— Je crois, oui.

Elle regarda Mme Madrigal.

— Ah ! Je vous l'avais dit !

— Tu avais donc raison, reconnut Mme Madrigal.

Elle se tourna vers Brian.

— Comment va Michael, à propos ?

— Très bien.

— Il avait une angine la dernière fois que je l'ai vu.

— C'est fini, maintenant, la rassura-t-il.

— J'en fais un vert pour Thack et un bleu pour Michael.

Shawna élevait la voix pour attirer de nouveau leur attention.

— Oui, je pense que le vert ira mieux à Thack, jugea Brian.

— Si on les leur apportait ce soir?

— Bien sûr. Si tu veux.

— Michael m'a dit qu'il me montrerait l'arbre où viennent se poser les perroquets, ajouta Shawna.

— Ceux-là, ne compte pas trop sur eux! l'avertit son père. On ne peut jamais être sûr qu'ils viendront. De toute façon, c'est mieux quand c'est une surprise. Quand ils apparaissent de nulle part et s'abattent tout à coup sur le jardin.

La fillette se tourna de nouveau vers Mme Madrigal.

— Si on y ajoute du sel, ça renforce les couleurs?

— Oui, je t'en ai déjà fait la remarque.

— Alors, on en met encore un peu.

— Très bien, mon ange. Maintenant, observe attentivement...

Shawna leva sur son initiatrice un tel regard d'adoration que Brian eut un soudain pincement de jalousie.

Plus tard, alors que la fillette faisait la sieste à l'intérieur de la maison, Mme Madrigal s'assit sur le banc au pied duquel il prenait le soleil.

— Comment est son nouvel appartement? lui demanda-t-elle.

— Vous n'avez pas vu le dernier numéro de *People*?

— Le numéro de qui?

— *People*. Le magazine, précisa Brian.

— Oh... Non, je ne l'ai pas vu.

— Elle y est. Il y a dedans une photo de son appartement.

— Ah?...

— Ça a l'air très bien. Dans un immeuble ancien. Avec de très grandes fenêtres.

— En effet, ça doit être pas mal, dit Mme Madrigal.

— Bien sûr, il n'y a pas encore beaucoup de meubles...

— Forcément.

— On l'appelle la nouvelle Mary Hart, figurez-vous.

— Mary quoi?

— Mary Hart. La fille qui présente *Entertainment Tonight*.

Il observa une pause, puis continua.

— Je vous apporterai l'article.

— Oh, ne te mets pas martel en tête pour si peu, mon grand.

Il sourit vaguement.

— Tu as perdu du poids, remarqua-t-elle. Ton ventre est redevenu presque plat.

— Je me suis remis à la gym, expliqua-t-il.

— Ah oui? Où ça?

— Chez moi. J'ai transformé son dressing-room en salle d'haltérophilie.

Elle émit un petit rire.

— Voilà un garçon ingénieux! approuva-t-elle.

— Oui, je trouve aussi... répliqua-t-il, l'air amusé.

Son objectif était de retrouver le mieux de sa forme d'ici à la fin de l'été.

Quand Brian arriva à la jardinerie le lendemain matin, il trouva Michael dans son bureau, devant la télé, avec sur le dos son nouveau T-shirt.

— Dis donc! Ça te va bien! admira Brian.

— N'est-ce pas?

Michael gonfla le thorax un instant, puis reporta son attention sur l'écran.

— Devine qui elle a invité, aujourd'hui?

Brian leva les yeux et vit sur le petit écran un Russell Rand très bronzé, assis avec une élégance étudiée au bout du long sofa sur lequel Mary Ann recevait ses hôtes. Il venait de dire quelque chose de drôle, apparemment, car Mary Ann riait joyeusement.

— C'est une idée tellement naturelle! s'enthousiasma-t-elle ensuite, retrouvant sa contenance la plus digne. Des alliances créées par un styliste, on se demande pourquoi personne n'y avait pensé avant!

Rand affecta l'expression modeste qui convenait.

— Vous et Chloe, bien sûr, êtes votre meilleure publicité.

— Ma foi...

— Je le dis comme je le pense. C'est tellement agréable de voir un homme et une femme à ce point amoureux!

Quelques applaudissements se firent entendre dans le public, qu'elle décida d'encourager un peu.

— N'est-ce pas? N'est-ce pas que c'est agréable. Pour changer!

— Bâillonnez-moi! cria presque Michael.

Brian sourit.

— Tu crois qu'elle a caché Chloe dans les coulisses?

— Probablement. Pour que le beau Russell puisse lui rouler une pelle devant les caméras, j'imagine.

— Et permettez-moi de vous dire...

Mary Ann était maintenant lancée, très à l'aise pour poursuivre sur ce thème.

— Tous ceux d'entre nous qui n'ont pas eu autant de chance dans leur vie sentimentale...

— Oh, putain! marmonna Brian entre ses dents.

— ... ne peuvent pas, j'en suis sûre, s'empêcher d'être un peu envieux.

— Putain, putain, putain! explosa Brian.

Michael lui jeta un regard navré.

— Elle ne peut pas faire une seule de ces saloperies d'émissions sans parler de ça! Pas une seule! s'emporta-t-il. C'est devenu une divorcée professionnelle.

— Mmm... On dirait, acquiesça Michael.

D'une grande claque, Brian éteignit le téléviseur. Ce simple geste l'apaisa curieusement.

— Tu ne crois pas qu'elle aurait pu attendre que le divorce soit prononcé, au moins ?

Son associé le regarda avec un sourire mi-figue mi-raisin.

— Je pense qu'elle voulait recommencer de zéro, en se créant un nouveau personnage, commenta-t-il.

Brian poussa un grognement, puis le questionna à nouveau :

— Tu lui as parlé, récemment ?

— Non. Seulement la semaine dernière, répondit Michael.

— Moi, j'appelle ça récemment !

Il désigna l'écran vide d'un air coupable.

— Excuse-moi, vieux. Tu voulais peut-être...

— Non. Quelle importance ? Je pensais seulement qu'elle rendrait peut-être hommage à Lucille Ball.

— Écoute, dans ce cas...

Il se pencha de nouveau vers le poste.

— Il n'y a qu'à rallumer.

— Non, je t'assure ! insista Michael. J'en ai par-dessus la tête de Lucille et de *I love Lucy*.

Comment aurait-il pu en être autrement ? songea Brian. La veille encore, son associé avait assisté par hasard à quelques minutes d'une cérémonie improvisée au carrefour de la 18e Rue et de Castro Street, et cette vision l'avait tellement ému qu'il avait acheté une petite boîte de chocolats (« pour mon épisode préféré ») et l'avait cérémonieusement posée parmi les fleurs.

— Tu es sûr, Michael ?

— Oui. Tout ce qu'on montre, figure-toi, c'est encore et toujours la scène où on foule le raisin aux pieds.

Brian s'assit sur la table.

— Alors, qu'est-ce qu'elle t'a dit?

— Qui?

— Mary Ann. Au téléphone.

— Pas grand-chose, répondit Michael. Elle a surtout parlé de son boulot.

— Et pas de moi?

Michael prit un air agacé.

— Pardon, s'excusa Brian. J'avais promis de ne plus poser ce genre de questions.

— Exactement. Tu l'as promis.

— D'accord.

Brian hocha vigoureusement la tête.

— Je ferai attention.

Michael le sermonna sur un ton volontaire :

— La vie continue, mon vieux.

— Je sais.

— Si on allait au cinéma, ce soir? proposa Michael, pour changer de sujet.

— Volontiers.

— Thack a envie de voir *Le Scandale*.

— Qu'est-ce que c'est? demanda Brian.

— Tu sais bien : l'histoire de Christine Keeler!

— Ah oui! D'accord. Ce que vous voudrez.

— Tu pourras trouver une baby-sitter? s'enquit Michael.

— Oui. Je pense que Mme Madrigal sera probablement...

— Tiens, tiens, tiens.

Michael, tout à coup, se montrait distrait par quelque chose qu'il venait de voir par la fenêtre.

— Regarde un peu ça...

Brian regarda, plus intrigué que curieux.

— Jessica Rabbit est de retour! annonça triomphalement Michael.

Effectivement, c'était elle! Mais, cette fois, en chemisier de coton rose et short kaki très court. Brian s'approcha de la fenêtre et l'observa tandis qu'elle descendait une allée tachetée de soleil, ses cheveux couleur de rouille se balançant sur ses épaules comme une draperie de satin. Même d'aussi loin, il pouvait presque sentir son odeur.

Puis, semblant surgir de nulle part, Polly entra en scène d'un seul bond, coupant à travers les chèvrefeuilles de Birmanie pour fondre sur sa proie. Il n'entendit pas ce qu'elles se dirent, mais toutes deux souriaient beaucoup, et, bientôt, Polly tendit la main pour la poser sur le bras de Jessica.

— Je le savais, se désola Brian avec résignation.

Michael le fixa alors avec des yeux d'épagneul compatissant.

— Moi, je l'ai deviné dès l'instant où elle a posé le regard sur Polly, dit-il.

— Bah ! Tant pis.

Brian cessa d'observer les deux femmes et tenta de se montrer beau joueur.

— Qu'est-ce que ça peut faire ? Chacun son tour.

— Tout de même !... Je ne suis pas sûr à cent pour cent, rectifia son associé, qui épiait toujours les deux femmes.

— Allons ! J'ai déjà vu une femme en draguer une autre ! bougonna Brian.

— Dans ce cas, mon vieux, peux-tu m'expliquer ce qu'elle fait maintenant ?

Jessica s'éloignait en effet de Polly à grands pas, une expression très résolue dans ses yeux obliques de chatte. Quand elle atteignit le bout de l'allée, ses jambes superbes pivotèrent brusquement et, comme de grands ciseaux activés vigoureusement, remontèrent à vive allure le chemin dallé conduisant au bureau.

— Je te laisse, lança soudain Michael.

— Où vas-tu ? s'enquit Brian.

— À côté. J'ai quelques rangements à faire.

— Michael...

Mais son associé avait déjà filé dans la réserve et

refermé la porte. Quand Brian se retourna, Jessica Rabbit entrait d'un pas de velours dans le bureau.

— Bonjour, souffla-t-elle.

— Bonjour.

Elle s'approcha du bureau et lui décocha un sourire langoureux.

— Vous vous souvenez de moi?

— Oh, bien sûr!

— Mes petits arbres se portent à merveille, déclara-t-elle.

— Ah oui? Euh... j'en suis ravi. C'est gentil, d'être venue me le dire.

Elle l'observa pendant quelques secondes interminables, l'air sournoisement amusé.

— Quelque chose ne va pas? demanda-t-il.

— Non, non.

Elle s'humectait les lèvres avec sa langue.

— Tout va très bien, même.

Il tenta tout ce qu'il était encore en mesure de faire pour cacher son embarras.

— Votre amie, là...

Elle fit un signe du menton vers la fenêtre, mais sans détacher ses yeux de lui.

— D'après elle, vous êtes à nouveau un homme libre.

De plus en plus gêné, Brian regarda dehors et aperçut Polly près de la porte de la serre, les observant sans vergogne. Elle lui sourit, puis leva un pouce en signe de triomphe. Il aurait juré qu'il rougissait quand il tourna de nouveau la tête vers Jessica.

— Oui, oui... répondit-il. C'est bien possible, ça...

Si vous désirez être régulièrement tenu au
courant de nos publications, merci de bien
vouloir remplir ce questionnaire
et nous le retourner :

**Éditions 10/18
c/o 10 Mailing
35, rue du Sergent Bauchat
75012 Paris**

NOM : . . . .

PRENOM : . . . .

ADRESSE : . . . .

. . . .

CODE POSTAL : . . . .

VILLE : . . . .

PAYS : . . . .

AGE : . . . .

PROFESSION : . . . .

TITRE de l'ouvrage dans lequel est insérée cette
page :
      Bye-bye Barbary Lane, t. 6, n° 3317

. . . .